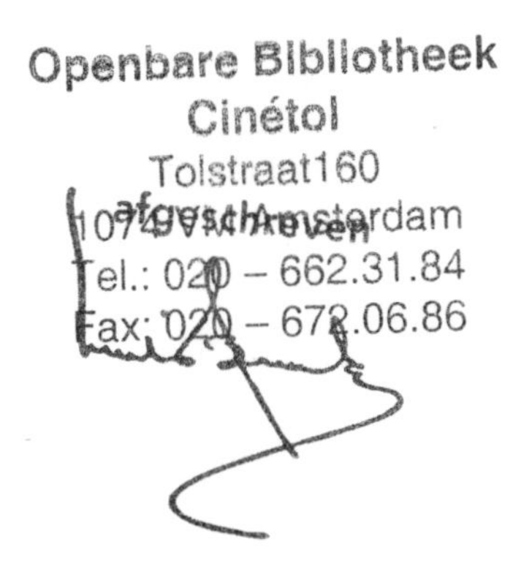

Openbare Bibliotheek
Cinétol
Tolstraat160
1074 VM Amsterdam
afgeschreven
Tel.: 020 – 662.31.84
Fax: 020 – 672.06.86

Nicolle Wallace

Top Secret

SIJTHOFF

Uitgeverij Sijthoff en Drukkerij HooibergHaasbeek vinden het belangrijk om op milieuvriendelijke en verantwoorde wijze met natuurlijke bronnen om te gaan.

Oorspronkelijke titel: *It's Classified*
Vertaling: Maya Denneman
Omslagontwerp: DPS/Davy van der Elsken
Omslagbeeld: © Radius Images / Imageselect

ISBN 978 90 218 0637 2
NUR 302

www.boekenwereld.com
www.uitgeverijsijthoff.nl
www.watleesjij.nu

Voor Mark

Proloog

Tara

'Tara?' riep Marcus voor de vierde keer in evenveel minuten.

Ze hield zich doodstil en zei niets.

'Jullie horen toch op haar te passen?' snauwde hij tegen een van de aan zijn vrouw toegewezen lijfwachten.

'Niet meer,' antwoordde de bewaker.

Tara kon ternauwernood een glimlach onderdrukken. Ze leunde achterover op haar stoel op de bovenste verdieping van het Naval Observatory en keek toe hoe de mannen van de verhuisservice dozen zo groot als koelkasten dichtplakten met tape en de verhuiswagen in tilden. De verhuizers waren twee uur daarvoor gearriveerd, en de hele inhoud van het huis waar ze het afgelopen jaar hadden gewoond was in noppenfolie gewikkeld en met zorg in dozen gedaan. De lijfwachten hadden Tara gevraagd of er nog dingen waren die ze apart wilde houden voor de reis naar huis voordat de verhuizers begonnen met inladen. Ze had haar hoofd geschud en was naar de zolder gegaan om vandaar de drukte beneden te bekijken. Marcus had als een gek rond gerend om borden, schalen en keukengerei te pakken zodat hun dochter van acht nog kon eten voordat de hele inboedel naar een of andere opslag ging en elk spoor van Tara's ambtsperiode als vicepresident werd uitgewist.

Tara staarde naar de stapel officieel briefpapier die op haar schoot lag en begon opnieuw. 'Beste mevrouw de president,' schreef ze. Verder dan dat was ze nog niet gekomen. Telkens wanneer ze iets anders probeerde te schrijven, eindigde de brief bij de andere proppen om haar heen op de grond.

'Daar ben je,' riep Marcus bars, en Tara schrok op. Ze had hem niet de trap op horen komen. 'Wat doe je hier in hemelsnaam?' vroeg hij.

'Ik, eh, probeer een brief aan Charlotte te schrijven,' zei ze.

'Heb je enig idee hoe traumatisch dit voor onze dochter is?' wilde hij weten.

'Ik weet het, ik weet het, sorry. Ik kom zo naar beneden.'

'Nu,' beval hij.

Ze wilde de brief aan Charlotte afmaken voordat ze Washington verlieten. 'Mag ik nog vijf minuutjes?'

Hij staarde haar aan. Ze staarde terug.

'Best,' zei hij. Marcus stormde de trap weer af en sloeg de deur met een klap achter zich dicht.

Tara keerde met hernieuwde concentratie terug naar haar brief. Ze had ook een briefje voor Dale achter willen laten, maar de verhuizers werkten sneller dan ze had verwacht. Ze zouden waarschijnlijk al kilometers van Washington D.C. verwijderd zijn als Dale klaar was met haar getuigenis voor de *grand* jury. Ze zette haar pen weer op het crèmekleurige papier. 'Beste mevrouw de president, het spijt me van alles,' schreef ze. Ze kauwde een paar tellen op haar pen en ging verder: 'Ik zou er alles voor overhebben om de zaken terug te kunnen draaien – dan zou ik er nooit mee hebben ingestemd je running mate te worden of ik zou geweigerd hebben de ambtseed af te leggen – ik zou alles wat maar mogelijk is willen doen om de narigheid en verlegenheid waarin ik je heb gebracht weg te nemen. De rest van mijn leven zal ik naar jouw vergeving op zoek zijn. Met intens berouw en mijn oprechte verontschuldiging, Tara.'

Dale

'Mevrouw Smith, begrijpt u de regels wat betreft het overleg met uw advocaat?' vroeg de rechter.

'Ja, meneer,' antwoordde ze.

'U kunt de zitting te allen tijde onderbreken om met uw advocaat te spreken, maar hij mag niet in de zaal aanwezig zijn tijdens uw getuigenis voor de grand jury,' zei hij.

'Dat had ik begrepen.'

'Goed. Dan gaan we verder. Speciaal aanklager Kirkpatrick zal beginnen.'

Dale ging verzitten en keek naar de juryleden. De verslaggever in haar vroeg zich af hoe hun leven eruitzag voordat ze waren opgeroepen om in de jury plaats te nemen. Ze zag een vrouw haar mobiele telefoon uitzetten en stelde zich voor dat haar laatste sms er een aan een oppas of *nanny* was geweest die op de kinderen paste terwijl zij moest bepalen of functionarissen van het Witte Huis een misdaad hadden begaan toen ze de toestand van de vicepresident voor het volk verzwegen. Dale zou er dolgraag verslag van hebben gedaan voor de omroep waar ze had gewerkt voordat ze in dienst kwam bij het Witte Huis. Ze leunde achterover en probeerde te luisteren naar de vraag van de speciaal aanklager.

'Kunt u me niet goed horen, mevrouw Smith?' vroeg hij.

'Jawel, het spijt me, kunt u de vraag misschien herhalen?'

'Natuurlijk. Mevrouw Smith, ik zou graag van u willen weten op welk moment – geef me een week, dag of maand, als u zo specifiek kunt zijn – op welk moment het voor het eerst bij u opkwam dat het misschien niet zo goed ging met de vicepresident, en aan wie heeft u dit gemeld toen u, of als u, deze zorgen kreeg?' vroeg hij.

'Welke wéék?'

'Als het voor u makkelijker is om een situatie of een periode te beschrijven, mag dat ook. We begrijpen uit uw e-mailverslagen dat u, ik citeer, "bezorgd" was om de vicepresident. In een e-mail aan de chef-staf van het Witte Huis waarin u advies vraagt over persvragen naar de frequente afwezigheid van de vicepresident, was u op zoek naar goede raad. Is dat een adequate omschrijving van die e-mails, mevrouw Smith?' vroeg hij.

'Ja,' antwoordde ze.

En wat was het antwoord op e-mails waarin u advies vroeg over hoe u met vragen betreffende de vicepresident om moest gaan?' vroeg de aanklager.

'Er werd mij opgedragen de situatie af te handelen. Ik bedoel, dat werd van mij verwacht. Dat was mijn baan.'

'En hebt u zich ooit afgevraagd waarom u deze baan kreeg? Had u bijvoorbeeld ooit eerder voor een politicus gewerkt voordat u een van de belangrijkste adviseurs in de staf van de vicepresident werd?' vroeg de aanklager.

'Nee,' antwoordde Dale.

'En vond u het niet vreemd dat u zo'n enorme verantwoordelijkheid kreeg?' was de volgende vraag van de aanklager.

Ze keek hem recht aan. 'Nee.'

'Ik wil nu graag verder met de precieze verklaringen die u aan de pers gaf terwijl u de vicepresident achteruit zag gaan. In een artikel van dertig juni beschreef u de vicepresident als sterk en veerkrachtig, is dat juist?'

'Ja, dat klinkt wel als iets wat ik zou zeggen,' antwoordde Dale.

'Hier staat het, mevrouw Smith. Ik heb een kopie van een artikel voor me liggen. De kop luidt "Vicepresident Verzuimt Steeds Vaker", en het citeert anonieme bronnen binnen het Witte Huis die zeggen dat ze moeite had met de druk die het ambt met zich meebracht. En u, mevrouw Smith, wordt in het artikel ook aangehaald. U zegt daar dat die bronnen niet goed op de hoogte waren en dat ze sterk en veerkrachtig was,' zei de aanklager, voorlezend uit een artikel in *The Washington Post*.

'Ja, ik herinner het me weer,' zei Dale.

'Sprak u daar de waarheid?' vroeg hij.

'Er waren wel dagen dat ze sterk en veerkrachtig leek,' antwoordde Dale.

'En er waren ook dagen waarop dat niet zo was, is dat correct?' vroeg hij.

Dale knikte.

'Betekent dat ja?'

'Ja,' zei ze.

'En was het uw werk om geheel of maar gedeeltelijk de waarheid te spreken?' vroeg hij.

Dale richtte zich tot de rechter. 'Wilt u mij excuseren zodat ik met mijn advocaat kan overleggen?' vroeg ze.

'Natuurlijk,' antwoordde de rechter.

De aanklager wendde zich tot de jury en haalde zijn schouders op. 'Dat leek mij toch niet zo'n moeilijke vraag,' zei hij tegen een van zijn collega's. Hij sprak zo luid dat de juryleden hem konden horen en een paar van hen grinnikten.

Dale haastte zich de zaal uit en de gang op waar haar advocaat zat te wachten.

'Hoe gaat het?' vroeg hij.

'Niet goed,' antwoordde ze. 'Kirkpatrick wil weten of het mijn baan was om te liegen,' zei ze.

Haar advocaat glimlachte. 'Dat is zijn specialiteit. Hij beschuldigt de laakbaarheid van de politiek en pakt vervolgens het individu,' zei hij.

'Wat moet ik nu?' vroeg Dale.

'De waarheid vertellen. Meer kun je niet doen,' antwoordde hij. Hij legde een arm om haar schouders. 'Vertel ze alles en dan zullen ze jou misschien zien als een onschuldige toeschouwer, iemand die haar mond hield ten bate van Kramers presidentschap,' zei hij. 'Ze zijn niet op jou uit, Dale. Ze willen Kramer.'

Charlotte

'Mevrouw de president, bent u er klaar voor?' vroeg de advocaat.

Of ik er klaar voor ben? dacht Charlotte. Ze moest bijna hardop lachen. 'Geef me een minuutje, alsjeblieft.'

'Natuurlijk, mevrouw,' zei hij en hij verdween in de gelederen van een dozijn aktetas dragende, gelijk geklede advocaten, samengesteld uit de beste advocatenfirma's van Washington om de president van de Verenigde Staten te verdedigen in haar impeachment voor het Congres.

Charlotte liep naar het raam in het kantoor van de fractievoorzitter van de minderheidspartij van het Huis van Afgevaardigden. Een groepje schoolkinderen stond op een kluitje te kijken hoe een nieuwsploeg uit Philadelphia zware apparatuur uit hun busje zeulde naar de locatie waarvandaan ze live zouden gaan uitzenden. Een ander groepje toeristen stond achter de tv-presentatoren te zwaaien. Charlotte zag een ouderpaar naar elkaar glimlachen terwijl ze een tweelingwagen met twee jochies de trappen van het Capitool op tilden. Instinctief keek Charlotte op haar BlackBerry om de berichtjes te herlezen die haar tweeling haar de avond ervoor had gestuurd.

'Geef ze van katoen, mam,' schreef Penelope.

'Laat je er niet onder krijgen door die eikels,' had haar zoon, Harry, geschreven.

Ze zuchtte en keek weer naar de bedrijvigheid onder het raam. Het Capitool was omsingeld door nieuwswagens, en verslaggevers van over de hele wereld stonden schouder aan schouder in dikke winterjassen en met hoofddeksels op ter bescherming tegen het koude weer dat voor de gelegenheid was komen aanwaaien. Op de televisie die aanstond in het kantoor van de voorzitter van de minderheidspartij hoorde Charlotte een van de verslaggevers op gedempte, gezaghebbende toon praten.

'Alle ogen zijn gericht op de commissiezaal in afwachting van de getuigenis van president Kramer. Als ze inderdaad gaat getuigen, wat ze volgens medewerkers van het Witte Huis van plan is, zal ze de eerste Amerikaanse president in de geschiedenis worden die getuigt in haar eigen impeachment. We kunnen alleen maar aannemen dat ze nog bezig is met de allerlaatste voorbereidingen op de belangrijkste dag van haar carrière, en waarschijnlijk van haar leven.'

Charlotte keek naar de advocaten. Ze had amper een woord met hen gewisseld sinds ze de vorige middag hun oefensessie hadden afgesloten. Voordat een van de advocaten haar blik als een uitnodiging om te kletsen zou opvatten, keek ze weer uit het raam. Het voelde alsof haar eerste inauguratie in een ander leven was geweest, maar haar tweede inauguratie lag nog vers in haar geheugen. Nog geen jaar geleden had Charlotte op de trappen van het Capitool gestaan met haar tweeling naast zich en haar ouders en beste vrienden, Brooke en Mark Pfeiffer, achter zich. Ze had haar hand op de bijbel van haar grootmoeder gelegd en gezworen de grondwet na te leven; een eed die ze net zo serieus nam als haar verantwoordelijkheid als moeder en burger. Het was een koude ochtend in januari maar de zon was zo fel geweest dat die het podium verwarmde. Ze glimlachte om de herinnering daar te staan na zo'n heftige herkiezingsinspanning. Charlotte had gedacht dat alle narigheid van haar eerste termijn als president deel uitmaakte van de prijs die ze betaalde voor wat ze hoopte dat een minder zware tweede termijn zou worden. Nu schudde ze licht het hoofd en sloeg haar armen om haar lijf heen. Iemand had een van de televisies harder gezet.

'Blijf bij ons, over een paar minuten zal president Charlotte Kramer verschijnen voor de commissie van Justitie van het Huis van Afgevaardigden, die vorige week een stemming won om de impeachment tegen de president van de Verenigde Staten van Amerika in gang te zetten. De impeachmentmotie zet uiteen dat president Kramer zich heeft gedragen op een manier die volstrekt onverenigbaar is met het doel van het ambt dat ze bekleedt.'

Charlotte draaide zich om naar haar leger van advocaten. Ze ving een glimp van zichzelf op in de spiegel en kromp vanbinnen ineen. Haar normaal gesproken dikke, blonde haar zag er dun en plat uit. Ze droeg het in een lage knot in haar nek. Er waren een paar plukken haar losgeraakt, die nu voor haar ogen hingen. Ze schoof ze achter haar oren en merkte dat haar lichtblauwe ogen grijs waren geworden, zoals zo vaak als ze slaapgebrek had. De lichtgrijze Armani-rok met het bijpassende jasje dat ze een jaar eerder had aangeschaft, hingen nu losjes om haar heen. Ze ademde diep in, duwde haar schouders naar achteren en haalde haar armen van elkaar. 'Daar gaan we dan,' zei ze. Met haar mondhoeken opgetrokken tot een glimlach probeerde ze enthousiasme te veinzen terwijl de advocaten hun BlackBerry en telefoon uitzetten en knikten. Ze kwamen op een kluitje achter haar aan.

Haar lijfwacht, Rich, liep naast haar en toen Charlotte de deur uit liep, sprak hij zachter dan anders in het microfoontje in zijn mouw. 'Wayfarer verlaat wachtruimte en is op weg naar commissiezaal. Ik herhaal: Wayfarer verlaat wachtruimte op weg naar commissiezaal,' zei hij.

'Doe dat alsjeblieft niet, Rich,' zei Charlotte, en ze legde haar hand op zijn arm tijdens het lopen.

'Wat?' vroeg hij.

'Niet zo fluisteren alsof ik al dood ben,' zei ze.

Rich glimlachte schaapachtig. Ze waren samen meerdere keren de wereld rond geweest, inclusief een tiental reisjes naar oorlogsgebieden. 'Het spijt me,' zei hij.

Toen ze door de lange marmeren gang liepen, was het enige wat te horen was het geklikklak van Charlottes hoge hakken en het geslof van een dozijn paar mannenschoenen. Het geluid vertraagde toen ze bij de deur van de zaal aankwamen. Op een normale toon zei Rich nu in zijn mouw: 'Wayfarer is bij de commissiezaal gearriveerd; Wayfarer is gearriveerd.'

Charlotte draaide zich om en keek nog een laatste keer naar de advocaten voordat ze naar Rich knikte. 'Ik ben er klaar voor,' zei ze.

1

Tara

Een jaar eerder

'Waar gaan we heen?' fluisterde Tara tegen haar assistente, Karen.

'Naar de wachtruimte, mevrouw de vicepresident.'

Tara knikte en liep met haar bewakers mee. Ze waren via de laad- en loszone het hotel binnengegaan en zigzagden nu door de keuken naar een dienstlift. Drie hotelmedewerkers zwaaiden enthousiast naar haar. Ze wist nog steeds niet goed wat het protocol was als zoiets gebeurde, dus stopte ze maar om handen te schudden. Een van de medewerkers haalde een mobiele telefoon tevoorschijn en vroeg de lijfwacht die het dichtstbij stond een foto van hem te maken met de vicepresident. Tara wist dat dat niet in de werkomschrijving van de lijfwachten stond. Voordat ze Karen een seintje kon geven, had haar assistente de mobiele telefoon al in haar hand en vroeg of iedereen *cheese* wilde zeggen. Tara kon niet peilen of het de lijfwachten irriteerde of onverschillig liet. 'Bedankt voor de gastvrijheid,' zei ze.

'U bedankt, mevrouw de vicepresident,' antwoordden ze. 'We vinden u geweldig.'

Tara zwaaide en volgde haar lijfwachten de lift in. Ze ging tegen de achterwand van de grote ruimte staan en keek toe terwijl een vijftiental van haar nieuwe personeelsleden zich met hen in de lift probeerde te proppen. Ze vroeg zich af of een van haar voorgangers claustrofobisch was geweest. Een lijfwacht stak zijn hand omhoog en beval de medewerkers die nog verschenen nadat de deuren dicht begonnen te gaan de volgende lift te nemen. Tara glimlachte meelevend naar een van haar nieuwe adviseurs die de lift niet meer in mocht en haalde haar schouders op naar de lijfwachten alsof ze wilde zeggen: 'Ach ja.' Er kon nog geen glimlachje vanaf. Niemand sprak tijdens de trage reis naar de twintigste verdieping. De dienstlift stopte met een schok en Tara voelde haar maag zich omdraaien. Ze zag de lijfwachten bedekt fluisteren en vervolgens doelbewust achter elkaar aan de lift uit lopen.

'Deze kant op, mevrouw,' zei Walter, haar hoofdlijfwacht. Hij was de enige die haar ooit recht aankeek.

Sinds ze ingezworen was als vicepresident twee weken geleden, had ze een nieuw bewakingsteam gekregen. Ze waren serieuzer dan het team waarmee ze tijdens de campagne had gereisd en Tara was behoorlijk geïntimideerd door hun stijfheid. Toen ze achter Walter aan de kamer binnenliep waar PRESIDENTIËLE SUITE op stond, probeerde ze haar vreugde te verhullen. Er stond een fles champagne met een kaartje met WELKOM IN HET RITZ. Een fruitschaal die uitpuilde met kiwi's, mango's, aardbeien, ananas en drie verschillende soorten druiven stond naast een etagère vol groente: hoge stapels rode, gele en groene paprika, asperges, cherrytomaatjes en wortels. Naast een mandje crackers lag een plankje met een toren van tientallen perfecte kaasblokjes. Tara's ogen gingen van het buffet met voorgerechten naar een kleinere tafel vol desserts. Op een enorme schaal lagen brownies, koekjes en petitfours vier rijen diep. Tara kon aan niets anders meer denken dan aan aanvallen.

'Mevrouw de vicepresident, wil je de briefing nu doen of wil je eerst even rusten?' vroeg Karen. De persoonlijke assistente stond in het Witte Huis ook wel bekend als 'de lichaamsverzorgster'. Zij moest ervoor zorgen dat Tara van punt a naar punt b kwam met een glimlach op haar gezicht. Karen moest zich ook bezighouden met de meest intieme details van Tara's leven.

'Ik weet het niet, Karen, wat denk jij?'

'We hebben ongeveer anderhalf uur voordat we naar het stadion moeten.'

Ze waren in Atlanta voor de Super Bowl. De omroep had Tara gevraagd voor een live interview tijdens de voorbeschouwing. Er zouden enorm veel mensen kijken.

'Geef me tien minuten om me om te kleden en te kijken hoe het met Marcus en Kendall gaat en dan vragen we iedereen erbij voor de briefing.'

'Is goed.'

'Karen, waren ál die mensen in de lift hier voor de briefing?'

'Misschien niet allemaal, maar een groot deel wel.'

'Aha.' Tara werd ineens nerveus. Hoe diepgaand zou dat interview kunnen worden, een kwartier voor het begin van de wedstrijd? Ze voelde haar maag in opstand komen en keek de suite rond op zoek naar haar tas. Een grote pot maagtabletten was zo langzamerhand haar beste vriend aan het worden.

'Ik zal iedereen laten weten dat je over een kwartier klaar bent.'

'Bedankt, Karen.'

Tara liep door de suite. Ze had, zoals vaak de laatste tijd, het gevoel dat iemand haar in de gaten hield. Voorzichtig naderde ze het buffet en bekeek het fruit en de groente. Ze pakte een brownie op om hem van dichterbij te onderzoeken. Geen nootjes. Ze at hem in twee happen op en pakte er nog eentje. Ze verschoof de desserts zo dat het leek alsof ze er niets van had gegeten. Ze was nog bezig met herschikken toen ze iemand op haar deur hoorde kloppen. 'Wie is daar?'

'Mevrouw de vicepresident, ik ben het, Dale. Ik wilde even weten of u de instructies voor het interview heeft ontvangen. Ik kan over een kwartier terugkomen met de rest, hoor. Ik schuif het wel even onder de deur door.'

Dale was haar nieuwe hoofd Communicatie. Om zich geliefd te maken bij de landelijke pers had Tara een verslaggeefster gekozen als haar belangrijkste medewerker. Dale was ook de vriendin van de ex-man van de president. De beslissing had heel wat stof doen opwaaien, maar de adviseurs van de president hadden Tara ervan verzekerd dat er al huwelijksproblemen waren voordat Dale zich erin mengde en dat de president er geen bezwaar tegen had dat ze Dale aannam. 'Ik kom eraan,' riep Tara terug. Toen ze de deur opendeed, stond Dale daar met een dunne map in haar handen. Ze droeg een zwarte broek met een zwarte trui en had zwarte schoenen aan. Ze zag er stijlvol uit op de moeiteloze manier van alle vrouwen die in New York City werkten en leefden. Tara was net Dale's lange, donkere haar en petieterige gestel aan het bewonderen toen ze zich realiseerde dat Dale nog steeds in de gang stond.

'Sorry dat ik u stoor, maar ik wilde u dit niet geven waar de anderen bij waren. Alles, van waar u moet gaan zitten tot wat ze van plan zijn te vragen en dat soort dingen, staat erin. Ik had het u in het vliegtuig al moeten geven, maar ik wist niet of u aan het werk was of even rustte. Het spijt me. Het is allemaal nog nieuw voor me.' Dale wipte zenuwachtig van het ene been op het andere.

'Dat geeft niets. Het is voor ons allemaal nieuw.' Tara glimlachte. 'Wil je even binnenkomen en wat eten terwijl ik me omkleed?'

'Eh, nee, nee, ik kan u beter met rust laten.'

'Allemachtig, er ligt hier genoeg eten voor een heel weeshuis. Kom alsjeblieft binnen,' drong Tara aan.

Dale glimlachte. 'Oké, dank u wel.'

'Wat voor soort vragen denk je dat ik kan verwachten?'

'O, ik heb vanmorgen een voorbespreking met de omroep gehouden. De lijst met vragen staat in de instructies.'

'Fijn. Ik zal ernaar kijken.' Tara stopte de map onder haar arm.

'Laat het me weten als u vragen heeft en dan zorg ik dat ik achter de antwoorden aan ga terwijl u in de beleidsbriefing zit.'

'Dale, heb je enig idee wie al die mensen zijn die vandaag met me zijn meegereisd voor de briefing?'

Dale lachte. 'Niet echt. Ik moet iedereen nog leren kennen.'

'Ik denk dat ik maar zal moeten wennen aan grote mensenmassa's,' zei Tara.

'Dat denk ik ook. Het lijkt erop dat u nooit meer in uw eentje zult backpacken,' zei Dale.

'Dus stiekem ertussenuit knijpen voor een donut kan ik wel op mijn buik schrijven.'

'Volgens mij staan er wel tien medewerkers klaar voor zo'n soort verzoek.'

Tara lachte. 'Daar zul je gelijk in hebben. Vreemd allemaal.'

'Ik vind de overgang van verslaggever van het Witte Huis naar medewerker van het Witte Huis al groter dan ik had gedacht. Ik kan me niet eens voorstellen hoe het voor u en uw gezin moet zijn.'

'Een mallemolen,' gaf Tara toe. Ze mocht Dale graag; ondanks haar raffinement was ze verrassend lief en nuchter. En ze leek erg toegewijd.

'Ik ga mijn man en dochter bellen voordat iedereen hier is. Wil je de troepen bezighouden als ze arriveren voordat ik zover ben?'

'Geen probleem.'

'En Dale, ik vind het fijn je in mijn team te hebben.'

'Ik ook, mevrouw. Bedankt voor deze kans.'

Tara hoorde de rest van haar medewerkers aan komen schuifelen achter de deur en ging snel naar de slaapkamer om zich om te kleden. Ze staarde naar de afzonderlijk combineerbare kledingstukken die ze voor het interview in haar koffer had gedaan en wilde dat ze iets keurigs zoals Dale's outfit mee had gebracht. Uiteindelijk koos ze voor een grijze pantalon en een kobaltblauwe twinset. Tara fronste naar haar spiegelbeeld in de badkamerspiegel. Haar gezicht was te rond; haar haar was vaalbruin; en ze was te dik. Toen ze zich een stukje draaide om zichzelf vanuit een andere hoek te bekijken, werd het er niet beter op. Haar rugvet was zichtbaar rond haar bh-bandjes en een taille viel amper te ontdekken. Ze besloot zich met onmiddellijke ingang aan haar dieet te gaan houden. Toen ze terugkwam in het zitgedeelte, bevond zich een tiental mannen in pak in haar suite, allemaal met een bordje eten voor zich.

'Goedemiddag, mevrouw de vicepresident. We dachten te beginnen met het buitenlands beleid, gevolgd door de economie en af te ronden met het binnenlands beleid. Kunt u zich daarin vinden?'

Ze keek naar de grijsaard die het woord tot haar had gericht en deed haar best zich zijn naam te herinneren. 'Dat klinkt prima, Chester. Vreselijk bedankt dat je de moeite hebt genomen om op een zondag deze reis te maken.'

Chester straalde en begon met een samenvatting van de situatie in Noord-Korea. 'Mevrouw de vicepresident, de vraag komt vaak in de vorm van een uitnodiging om uw mening te geven over het welslagen of mislukken van het zeslandenoverleg. Hebt u een goed begrip van de voors en tegens van het zeslandenoverleg als constructie om Noord-Korea aan te pakken?'

'Ik denk het wel, maar geef me je beste formulering maar en dan zal ik proberen die me eigen te maken.'

Hij stak van wal met een beverig antwoord dat uit vier delen bestond en dat Tara zichzelf nooit van haar leven zag herhalen, laat staan op de zondag van de Super Bowl.

Alsof ze een seintje had gekregen, bemoeide Dale zich ermee vanaf haar plek achter in de kamer. 'Met alle respect voor het belang van het onderwerp, Chester, maar ik denk toch dat we gerust kunnen zijn dat Bob Costas de vicepresident vandaag niet naar Noord-Korea zal vragen.'

Tara merkte op hoe de energie in de kamer zich van voor naar achter verplaatste. Alle hoofden waren naar Dale gekeerd. 'Mevrouw, we kunnen een aantal algemene vragen verwachten over de grote kwesties waar deze regering mee te maken zal krijgen; zoals de zwakke economie, de aanhoudende inzet van troepen in Afghanistan en de onrust in Libië en Syrië. Maar Bob wil eigenlijk gewoon weten wie u bent en waar u vandaan komt,' zei Dale.

Tara knikte. 'Begrepen.' Ze keek naar de beteuterde gezichten van de leden van het beleidsteam. Ze wilde niet dat ze zich overbodig voelden, maar ze wilde ook niet haar hoofd vullen met beleidsdetails die nooit ter sprake zouden komen. 'Ik heb een idee. Waarom vertellen jullie me allemaal niet hoe je een vraag over de belangrijkste uitdagingen zou beantwoorden – in binnenlands of buitenlands beleid – waar deze regering mee te maken zal krijgen,' stelde ze voor.

De beleidsjongens straalden weer. Gedurende de briefing leken ze vastbesloten elkaar te overtreffen. Het verbaasde Tara hoe competitief de hele oefening aanvoelde. Pas bijna tegen het einde begon het haar te dagen dat ze indruk op haar wilden maken.

Dale liep achter de horde aan naar de deur en glimlachte naar Tara toen de laatste beleidsadviseur de kamer uit was. 'Goed gedaan,' zei ze.

'Rij je met me mee naar het stadion, Dale?' vroeg Tara.

'Dat lijkt me leuk.'

Zodra het stil was in de gang buiten de suite keek Tara haar met een geamuseerde blik in haar ogen aan. 'Ik dacht even dat Chester in huilen zou uitbarsten toen je zei dat Bob Costas niets over het zeslandenoverleg zou vragen.'

'Ik was bang dat hij iets naar mijn hoofd zou smijten. Ik voelde me afschuwelijk.'

'Het was juist super. Ik moest mijn lachen inhouden. Vorig jaar waren Marcus en ik op een Super Bowl-feestje bij buren terwijl Kendall met vriendjes buiten in de sneeuw speelde. En dit jaar ben ik in de presidentiële suite in het Ritz-Carlton en word ik gebrieft over Noord-Korea voor mijn interview met Bob Costas dat landelijk wordt uitgezonden.'

Dale glimlachte. 'Dat gaat je vast niet in de koude kleren zitten.'

Tara ademde diep in en lachte terug. 'Zeker.'

Een lijfwacht klopte op de deur en ze pakten hun spullen. Tara en Dale volgden Karen en de lijfwachten naar de dienstliften. Ze daalden weer eenentwintig verdiepingen en via dezelfde weg als eerder kwamen ze bij de autocolonne die op de laad- en loszone van het hotel geparkeerd stond.

2

Dale

Dale keek toe hoe de vicepresident plaatsnam in een uitgebreid decor dat speciaal voor de pauzeshow was gebouwd. Normaal gesproken werd een president geïnterviewd door de vaste presentator van de omroep die de Super Bowl uitzond. NBC brak met deze traditie door ten eerste de vicepresident in plaats van de president te vragen en ten tweede had Dale, hoewel het rancune veroorzaakte, verzocht of Bob Costas het interview kon doen. Toen ze haar nieuwe baas zag keuvelen met de beminde sportverslaggever, was ze blij dat ze hem had voorgesteld.

'Goedenavond, dames en heren. Terwijl de zon ondergaat op deze Super Bowl-zondag, hebben we hier een zeer speciale gast. Voor haar allereerste nationale live interview als vicepresident is hier Tara Meyers. Hoe gaat het, en belangrijker, voor wie bent u vanavond?'

'Goedenavond, Bob. Ik beloof je dat ik die vraag als fan en niet als politicus zal beantwoorden voor ik hier weer vertrek, maar eerst wil ik graag mijn man en mijn dochter Kendall gedag zeggen. Die zitten vanavond thuis in Washington. Hai schat, hai lieve Kendall. Niet te laat opblijven, hè!'

'Mevrouw de vicepresident, als het mag wil ik u graag vragen hoe het komt dat een gewone, werkende moeder die met veel van dezelfde dingen te kampen lijkt te hebben als alle andere vrouwen, nu de op één na machtigste persoon van het land is?'

'O, lieve help, Bob, dat vraag ik mezelf ook af. Ik denk dat ik gewoon op het juiste moment op de juiste plaats was. Maar ik wil niet de bereidheid van president Kramer bagatelliseren om het Amerikaanse volk te laten zien dat Democraten en Republikeinen als team kunnen regeren. Het hoeft niet te zijn zoals het altijd is geweest: twee partijen die over alles kibbelen. We zijn van plan te regeren als twee afzonderlijke leiders met heldere principes die de beste ideeën van beide kanten samenbrengen ten bate van Amerika. Ik denk dat ze dat voor ogen had toen ze me vroeg samen met haar deel te nemen aan de verkiezingen, en ik weet dat ze daarover sprak toen ze een paar weken geleden in haar inaugurele rede beloofde dat er een eind komt aan een tijdperk van lage verwachtingen van onze nationale leiders en er een tijdperk van algemeen erkend en verwezenlijkt exceptionalisme begint.'

De vicepresident liet Costas' blik los terwijl ze haar antwoord overdacht. Toen ze hem weer aankeek, zat hij warm naar haar te glimlachen. Tara had een natuurlijke gave om een band te smeden, en die had ze gebruikt met haar verzoek om haar man en dochter gedag te zeggen. Dat was precies wat Dale zo had aangetrokken de eerste keer dat ze elkaar ontmoetten tijdens de campagne. Dale leunde tegen de muur en ontspande voor het eerst in drie uur sinds ze in Atlanta waren geland. De enige beleidsadviseur die nuttig was gebleken tijdens de briefing was de plaatsvervangend Nationaal Veiligheidsadviseur, die een laptop had meegebracht. De vicepresident wilde statistieken zien van de teams die die dag speelden, en zonder te weten dat hij een volleerd expert was op het gebied van antioproeracties, had ze hem gevraagd de gegevens van de teams te googelen.

Nu zette Dale het volume van de monitor hoger om het interview goed te kunnen verstaan. Costas hield zich aan het script. Alles wat hij de vicepresident tot nu toe had gevraagd stond in de instructies die Dale haar had gegeven. Dale had het gevoel dat ze misschien toch wél geschikt was voor het werk aan de binnenkant.

'Mevrouw de vicepresident, *Oprah Magazine* noemde u onlangs de meest bewonderde vrouw van Amerika. Hoe voelt dat?'

Terwijl Tara aan het antwoord begon dat ze onderweg hiernaartoe geoefend hadden, over hoe nederig makend het is om een kans te krijgen om te dienen, dacht Dale na over de vreemde wending die haar leven had genomen. Nog geen jaar geleden was ze televisieverslaggeefster geweest voor een van de netwerken, waar ze doordeweeks het nieuws rond president Kramer versloeg en in de weekenden vaste presentatrice was van de nieuwsuitzendingen in de avonduren. De meeste mensen zagen haar als iemand die een grote toekomst op de televisie tegemoet ging. Ze had ook een hartstochtelijke en liefdevolle relatie met een man op wie ze stapelgek was. Ze had zich zowel op persoonlijk als op professioneel vlak nog nooit zo vervuld gevoeld. Maar haar tevredenheid was een illusie geweest. Haar geliefde was de man van de president en haar baan was verslag doen van de president die ze bedroog. Ironisch genoeg was het de president zelf geweest die haar relatie met Peter bekendmaakte en het mogelijk maakte dat ze in het openbaar samen konden zijn. Een bijna fataal helikopterongeval had een nieuw licht op de affaire geworpen. Achteraf gezien realiseerde Dale zich dat Charlotte er genoeg van had gehad het geheim dat haar huwelijk al jaren over was nog langer met zich mee te dragen. Charlotte had onmiddellijk na het ongeluk de affaire bekendgemaakt en was van Peter gescheiden zodat hij bij Dale kon zijn terwijl ze van haar verwondingen herstelde. De meeste mensen hadden het een bovenmenselijk gebaar gevonden, en Dale had zichzelf ook afgevraagd hoe Charlotte zo grootmoedig kon zijn. In de korte tijd dat ze nu voor het Witte Huis werkte, had ze een minder bekende kant van Charlotte gezien. Ze behandelde haar personeel met een fatsoen en tederheid die niemand aan de buitenkant ooit zou vermoeden, en waarover iedereen aan de binnenkant waakte alsof het strikt geheime informatie was.

Na het ongeval liep Dale weg van Washington en haar carrière in de televisie om met Peter in San Francisco te gaan wonen. Het opgeven van de dagelijkse opwinding van het najagen en verslaan van nieuwtjes liet een leegte in haar achter die Peter niet kon vullen. Ze had zich verschrikkelijk ellendig gevoeld. Dale was uit San Francisco weggegaan om voor een plaatselijk televisiestation verslag te doen van de laatste maand van Charlottes herverkiezingscampagne. Zo had ze Tara ontmoet. Als Charlottes verrassende keuze als running mate, was Tara een plotselinge sensatie. Vijf dagen voor de verkiezingen kreeg Dale een interview met haar aangeboden. Nu bracht het geluid van de juichende menigte Dale terug op de set waar Tara nog steeds bij Bob Costas op de bank zat. 'Wat gebeurde er?' vroeg ze aan een van de medewerkers.

'Ze zei dat ze voor de Chicago Bears was en dat ze verwachtte dat ze over de tegenstander heen zouden lopen.'

'Echt?'

'Jazeker. Ze heeft echt ballen,' zei hij met een glimlach.

Dale was zo opgelucht dat het interview goed verliep. Een aantal van haar nieuwe collega's had haar beslissing om de nieuwbakken vicepresident in zo'n grootse setting voor een eerste interview te plaatsen, bekritiseerd. Dale had geargumenteerd dat de vicepresident meer dan in staat was daar goed te presteren, en gelukkig voor haar kreeg ze gelijk. Ze was zo trots op haar nieuwe baas. Zo triomfantelijk als nu had ze zich nooit in de redactiekamer gevoeld. Ze glimlachte terug naar de medewerker. 'En of.'

3
Charlotte

'Waar gaat iedereen heen?' vroeg Melanie.

'O, het is tijd voor Tara's wekelijkse "brainstormvergadering",' antwoordde Charlotte.

'En dat is?'

'Elke vrijdag brengt ze mensen uit verschillende expertisegebieden samen om te brainstormen over manieren om de landsregering ontvankelijker te maken voor het volk.'

'Je maakt toch zeker een grapje?'

'Nee, en ik vind het een geweldig idee. Je zou ook zoiets moeten proberen in het Pentagon. Het maakt geldschieters geïnteresseerder in onze agenda.'

'Dat is Washingtonpraat voor spreken met mensen die hun beste tijd gehad hebben.' Melanie fronste in de richting van de gang. Charlotte en zij stonden in de ontvangstruimte van het Oval Office en keken op de computer van de assistente van de president naar foto's van het Parrot Cay resort op de Turks en Caicoseilanden. Melanie dacht erover na haar vriend, Brian Watson, een omroepverslaggever die ze had ontmoet in haar tijd als Charlottes chef-staf, daar mee naartoe te nemen voor zijn verjaardag. 'Vind je dit wat? Straalt het "vraag me ten huwelijk" uit? Of is het gewoon een eenvoudig, elegant resort?'

'Ik zou het niet eenvoudig noemen, maar het is perfect. Wat maakt het uit als hij wat extra druk voelt?'

'Als het als een trouwlocatie aanvoelt, schiet hij in de stress.'

'Waarom? Jullie zijn al bijna een jaar samen. Bovendien lijkt Brian me niet iemand die snel in de stress schiet.'

'Ik heb er altijd al heen gewild.'

'Het is er geweldig, neem dat maar van mij aan.'

'Dat doe ik ook. En jij moet iets van mij aannemen: pas op met Tara en al haar gebrainstorm. In het Midden-Oosten wordt de ene na de andere leider afgezet. Jij kunt de volgende zijn.'

Charlotte lachte. Ze liepen door het Oval Office de privé-eetkamer in waar ze zouden lunchen. Charlotte ging zitten, sloeg haar armen over elkaar en keek zelfvoldaan naar Melanie.

'Wat?' vroeg Melanie.

'Zeg het maar.'

'Wat moet ik zeggen?'

'Kom op, Mel. Kun je niet eens toegeven dat je misschien een beetje te snel over Tara hebt geoordeeld?'

'Ik ben blij dat de afspraak werkt,' gaf Melanie nuffig toe.

Charlotte trok een wenkbrauw op. 'Meer niet?'

'Er is pas een maand verstreken. Ik moet het nog maar eens zien,' hield Melanie vol.

‘Nou, dat kan dan wel zo zijn, maar het volk is dol op haar. Ze heeft een waarderingscijfer van vierentachtig procent,’ pochte Charlotte.

‘Ze heeft nog helemaal niets gedaan, behalve aanwezig zijn bij de inauguratie en de Super Bowl.’

‘Ze heeft een live interview gedaan.’

‘Met Bob Costas.’

‘En ze was fantastisch.’

‘Ze deed het beter dan ik had verwacht. Naar mijn mening profiteert ze gewoon van de naglans van de briljante inauguratietoespraak die ik voor je heb geschreven.’

‘Dat is dan een naglans van heb ik jou daar,’ plaagde Charlotte. Ze zag dat Melanie haar lachen inhield en gauw een hap van haar kipsalade nam. ‘Wat ben je toch een trut.’

‘Daarom mag je me ook zo graag,’ zei Melanie.

‘Daarom had je ook hier moeten blijven.’ Charlotte prikte in haar groentesalade.

‘Het lijkt je anders prima te vergaan zonder mij. Je hebt Tara en Ralph toch?’

‘We redden ons. Ik denk dat je er nog wel spijt van zult krijgen dat je bent weggegaan.’ Melanie was de hele eerste termijn Charlottes chef-staf geweest en was voor de president vóór Charlotte persvoorlichter van het Witte Huis geweest. Charlotte had graag gewild dat ze was aangebleven als haar chef-staf, maar na vijftien jaar op het Witte Huis gewerkt te hebben, had Melanie haar ontslag ingediend op de dag dat Charlotte herkozen werd. Ze had gezegd dat het tijd werd voor iets anders. Melanie was toen ook net een relatie met Brian begonnen. Charlotte had Melanie teruggelokt naar haar regering met een aanbod dat ze onmogelijk kon weigeren en een waarvan velen in Washington dachten dat het pure vriendjespolitiek was. Maar Charlotte had er alle vertrouwen in dat Melanie als vertrouwelinge van drie presidenten in een periode van een aantal oorlogen genoeg had gezien om voldoende ervaring te hebben om minister van Defensie te worden.

‘Ik ben verdomme de baas van het Pentagon. Wat kan een menselijk wezen in godsnaam nog meer bijdragen aan haar land?’

‘Melanie, we weten allebei dat jij niet menselijk bent.’

‘Fijn om te horen dat je me mist, mevrouw de president.’

‘Natuurlijk mis ik je. Maar je hebt het daar toch naar je zin?’

‘Het is heel apart. Hier ken ik elk kleinste hoekje en daar heb ik moeite mijn eigen kantoor te vinden.’

‘Ik zal de chef-staf vragen of ik volgende week langs kan komen voor een briefing,’ opperde Charlotte.

‘Ik wist wel dat het niet lang zou duren voordat jij zijn naam ook niet meer over je lippen kon krijgen.’

Nu was het Charlotte die haar lach moest verbijten. ‘Ralph gedraagt zich opperbest,’ hield ze vol.

‘Ja, en hij ziet er ook goed uit.’ Ralph was zo’n zeven kilo aangekomen sinds het einde van de campagne en knapte zowat uit zijn broeken. Hij weigerde nieuwe pakken te kopen.

Charlotte smeet een servet naar Melanie en leidde het gesprek bij Tara vandaan. Melanie had haar nek uitgestoken tijdens de campagne door het verhaal dat Tara een tijdje in een afkickkliniek had gezeten de kop in te drukken. Melanie had Tara zo vakkundig verdedigd als ze altijd alles deed, maar Charlotte wist dat het haar niet lekker had gezeten dat Tara en Marcus haar niets concreets konden bieden om mee terug te slaan. Charlotte vermoedde dat Melanie het haar nooit helemaal zou vergeven dat ze haar in een positie had gebracht waarin ze haar eigen geloofwaardigheid op het spel moest zetten voor iemand die ze amper kende, maar in veel opzichten was hun vriendschap juist hechter geworden nu Melanie haar minister van Defensie was.

Melanie was helemaal opgebloeid op het ministerie van Defensie en had voor een methodische aanpak gekozen om de vele kwaadsprekers voor zich te winnen. Toch had Charlotte het gevoel dat Melanie soms angstgevoelens ervoer omdat ze weg was van het moederschip. Na vijftien jaar kenmerkte het Witte Huis Melanie in wezen meer dan Charlotte. Ze stond in Washington bekend als Charlottes alter ego, een reputatie die beide vrouwen goed van pas kwam. Charlotte zou haar eerste termijn niet hebben overleefd zonder Melanie. Ze hadden elk bar moment samen doorstaan. Pas nu ze niet langer haar chef-staf was, besefte Charlotte hoeveel Melanie wel niet op haar bordje had gekregen tijdens die eerste termijn.

Nadat ze allebei een grote kom vetvrij vanillesoftijs, overladen met chocoladesaus soldaat hadden gemaakt, ging Melanie terug naar het Pentagon en begon Charlotte aan het doorlezen van haar memostapel. Ze dacht na over hoe anders alles was sinds haar herverkiezing.

Tijdens de eerste jaren in het ambt was Charlotte vaak diep gekwetst geweest door de constante stroom van kritiek die ze voor haar kiezen kreeg van Washingtons permanente heersende klasse; de lobbyisten, betweters, journalisten en wetgevers die elke stap die ze zette volledig analyseerden. Bij haar aankomst in D.C. was Charlotte volkomen onvoorbereid geweest op het persoonlijke karakter van de aanvallen op haar regering. In het begin wierp ze elke ochtend een uitgebreide blik in de grote kranten, vol met gemuggenzift over haar beleid en prestaties. Ondanks Melanies waarschuwingen had ze de avonden dat ze thuis was elke keer naar de nieuwsuitzendingen gekeken. Charlotte had ook voor het analyseren van de voor- en nadelen van elke te nemen zet zwaar vertrouwd op enquêteurs en consultants om haar acties door te laten leiden. Uiteindelijk had het bij iedereen te rade gaan een verlammende werking op haar gehad. Op een gegeven moment kon ze geen enkele beslissing meer nemen zonder een tiental vergaderingen uit te zitten en alle ministers, afgevaardigden en beleidsexperts aan te horen. Haar vertrouwen in haar eigen instinct – het instinct waar ze veel aan had gehad als gouverneur van Californië en als presidentskandidaat – was verdrongen. Na op het randje van de nederlaag en schande te hebben gebalanceerd, had ze een onwaarschijnlijk pad van politieke bevrijding bewandeld. Ze had de herverkiezing met vierenvijftig procent van de stemmen gewonnen; een verpletterende overwinning in de moderne presidentiële politiek.

Charlotte keek op van haar papierwerk om de honden te begroeten. Sam bracht haar drie *vizsla*'s elke middag langs voor een bezoekje. De jongste hond, Emma, sprong op de bank en keek alsof ze erop zou gaan plassen. 'D'r af, monster,' beval Charlotte. Mika en Cammie stonden met hun poten op haar schoot en likten haar gezicht. Charlotte knuffelde ze allebei en lachte toen Cammie, de oudste van de drie, op schoot klom en zich met een zacht gekreun oprolde. 'Wat ben je toch een gekkie,' mompelde ze. Charlotte vestigde haar aandacht weer op de memo die ze voor zich had liggen, terwijl de honden op een bot kauwden en vervolgens de hele middag in het Oval Office bleven dutten.

4
Tara

Het klonk als een hele kliek personeel die Tara aan de andere kant van de deur hoorde rond schuifelen en op gedempte toon met elkaar praten. Ze hadden al meer dan twintig minuten staan wachten om haar te briefen over het alternatieve energie-initiatief van de president dat ze gevraagd was te promoten in een rondetafeldiscussie met energie-experts en plaatselijke ondernemers in Michigan volgende week. Ze schoof de bovenste la van haar bureau open en zocht naar iets wat haar hoofdpijn kon verlichten. Ze had het al aan voelen komen voordat ze die ochtend uit bed stapte. Het was boven in haar schouders begonnen en naarmate de ochtend vorderde was de pijn door haar nek omhooggekropen. Nu voelde het alsof haar hoofd klem zat in een bankschroef. Ze was misselijk en hongerig tegelijkertijd. Ze had zich de vorige dag ziek gemeld, en de week daarvoor ook al twee keer. Tara wist zeker dat ze in nog geen twee maanden meer had verzuimd dan Charlotte tijdens haar hele eerste termijn. Ze kon niet wéér naar huis gaan.

Ze staarde naar het witte papier voor haar neus en probeerde zich te concentreren. Ze moest echt niet denken aan nog zo'n eindeloze bespreking. De afgelopen acht weken had ze niets anders gedaan dan in en uit Air Force Two en colonnes stappen, aan de lopende band handjes schudden en eeuwigdurende briefings doorstaan over onderwerpen die ze nooit onder de knie dacht te krijgen. Ze sloeg haar ogen op naar de televisie en zag CNN een trailer voor het zoveelste verhaal over haar uitzenden. De obsessie van de media met haar onwaarschijnlijke bevordering naar het vicepresidentschap begon haar te alarmeren. De pers schilderde een beeld van een idyllisch gezinsleven dat in niets op de werkelijkheid leek. Een columnist van *The New York Times* had haar uitgeroepen tot het nieuwe voorbeeld van iemand die alles heeft.

Ze zette de televisie uit en deed nog een poging om de papieren voor de briefing door te lezen. Tara was nooit het slimste meisje van de klas geweest, maar ze had wel altijd het hardst gewerkt. Op de hogeschool sloop ze weg van feestjes in haar studentenhuis om weer naar de bibliotheek te gaan. Tijdens haar rechtenstudie leefde ze op Red Bull en espressobonen met een chocoladelaagje om nachtelijke studeersessies te overleven, en als jonge advocate had ze met haar arbeidsethos punten gescoord bij haar superieuren. Als New Yorks eerste vrouwelijke procureur-generaal met een kind in de luiers, had ze overvloedige speelruimte gekregen van de kiezers van New York van wie ze de sociale aspecten van het ambt over mocht slaan. Wat het volk niet wist, was dat ze de tijd die ze niet op kantoor zat ook niet spendeerde aan het opvoeden van haar kind. Dat liet ze aan haar echtgenoot over. Tara werkte aan één stuk door. Als procureur-generaal werkte ze meerdere malen per week de hele nacht door om ervoor te zorgen dat ze altijd voorbereid was op haar officiële verantwoordelijkheden. Die strategie had zijn vruchten afgeworpen.

Het was niet voor iedereen als een schok gekomen dat ze vorig jaar als vicepresidentskandidaat werd gekozen. Tara's man, Marcus, was een FBI-agent die ze had ontmoet toen ze als assistent procureur-generaal in Manhattan werkte. Hij had met grote zorg Tara's imago gekweekt. Ze was de onafhankelijk gezinde Democraat die niet onder invloed was van de partij of de ideologie. Zijn inspanningen, begonnen als vertederende steun van een echtgenoot, groeiden langzaam uit tot een fulltimebaan. Gedurende de campagne had hij onbetaald verlof opgenomen bij de FBI en had dat verlengd om haar te helpen zich in Washington te installeren.

Tara mijmerde dat het bij het uitvoeren van de wetten niet erg moeilijk was ogenschijnlijk boven de strijd te staan. In haar geval had ze simpelweg tijd noch energie gehad voor politiek. Haar superieuren zagen de grenzen van haar bandbreedte verkeerd aan voor verhevenheid en stelden haar aan in een aantal uiterst zichtbare werkgroepen op het ministerie van Justitie. Mede dankzij Marcus' schaamteloze gepoch over haar prestaties was ze het lievelingetje geworden van de New Yorkse delegatie van het Congres en werden er zelfs geruchten verspreid dat ze in gesprek was met de New Yorkse burgemeester en miljardair om op de kandidatenlijst van de twee na grootste partij te komen. Tara had daar nooit serieus over nagedacht, maar toen Charlotte Kramer belde en vroeg of ze bij haar langs wilde komen, wist ze dat het haar kans was om het nationale toneel te betreden. Ze wist ook dat ze eigenlijk moest weigeren. Tara was maar al te goed doordrongen van haar beperkingen. Gekozen functionaris in New York was één ding. Ze had als de belangrijkste openbare aanklager van de staat genoeg privacy om haar publieke profiel te laten meewaaien met de zaken waaraan ze werkte. Het vicepresidentschap was totaal andere koek en ze had dan ook vele bedenkingen bij een bezoek aan Charlotte. Aan de andere kant was het al jaren geleden dat ze voor het laatst uit een van haar diepe dalen had moeten opkrabbelen. Op die dag in augustus toen Charlotte belde, waren Tara en Marcus met Kendall op het strand. De president was toen net twaalf punten gezakt in de peilingen. Nu, starend naar de antieke kaart van de oorspronkelijke koloniën aan de muur van haar kantoor in de westvleugel, besefte ze dat het dwaas van haar was geweest om te denken dat Charlotte toch niet zou winnen. Er werd op Tara's deur geklopt. Ze stond op om open te doen.

'Mevrouw?' Het was Karen.

'Ja, Karen, ik ben er klaar voor. Stuur ze maar naar binnen.' Tara keek toe hoe acht mannen in donkere pakken en één vrouw in een marineblauw mantelpak een voor een haar kantoor binnenkwamen. Ze leken te wachten op een uitnodiging om te gaan zitten, maar ze kreeg het niet snel genoeg voor elkaar haar hersens haar mond te laten aansturen.

Karen wierp een vluchtige blik op haar baas en nam de taak om iedereen te installeren op zich. 'Wilt u misschien een *latte* of een thee?'

'Ja Karen, een latte graag. Dank je. Komt Dale ook?'

'Ja, ze is even naar buiten gerend om een telefoontje van Ralph aan te nemen, maar ze komt er zo aan.'

Tijdens de campagne had Ralph Giacamo gediend als belangrijkste adviseur van de president, een vage titel die alleen maar de verantwoordelijkheid behelsde die de president er per dag aan wilde geven. Hij misbruikte de vrijheid die dat hem verschafte om een relatie met Tara op te bouwen die net zo intiem was als elke band tussen een politicus en een vertrouwd raadsman. Als beloning voor zijn hulp bij Charlottes herverkiezing was hij bevorderd tot chef-staf van het Witte Huis. Ralph had nu wat minder tijd voor Tara dan tijdens de campagne, maar ze was opgelucht dat hij erop had gestaan dat hij tegelijkertijd tot Charlottes chef-staf én hoofdadviseur voor de vicepresident zou worden benoemd. Het was uiterst ongewoon dat de chef-staf ook een positie had bij de vicepresident, maar Ralph had bij de president gepleit dat iedereen er baat bij zou hebben als het kantoor van de president synchroon liep met dat van de vicepresident. Dale en Ralph waren de twee mensen op wie Tara het meeste was gaan bouwen. Dale's rol omvatte meer dan de geijkte communicatiedingetjes. Ze was poortwachter geworden. Ze zag toe op alle beslissingen wat betrof de planning, reisjes, de inhoud van toespraken en persoptredens.

Terwijl Tara om zich heen keek naar de gezichten van de leden van het beleidsteam, vroeg ze zich af hoe ze over haar dachten.

Een van hen begon: 'Mevrouw de vicepresident, u zult naast T. Boone Pickens zitten, een voormalig oliehandelaar die honderden miljoenen dollars in alternatieve energietechnologie heeft geïnvesteerd. Hij is een van de–'

'Ik weet wie T. Boone Pickens is,' onderbrak Tara hem.

'Juist. Het spijt me. Hij zit de discussie voor bij een bedrijf dat Wired Wind heet. Ze proberen te onderzoeken hoe men windenergie en andere alternatieve bronnen efficiënter kan distribueren. Meneer Pickens zal u aan een aantal andere ondernemers voorstellen die de voorhoede uitmaken op het gebied van de ontwikkeling en overdracht van wind–, zonne– en nucleaire energie. We hebben een lijst met vragen opgesteld die u hun kunt stellen. Wilt u ze oefenen?'

Er werd naar haar gekeken alsof ze een kleuter was. Waarom dachten ze in godsnaam dat ze hun opgeschreven vragen moest oefenen? En waarom waren die vragen eigenlijk opgeschreven? Ze wilde dat deze vergadering afgelopen was. Tara keek de ruimte door en zag dat van achter in de zaal Dale aandachtig naar haar keek.

'Misschien kunnen we logistieke dingen opschorten tot de dag zelf en onze tijd vandaag gebruiken om resterende beleidskwesties te bespreken?'

'Ja, bedankt Dale, dat is een goed idee.'

Het beleidsteam keek een beetje teleurgesteld, maar ze gehoorzaamden. Tara sleepte zich door de rest van de vergadering door naar de schaal met koekjes te kijken en proberen te beslissen welke ze als eerste zou eten als iedereen straks weg was. Toen de laatste expert eindelijk haar kantoor had verlaten, liet ze zich op haar bank neerploffen en slaakte een luidruchtige zucht.

'Hoe gaat het?' vroeg Dale.

'Ik denk dat ik iets onder de leden heb.'

Dale knikte meelevend. 'Het is ook slopend geweest. En al het gereis dat op het programma staat... Het wordt nog erger.'

Bij de gedachte dat het nog erger zou worden, klemde de denkbeeldige bankschroef zich strakker om Tara's hoofd. 'Hoe staat het met de plannen voor de reis naar het Midden-Oosten?' vroeg ze.

'Goed. Het plan is dat u naar Afghanistan gaat om het moreel van de troepen op te krikken voordat de voorjaarsgevechten weer oplaaien. Dan stopt u nog in Saoedi-Arabië, Jordanië en Dubai. Ralph denkt dat deze reis uw buitenlands beleid goed uit de verf zal laten komen en zal laten zien dat u een echte partner van de president bent wat betreft de nationale veiligheid.'

Tara glimlachte geforceerd. 'Dat klinkt als een goed plan.'

'Laat het me weten als u nog iets nodig hebt.'

Zodra Dale weg was, pakte Tara de schaal met overgebleven koekjes en verslond ze. Ze legde haar voeten op de salontafel en sloot een paar minuten haar ogen. Het hielp niet echt. Ze pakte de telefoon en belde Marcus. 'Ik wil nu meteen naar huis,' fluisterde ze.

'Lieverd, niet weer,' waarschuwde Marcus.

Tara voelde een brok in haar keel komen. 'Ik ben uitgeput.'

'Sst. Je redt het wel. Heb je wat gegeten?'

'Ja. Ik heb soep gehad als lunch.' Ze weigerde de vier chocoladekoekjes te noemen die ze net naar binnen had gewerkt.

'Goed zo. Anders zakt je bloedsuikerspiegel te ver. Waarom vraag je niet of Karen je wat koffie of thee brengt en dan kom ik even langs met Kendall?'

Tara fleurde een beetje op. 'Dan kunnen we daarna met z'n allen naar huis.'

'Dat zien we dan wel weer. Staat er voor vandaag nog meer op de planning?'

Tara stond op om haar uitgetypte schema voor die dag te bekijken. 'Er staat dat ik ben uitgenodigd een briefing met de president bij te wonen over ontwikkelingshulp, om zes uur in de Roosevelt Room.'

'Daar moet je heen.'

Tara voelde tranen van frustratie achter haar ogen prikken. 'Hangt ervan af hoe ik me voel,' zei ze. 'Hoe laat denk je hier te kunnen zijn?'

'Ik ben nu net onderweg om haar op te halen van school. We komen rechtstreeks naar het Witte Huis.'

'Dank je, Marcus. Sorry dat ik je lastigval. Ik weet dat je zelf ook genoeg te doen hebt.'

'Je hoeft me niet te bedanken, daar ben ik toch voor? We slaan ons er samen doorheen. Volgende week gaat het vast beter.'

'Ik had niet gedacht dat het zo zou zijn,' zei ze zacht.

'Je doet het geweldig.'

'Niet waar. Elke keer dat ik het huis uit ga, bega ik weer een nieuwe flater.'

'Kom op, schat. Je bent de meest bewonderde vrouw van Amerika. Zegt dat dan niets over hoe je het doet?'

'Maar het is niet echt. Ik ben niet de persoon die ze bewonderen. Het is maar een idee dat ze van me hebben.'

Hij zuchtte en Tara wist dat hij zijn geduld begon te verliezen. 'Liefje, probeer het alsjeblieft nog even vol te houden tot we er zijn. Wil je dat voor me doen?'

'Ja. Ik weet ook niet wat ik heb.'

'Tot zo.'

Tara pakte een tijdschrift van haar salontafel. En daar glimlachte ze zichzelf tegemoet vanuit de portiek van het Naval Observatory, de vicepresidentiële ambtswoning. Marcus had een arm om haar schouder en Kendall stond voor hen. Erboven was geschreven: 'Amerika voelt zich thuis bij de familie Meyer.' Ze schudde haar hoofd en ging met haar vinger over de foto. 'Wat hebben we gedaan?' fluisterde ze.

5
Dale

De vicepresident was in vorm tijdens de manifestatie bij Wired Wind in Michigan. In de weken die daarop volgden, stuurde de westvleugel haar met grote regelmaat naar gelijksoortige evenementen in Ohio, Wisconsin en Iowa. Nieuwe banen creëren in de energiesector was een van de speerpunten van Charlottes economische herstelstrategie. Voorgaande presidenten hadden erop gehamerd dat het belangrijk was voor de nationale veiligheid om Amerika's afhankelijkheid van buitenlandse olie te verkleinen, maar uiteindelijk bleek toch dat de meeste geïmporteerde olie uit Canada en Mexico kwam. President Kramer had het debat op z'n kop gezet door er een banenkruistocht van te maken.

Het was Dale duidelijk dat de vicepresident haar huiswerk had gedaan wat betrof obstakels waar alternatieve energiebedrijven tegenaan lopen bij het leveren van hun product op een hongerige Amerikaanse markt die goedkope energie wil. Er kwamen jubelkritieken vanuit de industrie en de zakelijke pers, en Dale hoopte dat haar baas nu eindelijk wat zelfvertrouwen zou krijgen. De vicepresident had in het begin een aantal zwakke publieke vertoningen gekend die haar helemaal van slag leken te hebben gebracht. Tijdens een bezoek aan het ministerie van Onderwijs was ze overdonderd door een vraag van een medewerker over prestatieloon voor docenten. En in New Orleans struikelde ze over een vraag naar voorzorgsmaatregelen bij orkanen. Dale vermoedde dat het feit dat ze constant op de handen werd gekeken zijn tol eiste, maar het volk bleef door haar gefascineerd. De media deden verslag van elke stap die ze zette en de samengestroomde pers bij evenementen met de vicepresident stak het perskorps van de president naar de kroon.

Ondanks Tara's populariteit was Ralph bang dat men zou gaan

denken dat ze het alleen maar goed kon doen op energie-evenementen. Hij vroeg Dale pressie uit te oefenen op het voorbereidingsteam en het ministerie van Buitenlandse Zaken om de reis naar het Midden-Oosten een paar weken te vervroegen.

Dale was de avond ervoor in slaap gevallen met Tara's toespraak voor in Jordanië en een paar markeerstiften in haar schoot. Ze was vergeten Peter terug te bellen en werd wakker met drie sms'jes die hij had gestuurd om te informeren of alles goed was. Ze wist dat ze de grenzen van zijn geduld en begrip opzocht. Nu balanceerde ze haar BlackBerry op het stuur en prentte zichzelf in zodra ze op kantoor was een vlucht naar San Francisco te zoeken. Ze had al een keer op de rem moeten trappen om te voorkomen dat ze een vuilniswagen van achteren ramde en wilde niet haar dag beginnen met het aanrijden van een vroege jogger of een botsing met een van haar collega's. Voor zover zij wist, waren dat de enigen die je om halfzes 's morgens op straat zag in het centrum van Washington. Ze minderde vaart bij een stoplicht. Toen ze helemaal tot stilstand was gekomen, bekeek ze vluchtig haar e-mails. Ralph had haar drie dringende berichten gestuurd. Ze zou over vijf minuten in het complex van het Witte Huis zijn dus wat het ook was, moest maar wachten. Net toen ze haar BlackBerry op haar schoot wilde leggen, ging haar telefoon. 'Hallo?'

'Het is de Situation Room, mevrouw. Ik heb meneer Giacamo voor u aan de lijn.'

'Bedankt.' Dale hield de telefoon tegen haar oor toen ze E Street op reed. Ze had nog steeds geen officieel toegangsbewijs voor de westvleugel. De felbegeerde pas maakte de Geheime Dienst duidelijk dat de FBI een complete achtergrondcheck naar je had gedaan. Zonder werd je door de paranoïde agenten op z'n best behandeld als bezoeker en een mogelijke bedreiging. Het werkte niet bevorderlijk voor Dale's overgang van verslaggever naar medewerker dat ze elke dag een rode 'B' van bezoeker om haar nek moest dragen. Maar het ergste gevolg van het ontbreken van de felbegeerde pas was dat de Geheime Dienst elke keer dat ze naar binnen wilde haar naam moest opzoeken en haar auto onderzoeken. Dale gaf haar rijbewijs af en parkeerde haar auto naast de hondenpost.

'Hebt u een afspraak, mevrouw?' vroeg een van de agenten.

'Nee. Ik werk hier, helaas. Ik rij nu al maanden op precies hetzelfde tijdstip door precies ditzelfde hek.'

Hij nam haar rijbewijs aan en verdween in een hokje.

'Dale, ben je daar nog?' Ralph hing nog altijd aan de lijn.

'Ja, ik ben er nog. Ik probeer binnen te komen. Ik heb nog steeds geen pas.'

'Kom rechtstreeks naar mijn kantoor als je binnen bent. De vicepresident wil de reis afzeggen.'

'Wat? Waarom? We vertrekken over drie dagen.'

'Niet meer dus. Ik heb met allebei tot twee uur vannacht aan de telefoon gehangen.'

'Allebei?'

'De vicepresident en meneer Meyers. Je hoort het later nog wel. We moeten eerst aan een persverklaring werken. En laat iemand achter die pas aan gaan. Zelfs de stagiaires hebben er inmiddels een.'

Dale hing op en keek naar de agent die haar rijbewijs had meegenomen. 'Sorry dat ik lastig ben, maar ik moet nu echt naar binnen. Kan ik niemand bellen?'

'Het is al klaar, mevrouw. Rij maar door het eerste hek en zet de motor af voor de honden.'

'Ik weet het. Bedankt.' Ze wachtte tot de enorme metalen pilaren in de grond waren verdwenen en reed toen langzaam naar de eerste controlepost. Ze drukte op het knopje om de kofferbak van haar BMW-cabriolet open te doen en liet haar hoofd tegen de hoofdsteun rusten. Het lampje van haar BlackBerry was aanhoudend blijven knipperen vanaf het moment dat ze Ralph had opgehangen. Waarschijnlijk de Witte Huis-verslaggevers die zich meldden voor de ochtendshows. Ze masseerde haar nek en wachtte tot de reusachtige Duitse herder klaar was met het controleren van haar auto. Toen de agent haar verder wuifde, startte ze haar motor weer en reed langzaam naar het derde en laatste hek. Terwijl ze wachtte tot dat openging, bedacht ze dat ze een verschoppelinge was geworden. Haar voormalige collega's van de pers vertrouwden haar niet en haar nieuwe collega's van het Witte Huis hadden het niet zo op journalisten. Het was net alsof ze weer op de middelbare school zat en geen van de kliekjes haar wilde hebben, zelfs de nerds niet.

Dale parkeerde haar auto op West Exec, de weg die de westvleugel van het Old Executive Office Building scheidde, en haastte zich naar Ralphs kantoor.

'Daar ben je eindelijk. Ga maar achter mijn computer zitten,' instrueerde Ralph.

Dale ging zitten en probeerde de kruimels en lege verpakkingen op zijn bureau te negeren. De stoel was warm. Ze kromp vanbinnen ineen en probeerde snel in te schatten of Ralph het zou merken als ze een desinfecterende handgel uit haar tas pakte.

'Laten we dit snel afhandelen zodat ik het vóór de stafvergadering aan de president kan laten zien,' spoorde Ralph aan.

'Ralph, rustig aan. Waarom gaat ze niet op reis? Is ze weer ziek? Wat is er aan de hand?'

'Dale, dit is geen verslaggeversbriefing. Eerst schrijven, praten doen we later.'

Ze voelde haar wangen rood worden. Elke keer dat ze dacht een status te hebben bereikt die haar het voorrecht verschafte alle feiten te kennen, maakte iemand duidelijk dat de gordijnen nog altijd potdicht zaten. 'Oké. Moet het een verklaring van de persvoorlichter zijn of van de chef-staf?' vroeg Dale.

'Ik dacht meer aan een verklaring van de vicepresident. Iets over dat het haar spijt dat ze haar reis moet uitstellen en dat ze ernaar uitkijkt hem later dit jaar wél te maken.'

Dale typte de verklaring uit terwijl Ralph over haar schouder meekeek. Ze werkte snel. Hij las de kladversie en keurde het goed met een aantal kleine aanpassingen. 'Zet er nog iets in over dat haar kind ziek is.'

'Kendall.'

'Wat?'

'Hun dochter heet Kendall,' zei Dale.

'Ja. Zet er maar in.'

Ze draaide zich om zodat ze hem aan kon kijken.

'Wat?' vroeg hij.

'Is Kendall echt ziek?'

Ralph trok een gezicht dat Dale niet kon ontcijferen. Ze bleef stilletjes met haar handen in haar schoot zitten. De vicepresident had er de vorige dag niets over gezegd dat Kendall ziek was.

'Doe één versie met iets over een ziek kind en eentje zonder,' blafte hij.

Haar instinct zei haar dat hun dochter niets met de afgezegde reis te maken had. Terwijl Dale typte, had ze het gevoel dat ze een grens over stapte naar een duisterdere kant van een baan bij de regering. Aan deze kant ondermijnde men de waarheid gemakkelijk met twee kladversies die ontzettend veel op elkaar leken maar van elkaar verschilden door het feit dat één ervan een leugen was. Ze printte beide versies uit, mailde ze naar zichzelf en stond op.

'Wacht aan je bureau op eventuele aanpassingen van de president,' zei Ralph en hij rende zijn kantoor uit richting het Oval Office.

Dale liep rechtstreeks naar het damestoilet in de westvleugel en waste haar handen voordat ze terugging naar het OEOB om haar personeel in te lichten. Ze was amper in haar kamer of Ralph hing alweer aan de telefoon.

'Breng dat vermaledijde ding uit zodra de ochtendshows hun uitzending zijn begonnen. Gebruik de versie met het zieke kind. Zorg dat je wacht tot de Witte Huis-verslaggevers klaar zijn met hun liveshots.'

'Dat zullen ze niet leuk vinden.'

'Perfect.'

'Ralph, ik zou me beter voelen over het uitbrengen van deze opmerkelijke verklaring als ik er eerst met de vicepresident over kon spreken,' hield Dale vol.

'Ze heeft mij speciaal gevraagd het af te handelen dus doen we dat ook, Dale. Je kunt haar er later altijd nog over spreken.'

Dale wist dat ze niet elke strijd aan kon gaan, maar ze had hier een vreselijk slecht gevoel over. Ze keek de verklaring nog één keer vlug door en liet hem bij haar assistent achter om om kwart over zeven te worden vrijgegeven. Ze printte tien kopietjes voor haar medewerkers en liep de gang door om ze toe te spreken. Ze hadden non-stop aan de voorbereidingen voor de reis van de vicepresident gewerkt en nu was al dat werk voor niets geweest. Dale probeerde een vrolijke glimlach op haar gezicht te toveren. Haar medewerkers namen het nieuws beter op dan ze had gedacht. Geen van allen leek erg verbaasd. Ze haastte zich naar de stafvergadering en nam plaats op de bank toen Ralph net de mededeling deed dat de vicepresident haar reis uit zou stellen. Dale hield haar hoofd gebogen en deed alsof ze aantekeningen maakte. Ze liep op een drafje naar de deur zodra de vergadering was beëindigd en bracht de hele ochtend in haar kantoor door met bijlezen en het afslaan van interviewaanvragen voor de vicepresident. Net toen ze een salade wilde gaan halen, kwam de persvoorlichter van de vicepresident haar kantoor binnen rennen. 'We hebben een probleem.'

'Wat is er?' vroeg Dale.

'De pers staat bij Kendalls school.'

'Dat meen je niet.'

'Jawel. De school belde naar de voorlichtingsdienst om het ons te laten weten.'

'Wat heb je gezegd?'

'Ik heb ze bedankt en gezegd dat ik zo terug zou bellen.'

'Goed. Zeg maar dat ze hun normale beleid met betrekking tot omgang met de pers moeten volgen en verzoek hen of ze mensen met vragen over Kendall Meyers naar ons door willen verwijzen.'

'Dale, ze belden ons omdat Kendall gewoon op school is. Ze is niet ziek.'

Dale perste haar lippen op elkaar. 'Niets doen. Ik ga naar Ralph om uit te zoeken wat er in godsnaam aan de hand is.'

6 Charlotte

Brooke en Mark waren in de stad voor het Cherry Blossom Festival. Het was Brookes lievelingsjaargetijde in D.C. Ze kwamen elk jaar begin april voor een lang weekend om de magnifieke bloesems te zien. Brooke en Mark waren Charlottes beste vrienden. Ze hadden allemaal samen op U.C. Berkeley gezeten. Toen Charlotte Peter ontmoette, had hij zich bij hun groepje aangesloten en hadden ze gevieren alle pieken en dalen van het huwelijk en het ouderschap samen meegemaakt. Totdat Charlotte natuurlijk gouverneur van Californië werd en daarna president. Brooke en Mark woonden in Atherton en kwamen regelmatig op bezoek in het Witte Huis en Camp David. Charlotte beschouwde hen als familie. Ze waren de enige mensen met wie ze haar ware, onpresidentiële zelf kon zijn. Als zij naar haar keken, zagen ze geen president. Ze zagen gewoon hun oude vriendin.

'Char, wat heb je een pittige vice. We zagen haar vorige week met Kathy Lee en Hoda,' zei Brooke. Ze was gekleed in een trui van Chanel en een strakke spijkerbroek, en toen ze haar voeten op de salontafel legde, zag Charlotte de rode zolen van wat overduidelijk nieuwe Christian Louboutins waren.

'Ze zit hier pas drie maanden, ze moet nog wat wennen,' gaf Charlotte toe.

'Zeg dat wel. Ze giechelde en trok vijf minuten lang rare gezichten en toen haalden ze haar man en kind tevoorschijn. Ze zaten elkaar maar een beetje aan te kijken terwijl Kathie Lee Gifford het had over hoe sexy Marcus was.'

'Wat moet je dan doen in dat soort interviews?' vroeg Charlotte.

'Jij hebt dat soort interviews nooit gedáán,' merkte Brooke op.

'Ik denk dat Tara eindelijk zeebenen krijgt,' zei Charlotte.

'Zijn haar waarderingscijfers niet enorm gezakt deze maand?' vroeg Mark.

'Ja, die zijn gezakt, maar een andere kant konden ze ook niet op. Ze zat op vijfentachtig procent en nu zit ze rond de zestig. Daar zou ik een moord voor doen.'

'Niet waar. Je geniet ervan dat bijna de helft van het land je niet mag. Dat spreekt de martelaar in je aan,' plaagde Brooke.

'Char, wat is het echte verhaal achter het afzeggen van haar reis vorige week? De pers ging er hard op,' zei Mark.

'Ik snap niet waarom iedereen tegenwoordig zo vreselijk cynisch is. Wat maakt het uit of dat kind ziek genoeg was om thuis te blijven van school of gewoon ziek was van bezorgdheid om haar moeder die naar een oorlogsgebied zou gaan?'

Brooke trok een wenkbrauw op. Mark gaf haar een mep en klakte afkeurend met zijn tong. Ze negeerde hem en wees naar haar lege wijnglas. Mark stond op om de fles chardonnay uit de ijsemmer te pakken, hij vulde Brookes glas en schonk dat van Charlotte bij. 'Lieve Char, ik snap wel dat ze tijd nodig heeft om te wennen aan het leven in een vissenkom,' zei Mark. Charlotte kon zien dat Brooke nog steeds niet tevreden was.

'Wat vindt Melanie van haar?' vroeg Brooke.

'Daar praten we nooit over.'

'Mel heeft haar draai helemaal gevonden in het Pentagon,' opperde Mark.

'Ze vindt het vast heerlijk om mannen in uniform te commanderen,' voegde Brooke eraan toe.

'Ongetwijfeld. Laat het maar aan Melanie over om de leider van de vrije wereld te commanderen.'

Brooke en Mark giechelden.

'Ik denk dat ze bang was dat ze zichzelf zou verliezen als ze hier nog langer zou blijven,' legde Charlotte uit.

'Kom op. Tara en zij zouden elkaar afgemaakt hebben. Mel zou nooit geduld hebben gehad met haar onpresidentiële verschijning en blundertjes, en Tara zou gek zijn geworden van Melanies afkeuring. Het is maar beter dat ze nu op Defensie zit,' voegde Brooke eraan toe.

Charlotte knikte en nam een grote slok wijn.

'Peter zei dat hij binnenkort eens met je af wil spreken om over universiteitsaanvragen voor de tweeling te praten,' zei Brooke. Ze kende Charlotte goed genoeg om te zien wanneer het tijd was om van onderwerp te veranderen.

'Goed dat je me eraan herinnert. Dat moet ik nog regelen.' Hun tweeling had bijna hun laatste jaar op de kostschool in Kent, Connecticut afgerond en Charlotte en Peter zouden zich voegen bij de rest van de ouders die met zorg en beven afwachtten tot welke universiteit hun kind zou worden toegelaten. Penelope wilde richting het westen, naar Stanford of UCLA, en Harry wilde aan de oostkust blijven. Het voelde als de dag van gisteren dat Charlotte nog tegen de beslissing was om de tweeling naar kostschool te doen. En nu vertrokken ze voorgoed. Ze werd gekweld door het idee dat ze iets gemist had wat ze nooit meer terugkreeg. Haar kinderen waren opgegroeid tot verstandige, wereldwijze en goedaardige tieners, maar dat was niet háár verdienste. Ze had haar best gedaan erbij te zijn bij al hun 'grote' momenten, maar dat zijn niet de momenten waarop het belangrijkste opvoeden plaatsvindt. Wat ze had gemist was het dagelijkse bemoederen dat Brooke waarschijnlijk als vanzelfsprekend beschouwde met haar kinderen, maar waar Charlotte naar smachtte elke dag dat ze honderden kilometers van waar ze op school zaten, ontwaakte. Ze deed haar best haar schuldgevoel dat ze een derderangs ouder was van zich af te schudden en concentreerde zich weer op Brooke en Mark. 'Hoe is het met Peter?' vroeg ze.

Ze wisselden een blik uit.

'Wat?'

'Volgens mij gaat het niet goed tussen hem en Dale nu ze voor de vicepresident werkt,' zei Brooke.

'O gut, dan denkt hij nu vast dat ik haar in dienst heb genomen om hem te pesten.'

'Char, is het niet heel gek haar hier te hebben?' vroeg Brooke.

'Nee, ik bedoel, we zien elkaar niet zo vaak dat we het hebben over hoe Peter zijn eieren graag eet of zo. Ik heb mijn werk te doen, en zij ook. En als we toevallig allebei bij dezelfde vergadering zitten, is er niks aan de hand. Weet je, ik was degene die haar tijdens de campagne een handje heeft willen helpen bij de omroep.'

'Dat weet ik nog. Je hebt haar dat interview met Tara aangeboden.'

'Precies. We kunnen prima naast elkaar bestaan. Zij had niets van doen met wat er tussen Peter en mij is gebeurd.'

'Ik weet het, ik weet het. Dat hebben we al duizend keer gehoord,' antwoordde Brooke.

'Het is ook waar.'

'Char, volgens mij wordt het tijd dat je weer op zoek gaat,' stelde Mark voor.

'Waarnaar? Een man?'

'Ja. Je kunt wel een man in je buurt gebruiken,' vond Mark.

'Waarvoor dan?' zei Brooke met een stalen gezicht.

Charlotte lachte. 'Wat had je in gedachten? Match.com? "Vrijgezelle, blanke vrouw zoekt man in bezit van meerdere smokings en een talent voor het houden van theekransjes? Moet van honden houden"?' grapte Charlotte.

'Dat is een perfecte omschrijving van zo'n beetje al mijn homovrienden in San Francisco,' giechelde Brooke.

'Ik meen het, dames. Brookie, maak er nou geen grapje van. Ik wil je graag aan een van de mannen voorstellen met wie ik altijd ga heli-skiën, Char,' bood Mark aan.

'Ja, een man op zoek naar gevaar en midden in zijn midlifecrisis is precies wat ik nodig heb.'

'Dat vind ik geen leuke opmerking,' protesteerde Mark.

'Laten we gaan eten. Ik ben uitgehongerd,' zei Charlotte. Ze nam haar vrienden bij de arm en leidde ze naar de eetzaal voor het avondeten.

7
Tara

Tara had de eerste twee maal dat er op haar deur werd geklopt genegeerd, maar deze keer klonk het anders. Het was eerder bonzen dan kloppen. 'Wie is daar?' vroeg ze, waarna ze opstond en het dekbed om zich heen sloeg. Ze was dol op het beddengoed van het Four Seasons. Ze waren in Miami voorafgaande aan de viering van de Cubaanse onafhankelijkheidsdag. Eerst had ze het reisje afgeslagen, maar toen ze 'ON Four Seasons Miami' zag staan, wat Witte Huis-stenografie was voor 'overnachting in het Four Seasons', had ze ingestemd.

'Het is Walter, mevrouw de vicepresident. Ik heb de president voor u aan de lijn. Ze belt nu al voor de tweede keer.'

'Eh, oké,' zei Tara. 'Verbind maar door.'

'Dat probeer ik al tien minuten, maar uw telefoons staan uit of de stekker is eruit,' zei Walter met geoefend geduld.

'O, aha. Wacht even.' Tara smeet het dekbed op de grond en pakte een van de telefoonkabels die ze eruit had getrokken toen ze een paar uur daarvoor had ingecheckt. 'Ze doen het weer. Verbind haar maar door.'

De bekende stem van de Situation Room kwam aan de lijn. 'Hier komt de president,' zei hij.

'Hallo?' zei Charlotte.

'Mevrouw de president, hai. Sorry daarvoor,' verontschuldigde Tara zich.

'Geeft niet. We zijn allemaal wel eens aan rust toe.' De president sprak op de vriendelijke toon die Tara de laatste tijd steeds meer mensen tegen haar hoorde bezigen.

'Is alles in orde?' Tara had goed contact met de president, maar een telefoontje op de zondagmiddag was uiterst ongebruikelijk.

'Ja hoor,' antwoordde Charlotte, 'ik wilde je even laten weten dat ik vanavond naar Afghanistan vertrek. Ik ben donderdag alweer terug, maar ik wilde niet dat je morgen wakker zou worden met dat nieuws zonder het eerst van mij te hebben gehoord.'

'Bedankt, dat stel ik op prijs. Wees alsjeblieft voorzichtig,' zei Tara. 'En een goede reis. Ik hoor er graag alles over als je weer terug bent.'

'Dank je, Tara. Jij ook een goede week.'

Tara hing op en werd overspoeld door het weeë gevoel dat ze altijd had wanneer het volle gewicht van haar baan tot haar doordrong. De president reisde af naar oorlogsgebied. Als Charlotte iets overkwam, verwachtte men van haar dat ze de president zou opvolgen. Tara ging weer op het bed zitten, pakte het dekbed van de vloer en trok het stevig om zich heen. Ze wiegde heen en weer en probeerde zichzelf te herpakken. Over een uur werd ze op een cocktailreceptie verwacht om de grote geldschieters van de campagne te bedanken. Er waren vier maanden verstreken sinds de inauguratie en niemand vermoedde iets. Het volk zag vrolijke Tara, of pittige Tara, of hardwerkende Tara. Ze zagen Tara die het publiek opzweepte bij politieke evenementen en Charlotte hielp tegen alle verwachtingen in toch de verkiezingen te winnen. Het volk zag op de cover van *Redbook* of *Good Housekeeping* de glimlachende moeder en echtgenote die in haar vrije tijd het land regeerde.

Tara keek naar de stapel briefingspapieren op haar bureau. Eentje was voor de fundraiser van vanavond en in de andere stonden haar opmerkingen bij de toespraak op de Cubaanse Onafhankelijkheidsdag de volgende ochtend. Op de grond lag een stapel paperassen die ze van haar personeel had gekregen en die maar leek te blijven groeien hoe hard ze ook werkte om er door te komen. In haar koffer zaten drie boeken over antioproeracties die ze wilde uitlezen zodat ze met meer vertrouwen kon meepraten bij de nationale veiligheidsbesprekingen. Tara besloot zich er na een douche toe aan te zetten. De grote marmeren badkamers van het Four Seasons vond ze helemaal geweldig.

Toen ze twintig minuten later onder de douche vandaan stapte, voelde ze zich al beter. Ze wandelde in haar handdoek door de kamer en raakte optimistisch over de komende week. 'Ik kan het,' herhaalde ze steeds maar weer tegen zichzelf. Haar goede humeur verdween echter onmiddellijk toen ze naar haar kast liep om zich aan te kleden.

Tara deed wel alsof ze niets gaf om de opmerkingen in de media over haar 'abominabele' kledingsmaak, maar in werkelijkheid deed ze enorm haar best de juiste kleding aan te trekken. Ze was geboren zonder het meisjes-gen dat je vertelde welke kleuren in de mode waren en welke stijl bij je paste. Avond na avond paste ze de dure pakken en jurken die de adviseurs van de president het vorige jaar voor haar hadden aangeschaft tijdens de campagne. Maar hoe langer ze naar haar spiegelbeeld keek, hoe meer ze ervan overtuigd raakte dat de pakken aangeschaft waren om haar er sjofel en onaantrekkelijk uit te laten zien zodat Charlotte er beter bij afstak. Ze trok de linnen broek met wijde pijpen en eenvoudige blazer uit die ze had ingepakt voor haar reisje naar Miami, rolde ze tot een bal en gooide ze onder in de kast.

Nu ze weer geagiteerd was, besloot ze nog iets langer te ontspannen voordat ze zich zou aankleden. Ze ging op het bed liggen en keek op de achterkant van het romannetje dat ze stiekem in haar koffer had gestopt. *Voor hem doe ik alles* zag eruit als iets wat ze al gelezen had, maar Karen had haar gezworen dat het net uit was. Tara vond de laatste tijd niets leuker dan in bed kruipen met briefingspapieren, een zak chips en een romannetje. Dan legde ze het romannetje naast zich neer als visuele aansporing; de beloning die haar wachtte als ze haar 'huiswerk' had gedaan. Met nog maar een kwartier te gaan tot ze op de receptie werd verwacht, vouwde Tara een ezelsoor in de pagina van het romannetje en ging op haar rug naar het plafond liggen staren. 'Vier maanden voorbij, nog drie jaar en acht maanden te gaan,' zei ze hardop.

8
Dale

Kijkend naar de televisie, schudde Dale haar hoofd. Als de vicepresident op dreef was, was ze ongeëvenaard. Miami's machtige Cubaanse gemeenschap had een nieuwe verlosser. De vicepresident werd begroet met een tien minuten durende staande ovatie die alleen maar luider werd toen ze de eerste drie zinnen van haar toespraak in het Spaans bracht. Ze pakte alle gevoelige kwesties op de juiste manier aan en zweepte het publiek op met beloftes het makkelijker te maken voor Miami's andersdenkende gemeenschap om naar Cuba te reizen en geld aan familieleden te sturen. Dale slaakte een zucht van opluchting. De vicepresident had de hele nacht alarmerende e-mails gestuurd met vragen over beleid, vertalingen en andere aanpassingen aan haar toespraak. Tegen de ochtend zag het vicepresidentiële tekstschrijversteam eruit alsof ze door een vrachtwagen waren meegesleurd. Dale was bang dat nog meer van haar medewerkers ontslag zouden nemen. Ze overlaadde ze met complimenten en luisterde naar al hun klachten over het werken voor de vicepresident. Ze hoopte maar dat als ze elk kleinste bezwaar zou absorberen en hen haar innige dank voor hun diensten aanbood, ze misschien niet tegen hun collega's in de westvleugel of vrienden bij de pers zouden gaan roddelen over Tara's toenemende buitenissigheden.

'Jezus, die toespraak is om de onafhankelijkheid van Cuba te herdenken, het is verdomme niet de State of the Union!' had een van hen gemopperd.

'Ze is een perfectionist,' was Dale's weerwoord.

'Ze spoort niet,' had een andere speechschrijver opgemerkt.

'Kom op, jongens, ze staat onder grote druk. Ze wordt nog wel relaxter. Jullie hebben het geweldig gedaan. Ze vindt de nieuwe toespraak super.' Dale had geprobeerd haar medewerkers te sussen, maar hun geduld raakte op. Nu werd Tara op handen gedragen door het publiek. Ze zou de rest van de dag een goed humeur hebben. Dale stond op om naar de westvleugel te gaan en haar lunch te halen.

'Dale, ik heb meneer Robbins aan de lijn. Hij zegt dat het dringend is,' zei haar assistent Jimmy.

'Ik ben uitgehongerd,' smeekte Dale.

'Het is de derde keer dat hij vandaag belt. Ik haal je lunch wel, als jij met Robbins praat.'

Michael Robbins was een van de meest agressieve journalisten van de stad. Dale keek Jimmy boos aan. 'Oké.' Ze pakte de telefoon op en ging weer zitten.

Jimmy sloot de deur achter zich en Dale ademde diep in terwijl ze luisterde naar de theorieën die haar vanaf de andere kant van de lijn werden voorgelegd. Ze zette de televisies uit en maakte zich op voor het gevecht. 'Kom op, Michael. Dat meen je toch niet? Je gaat toch niet echt een verhaal schrijven over de gewichtstoename van de vicepresident?' vroeg Dale. Haar stem was kalm maar het kostte haar moeite. Verhalen over gewichtstoename waren niets voor Michael, bij lange na niet. Dale wist zeker dat de vicepresident de helft van haar lichaamsgewicht kon aankomen of afvallen zonder dat Michael het zou merken. Hij was een onderzoeksjournalist; de laatste van een uitstervend ras dat de duisterste aanknopingspunten uitploos over de mensen die aan de macht waren. Het was nooit een goed teken als hij belde. Hij probeerde de situatie te manipuleren door ervoor te zorgen dat ze dingen zou loslaten, maar Dale had dezelfde truc uitgehaald bij haar bronnen tijdens haar jaren als verslaggeefster.

'Dale, niemand was blijer met jouw toetreding tot de inner circle dan ik, maar je hoeft maar twee seconden op het internet te zoeken om een diagnose van een obsessieve-compulsieve stoornis te vinden waarbij gewichtstoename als symptoom wordt genoemd,' zei hij met een zelfverzekerdheid waaraan Dale zich ergerde.

'Een man kan zes, zeven kilo aankomen zonder dat iemand er wat van zegt. De vicepresident komt twee kilo aan tijdens haar eerste jaar in het ambt en je valt mij ermee lastig? Waar gaat dit nou eigenlijk echt om?' wilde ze weten.

'Dat kun jij me beter vertellen,' zei hij rustig. 'Ik heb drie bronnen in de westvleugel die zeggen dat ze zestig procent van haar optredens afzegt, twee die zeggen dat ze alleen maar voor zich uit staart tijdens beleidsvergaderingen en eentje die zegt dat ze al langer dan een maand de binnenkant van het Oval niet heeft gezien. Ik heb twee hooggeplaatste bronnen in het Congres die een bespreking met hun baas beschrijven waarin ze er onverklaarbare antwoorden uit flapte op relatief eenvoudige vragen over wat haar rechtsfilosofie was, en ik heb een lid van de Senaatscommissie voor Buitenlandse Zaken dat zweert dat ze hem een paar minuten wezenloos aanstaarde toen hij haar vroeg of het Witte Huis schikkingsonderhandelingen met Israël tot prioriteit maakte. Moet ik nog verder gaan?'

'Graag.'

'Nou, dan zijn er nog haar mediaverschijningen in de verschillende plaatsen. Het is vast jouw taak, Dale, om het goed te praten als onbedoelde foutjes die iedereen kan maken, maar een vraag verprutsen over Yucca Mountain in Nevada, ernaast zitten bij overheidshulp voor de auto-industrie als je in Michigan bent en stilletjes naar de verslaggever staren die haar een vraag stelt over de barrière tijdens een reisje naar Arizona, begint meer dan een beetje verontrustend te worden, vind je niet?'

'Michael, iedereen heeft een leercurve,' hield Dale vol.

'Dat zou ik kunnen accepteren, maar we weten allebei dat iemand haar een briefing heeft gegeven over het politieke debat dat al jaren aan de gang is over het dumpen van nucleair afval in Nevada; en iemand moet hebben opgenoemd dat er heel wat mensen in Michigan zijn die nog steeds de klap van de veranderingen in de auto-industrie niet te boven zijn; en je zult haar toch zeker hebben geïnformeerd over de emoties die nog steeds hoog oplopen in Arizona over het onderwerp illegale immigratie.'

Hij had gelijk. Dale had discussiepunten voorbereid over al die kwesties. En de vicepresident had evengoed alle antwoorden verprutst. Dale zuchtte. 'Wat wil je nou precies van me, Michael?'

'Of het nu met of zonder jou is, Dale, ik kan een vrij verontrustend beeld schetsen,' zei hij.

'Michael, ze is prima in orde. Elk kleinste vermoeden dat het niet zo is, werd ontkracht. Het Witte Huis zal het feit dat jij je neus hier opnieuw in steekt heel serieus nemen,' zei Dale.

Hij zweeg.

Zij zou niet als eerste weer gaan praten.

'Dale, je kunt in je eigen belang maar beter hopen dat je gelijk hebt, want deze kaart kan je maar één keer spelen, dat weet je,' zei Michael.

Ze hing op en er ging een koude rilling door haar lijf. Daar was het dan. Het telefoontje dat ze gevreesd had. Het verbaasde haar dat het zo lang had geduurd voordat de pers met de vraag kwam. Tara's gedrag werd steeds wispelturiger. Ze zegde evenementen vaak op het laatste moment af; ze was minstens tien kilo aangekomen en zag er met de week afgetobder uit; en haar werkgewoonten waren zo bizar dat maar een paar van haar meest hooggeplaatste adviseurs de vicepresident persoonlijk te spreken kregen.

Dale belde de Situation Room en vroeg de telefonist Ralph op te sporen. Terwijl ze in de wacht stond, keek Dale uit haar raam en zag het team van de afdeling Wetgeving zich in een auto persen voor het korte eindje naar het Capitool. In de eerste paar maanden dat Dale in het Witte Huis werkte, had elk detail haar gefascineerd. Ze had meer dan vier jaar verslag gedaan van het Witte Huis, maar als verslaggeefster had ze alleen maar een tipje van de sluier kunnen oplichten van wat zich binnen afspeelde. Naarmate haar werk voor de vicepresident steeds meer een uitdaging ging vormen, was de verwondering die ze voelde in die begindagen vervangen door vrees en vermoeidheid.

Of de telefonist kon hem niet vinden, of Ralph negeerde haar telefoontje. Dale hing op en keek naar de groeiende stapel uitnodigingen voor evenementen, toespraken en optredens die de westvleugel haar had gevraagd aan de vicepresident voor te leggen. Ze had geen van de inroosterverzoeken kunnen doornemen omdat de vicepresident niet in de juiste gemoedstoestand was geweest om vooruit te plannen. Dale trok haar bureaula open en pakte er een pot pindakaas uit. Ze keek om zich heen in haar kantoor, vond een doosje volkorenwafels, legde ze op een servetje en smeerde er pindakaas op. Ze was de laatste tijd constant uitgehongerd. Ze had toen ze om halfzes het complex van het Witte Huis betrad een bagel bij haar koffie gehad maar ze had nu alweer honger. Het laatste wat ze wilde was de beruchte zeven aankomen; een fenomeen dat veel nieuwe medewerkers van het Witte Huis trof die bezweken voor snoeppotten en ongezonde kost tijdens zakenreizen. Ze ging met haar hand over haar buik en tot haar opluchting was die nog net zo plat als altijd.

Dale deed haar haar in een paardenstaart en keek uit het raam richting de westvleugel om te zien of Jimmy al onderweg was met haar tosti en tomatensoep. Ze had om één uur een vergadering met de plaatsvervangend nationaal veiligheidsadviseur om te kijken naar wanneer de overzeese reis van de vicepresident verzet kon worden. Dale keek voorheen altijd uit naar besprekingen in de westvleugel, maar haar collega's van het Witte Huis konden hun ongemak nauwelijks verbergen wanneer ze bij hun vergaderingen zat. De westvleugel nam aan dat de vicepresident moeilijk deed, maar niemand vroeg ooit door. Niemand durfde de vraag te stellen die op ieders lippen brandde: hoe zit het in godsnaam met de vicepresident?

Ze was in haar e-mails verdiept toen Jimmy binnenkwam met haar lunch. Toen ze opkeek en het dienblad met eten zag, werkte ze in nog geen vijf minuten de tosti en soep naar binnen en slokte een fles water achterover. Met nog één minuut te gaan, gooide ze een pepermuntje in haar mond, pakte haar ringband en BlackBerry en rende haar kantoor uit naar de vergadering.

9
Charlotte

Charlotte had geen idee waarom ze zo nerveus was. Ze was nota bene negentien jaar lang met Peter getrouwd geweest. Ze hadden twee geweldige kinderen grootgebracht, twee succesvolle carrières opgebouwd, vier huizen en samen voor twee paar ouder wordende ouders aan twee kusten gezorgd. Een etentje moest ze dan toch ook wel kunnen overleven. Ze ging terug naar haar slaapkamer op de eerste verdieping van haar woning in de oostvleugel om zich nogmaals te verkleden. Ze trok haar zwarte Chanel-trui uit en deed een doorschijnende blouse van Dolce & Gabbana aan die Brooke haar die kerst had gegeven. Ze liep weer terug naar de Yellow Oval waar ze met Peter had afgesproken voor cocktails, maar toen ze in de spiegel een glimp van zichzelf opving, stond ze als aan de grond genageld. 'Wat ben jij van plan?' vroeg ze aan haar spiegelbeeld.

Ze rukte de blouse van haar lijf en trok de trui weer aan, ondertussen druk met haar hoofd schuddend en in zichzelf mompelend. De zwarte trui zat onder de bruine haren door de korte tijd dat hij op de bodem van haar kast had gelegen. De honden zaten vanuit haar kast toe te kijken naar het ongewone spektakel van hun baasje dat zich meerdere keren omkleedde en in zichzelf praatte.

Het eten was Peters idee geweest. Ze was de avond ervoor teruggekomen uit Afghanistan en zou niets liever willen dan vroeg het bed induiken met een boek en de honden om zich heen. Maar Peter vond dat ze een strategie moesten bepalen voor de universiteitsaanvragen van hun kinderen, en als er één ding was wat hen samen kon brengen, waren het de kinderen wel. In bepaalde opzichten ging het nu ze gescheiden waren beter tussen Charlotte en Peter dan in jaren het geval was geweest. Het was niet zo dat ze hem de affaire had vergeven, maar ze was wel in staat toe te geven, tegen zichzelf in ieder geval, dat ze Peter al jaren voordat hij verliefd werd op een andere vrouw had verlaten.

Charlotte wierp een blik op de beveiligingsmonitor in haar kast en zag dat Peter was gearriveerd. Ze bleef even naar hem staan kijken. Haar gave om mensen en situaties objectief te analyseren was een van de vaardigheden waar ze als politicus het meest op vertrouwde. In haar privéleven was het haar niet altijd goed van pas gekomen. Tijdens haar observatie van Peter merkte ze op hoe aantrekkelijk hij nog altijd was. Hij was de zomer ervoor begonnen met trainen voor triatlons en hoewel hij dunner was dan toen ze samen waren, kon ze aan de manier waarop hij bewoog zien dat zijn lichaam een en al spier was. Zijn haar was wat lang en ruigblond. Tijdens haar campagnes had hij een korter kapsel gehad, maar ze vond dit leuker staan. De lijntjes rond zijn ogen en mond waren dieper geworden, al zag hij er nog goed uit. Een portier van de oostvleugel stapte op hem af en escorteerde hem naar boven. Charlotte pakte snel een kledingroller en ging ermee over de voorkant van haar trui. 'Doe normaal,' zei ze tegen haar spiegelbeeld voordat ze zich omdraaide om de slaapkamer uit te lopen met de drie honden voor zich uit.

'Char, je ziet er goed uit,' zei hij terwijl hij bukte om de honden over hun buik te aaien.

Charlotte moest lachen toen de honden aandoenlijk en schaamteloos zijn aandacht probeerden te trekken. Alleen Cammie, de oudste van de drie, bleef bij haar. Vol afschuw keek ze naar de jongere honden. Charlotte krabde haar achter de oren en staand in de Yellow Oval kletsten ze over koetjes en kalfjes. 'Hoe is het in San Francisco?' vroeg ze.

'Goed. De zaken gaan voortreffelijk. Godzijdank weten professionele atleten nog altijd niet hoe ze hun eigen contracten moeten opstellen,' zei hij. Peter was een van de meest gerespecteerde sportmakelaars. Hij had een klantenbestand dat uit professionele *American football*–, basketbal- en honkbalspelers bestond en een wachtlijst vol mensen die naar Peters agentschap wilden overstappen. Zijn geheim was de vraag nooit te laten inhalen door het aanbod.

'De kinderen vertelden dat jullie op Memorial Day met de boot gaan waterskiën. Is het dan niet ijskoud?' vroeg Charlotte.

'Waarschijnlijk wel, maar het is altijd zo mooi om op het meer te zijn als er nog sneeuw op de bergen ligt,' antwoordde hij.

Charlotte probeerde niet te denken aan hun gezinsvakanties naar Lake Tahoe. Ze hadden er in de winters geskied en in de zomers gevaren. Al haar gelukkige herinneringen aan haar huwelijk en het moederschap speelden zich af bij Lake Tahoe. 'Ik ben er in geen tijden geweest,' zei ze weemoedig.

'Dan kom je toch ook een keertje?' opperde Peter.

'Dat lijkt me leuk.' Ze zou in geen miljoen jaar de rust en natuurlijke schoonheid van een plek als Lake Tahoe verstoren met haar entourage van beveiligers en pers. Ze zag al voor zich hoe haar colonne van dertig auto's Squaw Valley binnenreed en het verkeer kilometers iedere kant op blokkeerde. 'Heb je trek?' vroeg ze.

'Enorm,' antwoordde hij.

Ze schoven aan voor kommen gazpacho gevolgd door gegrilde heilbot.

'Ben je soms een gezondheidsfreak geworden?' vroeg Peter.

'Nee, jij wel, dacht ik.' Charlotte lachte.

'Neuh, dat heb ik jaren geleden opgegeven.'

'In dat geval nemen we toch wel een toetje,' zei ze en de kelner bracht een schaal met brownies en grote kommen ijs met chocoladesaus.

Peter en Charlotte waren het erover eens dat het meest belabberde scenario zou zijn dat Harry zou worden toegelaten tot Stanford en Penny afgewezen. Hij hoefde niet zo erg naar de westkust, maar zij wilde dolgraag weg van de oostkust en terug naar Noord-Californië. Ze lachten samen over de vraag wie van hen belast zou zijn met de taak het universiteitshoofd van Stanford University te bellen als het zover zou komen, om Harry's toelating voor die van Penny in te ruilen. Toen ze het dessert en bijna twee flessen wijn ophadden, schraapte Charlotte haar keel en keek Peter over tafel aan. 'Dit gaat vast erg cliché overkomen, maar ik zou het fijn vinden als we vrienden konden blijven, en ik zal er alles aan doen om er voor jou te zijn, als vriend,' zei ze.

Hij nam haar bedachtzaam op. 'Lief dat je dat zegt. Dat wil ik ook graag.'

'Dus in mijn hoedanigheid als vriend, vroeg ik me af hoe het met Dale gaat,' zei Charlotte tussen grote slokken wijn door. Ze kende hem goed genoeg om te zien dat ze hem ermee overviel.

'Prima Char, lief dat je het vraagt,' antwoordde hij met een glimlach naar haar.

Ze liet een zucht van opluchting ontsnappen dat hij niet op haar aanbod was ingegaan en écht over zijn vriendin ging praten. 'Zal ik nog een fles wijn openmaken of moet je ervandoor?'

'Ik hoef nergens heen,' antwoordde hij.

'O.' Nu was zij verrast. Ze had aangenomen dat hij na hun diner naar Dale zou gaan.

'En jij, Charlotte? Ben jij, of heb jij... je weet wel?' Hij leek uit zijn doen.

Ze liet hem nog wat langer lijden terwijl ze opstond om meer wijn in hun glazen te schenken. Toen ze weer was gaan zitten, zag ze veel meer nieuwsgierigheid in zijn ogen dan ze had verwacht. 'Nee, ik heb niemand,' zei ze uiteindelijk. 'Het Congres van de Verenigde Staten is niet bepaald een broeinest van begeerlijke vrijgezellen, en na het lezen van de doorlichtingsrapporten van alle mannen die benoemd worden, kan ik alle topfunctionarissen rustig uitsluiten.' Ze moesten allebei lachen.

'En de rechterlijke orde?'

'De gemiddelde leeftijd is zesenzeventig. Ik heb nog wel een openingetje bij een fanatiek helikopterskiër van wie Mark denkt dat ik hem leuk zou vinden, maar ik heb zo mijn vraagtekens of dat wel de juiste persoon zou zijn om mee te nemen naar staatsdiners en dat soort dingen.'

Hij lachte weer en het gesprek kabbelde rustig voort richting de vakantieplannen van de tweeling en hun beider werk. Charlotte had het gemist om Peters reactie op dingen te vragen. Hij had altijd al een uitmuntend politiek instinct bezeten. Charlotte wist niet of het de wijn was, of de combinatie van wijn en haar jetlag, of het simpele feit dat ze tegenwoordig niet veel mensen had om mee te praten, maar ze genoot veel meer van Peters gezelschap dan ze had verwacht. Ze keek op haar horloge en was verbaasd te zien dat het na middernacht was. 'Ik wist niet dat het al zo laat was,' zei ze terwijl ze opstond.

'Ik moest maar eens gaan,' zei hij.

'We moeten dit vaker doen.'

'Vind ik ook,' zei hij met een warme glimlach.

'Wil je iets voor me doen? Wil je die kids van ons vragen hun moeder eens wat vaker te bellen?'

'Wat dacht je van volgende week vrijdag? Dan ben ik in de stad voor een afspraak met een cliënt,' zei hij.

'O, je bedoelt weer een etentje?'

'Ja, tenzij je met "vaker" meer dan één keer in de drie jaar bedoelde en niet twee keer in dezelfde maand. Als ik aanmatigend ben, moet je het zeggen.'

'Nee hoor, dat is prima. Ik meende het echt,' zei ze.

'Vrijdag dus?'

'Dan kan ik niet. Mijn publiciteitsmensen hebben besloten dat juni de perfecte maand is om me naar nutteloze internationale toppen te sturen. Dan zit ik op de G8.'

'Natuurlijk. Laat me maar weer zitten voor een topconferentie. Dat was altijd al jouw excuus.' Hij lachte erbij.

'Ben je op zondag nog steeds in de stad?'

'Dan ben ik in Connecticut bij de kinderen, maar ik kan wel langskomen op de terugweg naar Californië?'

'Alleen als het niet te veel moeite is. Het zou goed zijn als we dan ook wat kunnen bespreken over dat universiteitsgebeuren, want vandaag zijn we niet zover gekomen.'

'Het is geen enkele moeite,' zei hij.

'Dan zie ik je volgende week zondag.'

Ze stonden een tel naar elkaar te glimlachen, daarna gaf hij alle honden nog een aai en vertrok. Charlotte keek toe hoe hij langs de kamers liep die van hem waren geweest tijdens haar eerste termijn als president, en daarna door naar de trap.

10

Tara

Tara haastte zich haar kantoor in, trok haar jas uit en knoopte haar broek los. Ze paste met de dag moeilijker in haar kleding. Ze keek naar het bureau in het midden van de kamer. Het leek alsof het op een andere plek stond dan hoe ze het gister had achtergelaten, maar dat was onmogelijk. Ze staarde naar het bureau alsof ze het voor het eerst zag. Er lagen nette stapels kranten, geheime briefings en haar kopie van het schema van de president van die dag. Ze voelde zich vreemd. Misschien moest ze iets eten. Tara belde haar assistente en vroeg om een broodje ei met kaas, liep daarna naar de bank en ging erop liggen. Ze vermoedde dat haar medewerkers over haar roddelden en voelde hun bezorgdheid. Zuchtend pakte ze de afstandsbediening. Ze was aan het zappen toen

Marcus de deur van haar kantoor opengooide. 'Wat doe je?' fluisterde hij luid.

'Waar lijkt het op?'

'Wil je echt dat ik daar antwoord op geef?' Zijn blik bleef bij haar buik hangen.

'Verdomme, Marcus. Ik ben aan het werk,' zei ze opstandig.

'Ik dacht dat je vandaag thuis zou blijven? We waren het er toch over eens dat het een goeie dag was om thuis te werken, Tara?'

'Ik moet wat papierwerk afhandelen.'

Marcus keek om zich heen in de kamer. Tara zat met haar broek open met blote voeten op haar sofa en *Project Runway* vormde het enige geluid in het kantoor. 'En je hebt Lifetime TV op staan als achtergrondgeluid?'

'Ik was op zoek naar CNN om te kijken of ik wat van Charlottes toespraak kon meepakken. Ik moet morgen een toespraak houden over haar nieuwe werkgelegenheidsplan,' zei Tara.

Hij pakte de afstandsbediening en zette de tv op CNBC. 'Haar verslag van de stand van zaken in Afghanistan gaat waarschijnlijk niet over het wetsvoorstel met betrekking tot de werkgelegenheid. Je moet naar de zakenzenders kijken. Economisch beleid is je zwakke plek, en dat is waar iemand van de pers je op je bek zal laten gaan met een vraag over regelingen in het bankwezen of zoiets waar je nog nooit van hebt gehoord,' snauwde hij.

Op dat moment kwam Tara's secretaresse binnen met haar broodje roerei met kaas en zette het op haar bureau. Omdat ze de sfeer aanvoelde, haastte ze zich de kamer uit en sloot de deur achter zich.

'Ging je nóg een keer ontbijten?'

'Ik heb honger.'

Marcus sloot zijn ogen en wreef erin terwijl Tara naar hem keek. Toen ging hij op de bank zitten en nam haar handen in de zijne. 'Alles komt goed, maar je moet me beloven dat je niet meer van huis gaat zonder te zeggen waarheen. Goed, schat?' Hij hield haar handen zo stevig vast dat ze voelde dat haar bloedsomloop werd afgesneden.

Tara knikte.

'Begrijp je wel hoe ernstig dit is?'

Ze knikte weer.

'Echt?'

'Ja.' Ze kon aan niets anders denken dan dat ze haar handen uit zijn greep wilde bevrijden voordat hij haar vingers verbrijzelde.

'Als iemand erachter komt wat er aan de hand is, lig je sneller dan je "Tara wie?" kan zeggen op straat. Niemand zal het iets kunnen schelen dat jij het hart en ziel van deze tent bent. Niemand zal zich herinneren dat Kramer dankzij jou gewonnen heeft. Dan ben je foetsie, weg. Begrijp je?' vroeg hij.

Tara knikte.

'Goed zo,' zei hij. Toen: 'Als ik je hier een paar uurtjes alleen laat, dan zeg je tegen je personeel dat je aan het bijlezen bent, goed? Je wandelt niet in deze toestand naar de voorlichtingsdienst of zoiets, hè? Niet lullig bedoeld, maar je ziet er niet uit.'

Tara knikte weer. Eindelijk liet hij haar handen los.

Marcus stond op en smeet haar ontbijt in de vuilnisbak. 'We gaan vanavond samen trainen en dan maak ik proteïne-*shakes*,' zei hij. 'Is dat wat?'

Tara voelde zich als zo'n hondje met een knikkende kop terwijl ze weer knikte.

Ze bleef bij het raam in haar handen staan wrijven totdat ze Marcus in de SUV zag stappen die hem van het Naval Observatory naar het Witte Huis had gebracht. Hij had zijn onbetaalde verlof bij de FBI verlengd om te helpen met Kendall, maar Tara had liever dat hij weer ging werken. Zodra zijn auto in beweging was gekomen, pakte ze haar broodje ei uit de vuilnisbak.

11

Dale

Dale e-mailde de eindversie van de toespraak die haar baas vandaag zou houden aan de autocue-technicus. Ze had de toespraak niet met de vicepresident kunnen doornemen de vorige dag omdat ze, volgens haar secretaresse, bedolven was onder het papierwerk. Dale stopte haar meerdere BlackBerry's in haar tas en legde er drie kranten bovenop.

Op West Exec kwam ze Karen tegen. 'Ik hoorde dat ze gisteren een paar uur op kantoor was. Hoe ging het met haar?' vroeg Dale.

'Ik heb haar niet gesproken. Ze kwam binnen, liep rechtstreeks naar haar kantoor, bestelde ontbijt, lunch en een schaal koekjes van het restaurant en vertrok drie uur later weer zonder het tegen iemand te zeggen.'

Dale probeerde haar bezorgdheid niet te laten zien. 'Ze had vast veel werk te doen.'

'Ja, vast,' was Karen het met haar eens.

Ze stapten in de busjes die hen naar luchtmachtbasis Andrews zouden brengen. Vandaar zouden ze met Air Force Two, een kleinere en minder geavanceerde versie van Air Force One, naar Pittsburgh reizen, waar de vicepresident de thematoespraak hield op de nationale MKB-conferentie die elk jaar in juni werd gehouden en die een van de grootste evenementen op de kalender was voor een zeer grote politieke achterban van het Witte Huis.

Tara was al aan boord toen ze bij Andrews aankwamen. Ze zat in haar cabine met de deur dicht. Toen Dale langsliep, hoorde ze de vicepresident in een verhitte discussie aan de telefoon verwikkeld. Boven het geluid van de tv uit kon ze niets verstaan van wat Tara zei. Dale nam in de eerste rij achter de cabine van de vicepresident plaats en keek naar de menukaart op het tafeltje. Daarnaast lag een handgeschreven briefje waarop 'Welkom aan boord, Dale' stond en reisinformatie met de lengte van de vlucht en het weer op hun bestemming.

Een van de economische adviseurs van het Witte Huis ging naast Dale zitten. 'Denk je dat we haar zullen briefen als we eenmaal in de lucht zijn?' vroeg hij. Hij wilde dolgraag indruk maken op de vicepresident met zijn omvangrijke kennis van de complexheid van het macro- en micro-economische beleid.

Dale wilde hem zeggen dat hij zijn briefing beter op het werkgelegenheidsplan kon concentreren, maar ze was niet in de stemming om met een van de strebers in discussie te treden voordat ze zeker wist dat ze de vicepresident überhaupt te spreken kregen voordat ze weer zouden landen. Ze zuchtte en keek uit het raam. 'Ik hoop het.'

Het cabinepersoneel serveerde drankjes terwijl Air Force Two opsteeg. Zodra ze in de lucht waren, deed Dale haar gordel los en stond op.

'Zal ik met je meegaan?'

'Nee. Ik moet het eerst met haar over de reis van volgende week hebben.'

'Zal ik dan over vijf minuten komen?'

'Ik stuur wel iemand om je te halen. Maak je geen zorgen, ik zal haar niet zonder jou over het economisch beleid briefen.'

Dale liep naar de cabine van de vicepresident en klopte zachtjes op de deur. Iemand van het cabinepersoneel knipoogde naar haar. Dale was bang dat de vicepresident het niet had gehoord boven het geluid van de motoren uit. Ze wilde net weer kloppen toen de deur op een kier openging. Tara gluurde naar buiten. 'Kom binnen,' zei ze.

'Goedemorgen. Hebt u even de tijd om de toespraak door te nemen? Ik heb een paar tekstschrijvers meegenomen aan boord om nog aanpassingen te maken als u dat wilt, en er is een mannetje voor het economisch beleid als u nog vragen heeft over het werkgelegenheidsplan van de president.'

'Dank je, Dale. Enorm bedankt. Ik, eh, sorry dat we elkaar steeds net mislopen. Ik heb je berichten gezien over de dingen die we moeten bespreken. Ik dacht dat we dat misschien voor een deel op de terugvlucht konden doen,' zei Tara.

'Maakt u zich geen zorgen. Dat komt wel. Laten we ons nu op de toespraak van vandaag richten.'

'Ik weet dat de dingen zich opstapelen. Ik weet het, Dale. En ik weet dat ik je in een ongemakkelijke positie breng door niet aan de avondmemo's toe te komen die je voor me opstelt. Maar het is... ik bedoel, wat ik wil zeggen is dat het me spijt dat ik het er zo slecht van afbreng,' zei Tara terwijl ze naar haar handen keek.

'Mevrouw de vicepresident, u doet het fantastisch,' zei Dale vriendelijk.

De vicepresident was zo stil dat Dale bang was dat ze zou gaan huilen.

'Is alles wel goed?'

De vicepresident keek op. Haar ogen waren glazig maar ze huilde niet. 'Je mag me wel Tara noemen. Noem me alsjeblieft Tara,' zei ze.

'Dat kan ik niet doen waar het personeel bij is, maar als we alleen zijn zal ik het proberen,' zei Dale.

'Fijn. Waar gaat de toespraak van vandaag over?'

Dale slikte. 'Het werkgelegenheidsplan van de president. Heb je de briefing niet gezien?' vroeg ze terwijl de kleur uit haar gezicht verdween.

'Ik plaag je maar. Ja, natuurlijk heb ik de briefing doorgenomen. En ik heb gisteren ook naar de bevindingen van de minister van Financiën gekeken.' Ze stond op en pakte aan de andere kant van de cabine iets uit haar aktetas. Ze gaf een rommelige stapel papieren aan.

Dale zuchtte opgelucht.

'Dat zijn mijn aanpassingen aan de toespraak. Niets groots, ik heb alleen wat van de beleidstaal afgezwakt zodat mensen die bedrijfjes vanuit huis runnen ook begrijpen waar we het in godsnaam over hebben.'

'Super. Ik zal het naar de schrijvers brengen. Wil je die beleidsjongen nog spreken?' Dale wist het antwoord al.

'Nee zeg. Dan maakt hij me alleen maar in de war.'

'Begrepen,' zei ze. 'Je doet het vast geweldig. Probeer er ook van te genieten, het is een heel welwillend publiek.'

'O, ik laat je de twee outfits zien die ik heb meegebracht, dan kun je me vertellen welke gepaster is.' Tara haalde een kledingzak uit de kast in haar cabine.

Dale had de kledingkwestie steeds vermeden. Iedereen die Tara ooit had aangemoedigd zich een presidentiëler uiterlijk aan te meten was de deur uit gejaagd. Ze vond niet dat wat de vicepresident nu aanhad – een beige rok, hoewel nogal nauwsluitend, en een wijde zwarte blouse – haar misstond. Ze was aangenaam verrast door de twee relatief eenvoudige outfits die Tara tevoorschijn haalde. 'Allebei prima,' zei ze.

'Zal ik ze voor je aantrekken? Dan kan je zeggen welke beter staat. Ik ben wat aangekomen omdat ik geen tijd heb om naar de sportschool te gaan en alles zit allemaal net even anders.'

'Is goed.'

Tara ging naar de badkamer om zich om te kleden. Dale had de laatste tijd moeite te geloven dat de pittige, eigengereide kandidaat die ze tijdens de campagne had ontmoet dezelfde onzekere, verlegen en zeer nerveuze vrouw was die haar net haar verontschuldigingen had aangeboden omdat ze niet aan haar nachtelijke leesvoer toekwam. Toen Dale haar in het voorgaande jaar tijdens de campagne had mogen interviewen, had ze net het nieuws gehaald doordat ze de adviseurs van de president had afgescheept. Ze had ze uitgelachen om hun kritiek op haar voorkeur om te improviseren tijdens de campagne. Kandidate Meyers was zelfs in één woord optimistisch geweest over de superioriteit van haar 'intuïtie' boven de berekeningen van Charlottes politieke professionals en hun peilingen. Tara had bijna de campagne opgeblazen, zoveel onenigheid creëerde ze. Voor een verslaggever in de frontlinie was het om te smullen geweest. Nu, als een van de belangrijkste vicepresidentiële adviseurs, was ze verbijsterd en bezorgd om haar dramatische gedragsveranderingen. Bij Dale's eerste observaties van haar had ze altijd het vermogen gehad door de poespas heen te breken en de mensen direct aan te spreken op een manier die iedereen begreep en waar iedereen emotioneel op reageerde. Onlangs had ze de gewoonte ontwikkeld de simpelste openbare optredens en vriendelijke ontmoetingen met de pers grandioos te verknallen. Dale had een gevoel alsof ze op eierschalen liep als ze bij haar in de buurt was. Ze wilde Tara niet pushen om meer te doen dan ze aankon, maar ze wist dat er afkeurend werd gedacht over het beperkte publieke schema dat ze er in de afgelopen weken op na hield.

'Ben je klaar voor optie één?' vroeg Tara van achter de deur.

'Altijd.'

De vicepresident kwam de badkamer uit in een zwarte broek, een felroze blouse en een zwart jasje. De blouse zat strak rond haar boezem en het jasje ging niet dicht. Dale kromp vanbinnen ineen maar dwong zichzelf te glimlachen. 'Dat fleurige zal het heel goed doen op tv,' zei ze.

'Denk je?' vroeg Tara. 'Wil je de andere outfit ook zien?'

'Jazeker.' Tara ging terug naar de badkamer en Dale nam op de bank in de kleine cabine plaats en masseerde haar nek en schouders. Ze had ermee ingestemd om voor het Witte Huis te gaan werken omdat haar carrière als journalist misschien niet helemaal voorbij was, maar zich absoluut op een kruising had bevonden. Ze dacht erover om Peter te mailen en te vertellen wat voor dag ze had, maar ze probeerden juist los te komen van elkaar. De relatie die bijna Charlottes poging tot herverkiezing tot mislukking had gedoemd, stierf een langzame en zekere dood onwaardig aan de tragedie en opschudding die het had veroorzaakt. Toen Dale ermee instemde terug te keren naar Washington en als hoofd Communicatie voor de vicepresident aan de slag te gaan, had Peter haar verzekerd dat hij er altijd voor haar zou zijn als ze naar San Francisco kon komen.

'Wat betekent dat?' had ze gevraagd.

'Het betekent dat ik van je hou en er altijd voor je zal zijn als je deze kant op komt, maar je weet net zo goed als ik dat ik niet naar D.C. terug kan om daar een flat met je te huren en samen te wonen terwijl je aan je carrière bij het Witte Huis begint,' zei hij.

'Waarom niet? Dat hebben we na het ongeluk toch ook gedaan?' was haar weerwoord geweest.

'Dat was anders.'

'Hoezo?' had ze hem uitgedaagd. Maar ze wist het antwoord. Na het ongeluk had hij gedacht dat ze aan het begin stonden van een leven met elkaar. En toen had ze haar eigen prioriteiten overduidelijk gemaakt door San Francisco te verlaten om de campagne te verslaan voor de plaatselijke omroep. Op het moment dat Tara Dale na de campagne een baan aanbood en haar zei dat ze er altijd spijt van zou houden als ze de mogelijkheid haar land te dienen aan zich voorbij liet gaan, had ze de kans gegrepen zonder het ook maar met Peter te bespreken.

Tara kwam de badkamer uit in een zwarte jurk die moeiteloos over haar nieuwe rondingen viel. Zo had Dale haar nog nooit gezien.

'Ontzettend mooi.'

'Er hoort ook een jasje bij de jurk. Wil je het zien met het jasje erover?' vroeg Tara.

'Reken maar.'

Ze trok het bijpassende jasje aan en stond voor Dale als een kind voor haar moeder staat voordat ze naar school gaat. 'En?'

'Schitterend. Absoluut deze laatste outfit.'

'Dank je, Dale.'

'Luister, ik moet je aanpassingen naar de tekstschrijvers brengen zodat ze ze in de autocue kunnen inladen voor de toespraak, dus ik zal je verder met rust laten. Of kan ik nog iets voor je doen?' vroeg Dale, en ze stond op om te gaan.

'Nee, nee, bedankt Dale. Je bent veel te aardig.'

'Ik zal je een kopie van de nieuwe toespraak brengen zodra ze je aanpassingen hebben doorgevoerd.' Dale liep terug naar haar plaats en glimlachte zo lief mogelijk naar de econoom. 'Sorry hoor. Ze zei dat ze wat tijd met de president had doorgebracht en helemaal op de hoogte is van het plan. Ze wilde het niet ingewikkelder maken dan nodig was met een briefing voor de toespraak, maar misschien dat jullie op de terugweg even langs kunnen gaan.

De teleurstelling was van zijn gezicht af te lezen. 'Ik zal de vicepresident dus niet briefen voor haar toespraak?'

'Nee, het spijt me.'

'Waarom ben ik dan mee op deze reis?'

'Voor de warme maaltijd.' Dale wees naar zijn lege bord en het lege broodmandje. Ze zag Karen glimlachen. Toen stond ze weer op om met de tekstschrijvers te praten. Ze gaf ze de aanpassingen van de vicepresident en vroeg of ze zodra ze landden de autocue extra goed wilden controleren om ervoor te zorgen dat de nieuwe versie erop stond. Terwijl de landing werd ingezet, stond Dale snel op om naar de wc te gaan. Toen ze weer op haar plek zat, deed ze haar gordel om en zette haar BlackBerry en mobiele telefoon aan. Tegen de tijd dat ze op zo'n vijf kilometer hoogte zaten, begonnen haar berichten binnen te komen.

Ze landden en stapten in de auto's voor het korte colonneritje naar het congrescentrum. Toen de vicepresident het podium betrad, leek ze verbaasd over de warme ontvangst. Ze bleef maar kijken naar waar Dale en de rest van haar medewerkers stonden. Toen ze Dale's kant op keek, stak Dale haar duimen in de lucht en glimlachte.

Het applaus stierf weg en Tara trok haar jasje recht, schraapte haar keel en begon te spreken. Dale volgde de tekst van de vicepresident op haar eigen exemplaar van de toespraak. Ze bracht het redelijk; niet soepel maar ook niet aarzelend, en het publiek luisterde aandachtig. Toen ze bij het gedeelte over belastingverlaging voor bedrijven aankwam, ging de zaal uit zijn dak. Minder geld naar de federale overheid viel altijd goed bij de MKB-eigenaren. Tara leek er lol in te krijgen. Ze keek op en lachte naar een vrouw van in de zeventig die een bord met 'Tara Meyers als president' omhooghield. Toen het applaus weer wegstierf, keek ze van de ene naar de andere kant waar haar autocuepanelen stonden, maar ze sprak niet verder. Dale voelde haar eigen ademhaling versnellen. 'Kom op, Tara, kom op. Vind je plek,' mompelde ze. Tara keek naar de stapel papieren op haar spreekgestoelte. Ze keek weer op, deze keer wanhopig naar de autocues.

Dale rende naar de achterkant van de zaal waar een bezwete autocuetechnicus verwoed probeerde de machine weer online te krijgen. 'Hij stopte er zomaar mee,' zei hij.

'Hebben we een reserve?' vroeg Dale. Ze begon in paniek te raken. Ze keek op en de vicepresident zag eruit alsof ze nog liever door de grond zou zakken dan daar nog te moeten staan. Haar ogen zochten de zaal af. Dale wist dat ze naar haar op zoek was, maar voor een keer had ze geen kant-en-klare oplossingen. Tara begon aan de microfoon te friemelen die op het podium stond. De stilte maakte het publiek nu ongemakkelijk. Niet alleen tv-publiek was gewend geraakt aan foutloze, voor de televisie gemaakte optredens van politici.

Dale voelde een druppel zweet over haar rug rollen. Ze kon wel tegen de autocuetechnicus schreeuwen, maar dat had geen zin. Hij lag nu op de grond kabels uit de knoop te halen. Ze keek weer op en Tara's blik boorde zich in de hare, op zoek naar advies over wat ze nu moest doen. Dale toverde een overdreven glimlach op haar gezicht en maakte een draaiende beweging met haar hand om aan te geven dat Tara het publiek bezig moest houden.

Tara zette een knop om in haar hoofd. Ze kwam achter het spreekgestoelte vandaan en smeet haar toespraak de lucht in. Een paar mensen klapten nerveus. Iemand van de communicatie-afdeling van het Witte Huis gaf haar een draadloze microfoon. 'Zijn jullie klaar om het script los te laten en het te hebben over wat er écht toe doet?' vroeg Tara terwijl ze op de rand van het podium ging zitten.

Het publiek klapte nu enthousiaster en er werd zelfs gefloten.

Dale ademde voor het eerst uit in wat wel dertig minuten leken maar er waarschijnlijk maar twee waren geweest. Door achter het spreekgestoelte vandaan te komen, was Tara getransformeerd tot een charismatische talkshowpresentatrice. Ze sprong van het podium en liep van tafel naar tafel, waar ze persoonlijk financieel advies afwisselde met beledigingen voor Washington en de lobbyisten. Meerdere keren liet ze het publiek helemaal uit hun dak gaan met een daverend applaus en toen ze een gesprek aanknoopte met een vrouw die onlangs haar baan als makelaar was kwijtgeraakt, werd het zo stil in de zaal dat Dale de lampen kon horen zoemen. Terwijl alle ogen op de vrouw waren gericht, keek Dale naar de vicepresident. Die luisterde met haar hele lichaam. Haar schouders zakten in toen de vrouw vertelde dat ze van opvang naar opvang werd gestuurd nadat ze haar huis door een executieverkoop was kwijtgeraakt. Ze sprak over hoe vernederend het was om haar kinderen van de ene school naar de andere te moeten doen en elke dag naar het arbeidsbureau te gaan op zoek naar werk. Dale zag dat Tara de microfoon even uitzette en volkomen stilstond, alsof ze door een paar tellen met al haar kracht naar de vrouw te luisteren wat van de pijn van de vrouw kon verzachten. Toen de vrouw was uitgesproken, pinkte Tara een traan weg, liep naar haar toe en zonder de microfoon weer aan te zetten, sprak ze een paar minuten met haar. Het publiek bleef stil. Na hun persoonlijke gesprekje zette Tara de microfoon weer aan, liep terug naar het podium en keek recht in de camera's.

'Dat, mijn beste vrienden, is wat de politici die u naar Washington stuurt moeten voorkomen. De pijn die Lucy Thompson en haar twee dochters hebben gekend zou niet mogelijk moeten zijn in het meest welvarende en technologisch meest geavanceerde land ter wereld. En dat, dames en heren, het verhaal van Lucy Thompson, is precies wat president Kramer in gedachten had toen ze de spelregels verscheurde en dit nieuwe werkgelegenheidsvoorstel vervaardigde,' besloot Tara. Het gehele publiek kwam overeind voor een staande ovatie. Toen dat wegebde, sprong Tara weer van het podium voor nog een paar vragen.

Dale leunde tegen de muur en probeerde een e-mail op te stellen aan de hoofdtechnicus over de aanschaf van een niet vooroorlogse autocue. Ze voelde een van haar telefoons in haar tas trillen. Dale wilde net op 'weigeren' drukken toen ze het nummer herkende. Het was de telefonist van de Situation Room. 'Hallo?' fluisterde ze met haar hand voor haar mond.

'Dale, je spreekt met Ralph. Tara zet de tent op zijn kop. Was het een stunt dat de autocue het begaf of ging hij echt stuk?' vroeg Ralph.

'Dat was echt. Ik ben blij dat je van het schouwspel hebt genoten. Het heeft mijn leven vijf jaar verkort.'

'Wat een spektakel. Zeg haar maar dat ik heb gekeken en vind dat ze het fantastisch heeft gedaan,' zei hij.

'Dat zal ze leuk vinden om te horen,' zei Dale.

'Luister, ik heb maandag je bericht gekregen en ik wil dat je weet dat ik begrijp hoe veeleisend je baan kan zijn, maar je moet echt de boel bij elkaar houden daar. Je kunt het, Dale, ik weet het.'

'Ik stel je vertrouwen op prijs, maar ik weet niet of je beseft hoe het er aan onze kant van het complex aan toe gaat. Ik denk dat ze het heel zwaar heeft met bepaalde aspecten van de baan.'

'Ik kijk nu naar haar op drie verschillende zenders en ik zie niets om me ongerust over te maken. Ik ga het stukje van Tara met de dakloze vrouw aan Charlotte laten zien, die zou ook eens wat meer medeleven moeten tonen in haar speeches over de economie,' zei Ralph.

'Luister, ze heeft nu een supergoeie dag, maar ik maak me zorgen om haar. Er is iets,' zei Dale.

'Sst. Spreek hier nooit over waar andere medewerkers bij zijn. Gebruik je privételefoon als je me belt over kwesties die met dit onderwerp te maken hebben. En van nu af aan absoluut geen e-mails over Tara meer, begrepen?'

'Begrepen. Wat moet ik met Michael Robbins doen? Hij heeft

me al drie keer proberen te bereiken en ik kan hem niet voor altijd ontlopen.'

Ralph zweeg.

Dale dacht dat de verbinding was verbroken. 'Ralph?' zei ze.

'Dale, hier ben je voor aangenomen. Deal er maar mee.'

12

Charlotte

Charlotte liep met haar ministers van Defensie en Buitenlandse Zaken naar de vergaderzaal waar de bilaterale bijeenkomst met de Russen zou plaatsvinden die op het laatste moment aan haar G8-schema was toegevoegd. Hun groepje was een fraai gezicht. Drie vrouwen van middelbare leeftijd – een waas van Armani-pakken, perfecte kapsels en verstandige stiletto's – liepen achter elkaar naar de vergaderzaal waar ze de Russische oude garde eens wat zouden laten zien. 'Hebben we niks om ze een duwtje mee richting de nieuwe sancties te geven?' Charlotte keek naar haar minister van Buitenlandse Zaken, Constance Friedman, een diplomaat met al een lange carrière. Charlotte had haar in haar eerste termijn bevorderd naar de hoogste diplomatieke functie.

'Ligt eraan hoe erg je wilt bluffen,' antwoordde deze.

Charlotte glimlachte en versnelde haar pas. 'Doen Russische mannen zelf ooit iets anders, dan?'

De ministers grinnikten. Diplomatenhumor had een klein maar trouw publiek, vooral op internationale toppen die een beeld van samenwerking tentoonspreidden maar slechts zelden echte doorbraken produceerden.

'Ik denk dat je wel een beetje met ze kan dollen door te zeggen dat de andere landen al aan onze kant staan,' fluisterde Melanie vlak voor ze de vergaderzaal binnengingen. Constance knikte instemmend en Charlottes ogen schitterden.

'Goedemorgen, mevrouw de president,' zei de Russische president, Andrei Stanimir. Melanie en Constance begroetten hun tegenhangers en gingen bij de Amerikaanse tolk zitten. Aan de andere kant van de tafel zaten de Russen in een identieke formatie.

Charlotte liet de beleefdheden zitten. De Russen stelden dat toch niet op prijs. 'Volgens mij houden jullie net zomin als ik van de prietpraat die bij dit soort gelegenheden wordt gebezigd,' zei Charlotte.

Stanimir bekeek Charlotte aandachtig. 'Dat klopt,' zei hij.

Charlotte trok haar kin een klein beetje in en sloeg haar ogen naar hem op. 'Wat dacht u ervan als we deze week eens met de tradities breken en wél tot een echte afspraak komen?' vroeg ze. Haar blik bleef strak op de Russische president gericht terwijl de tolk in zijn oor sprak.

Na een korte vertraging ontspande zijn gezicht zo ver tot een glimlach als bij een voormalig KGB-agent mogelijk was. 'Ik ben blij dat u hier niet bent om me tot een of ander *feelgood* hulppakket voor Afrika of iets dergelijks te dwingen,' zei hij.

'Ik zou nooit met zoiets uw tijd verdoen, meneer de president,' zei Charlotte.

'Nou, wat had u dan in gedachten?' vroeg de Russische leider.

'U weet net zo goed als ik dat een stemming in de VN-veiligheidsraad geen nut heeft zonder de stem van Rusland,' zei Charlotte.

De man leunde achterover in zijn stoel en glimlachte naar zijn Russische collega's.

'Ja, ik weet dat het voor u een bekend topic is en mijn excuses als ik u en uw collega's met deze kwestie verveel, maar het blijft een feit dat uw land een man steunt die, eerlijk gezegd, een groter gevaar vormt voor zijn eigen burgers en zijn buren dan voor de Verenigde Staten. Toch begrijpt mijn land het belang van het geven van tegengas tegen de bedreiging die Iran voor de mondiale veiligheid vormt. Het lijkt wel, meneer de president, dat u of de bedreiging niet begrijpt of u fijn voelt in de rol van gedoger van een oorlogszuchtig en gevaarlijk Iraans regime,' zei Charlotte.

'Twee vragen, mevrouw de president: bent u hier gekomen om ons de les te lezen, en bent u daar klaar mee?' vroeg Stanimir.

'Niet bepaald. We hoopten dat u de mogelijkheid die u deze week geboden werd, zou aanpakken om een sterkere boodschap aan Iran af te geven,' zei Charlotte.

De Russen wisselden verveelde blikken met elkaar uit. 'Mevrouw de president, we hebben meerdere keren met de Verenigde Staten van Amerika samengewerkt, maar u bent natuurlijk ervaren genoeg om te begrijpen dat sancties geen effect hebben op het regime; alleen het Iraanse volk heeft er last van,' zei hun baas.

Zonder zijn blik los te laten, leunde Charlotte naar voren. 'Daarom gaat de volgende stemming over sancties ook samen met een nieuwe boodschap van de Veiligheidsraad die duidelijk maakt dat het de laatste keer is dat het Iraanse regime de globale gemeenschap negeert en oneerbiedig bejegent,' zei Charlotte.

'Aha. En hoe wilt u dat laatste ultimatum aan de Iraniërs overbrengen?' vroeg de Russische president.

'We hebben al een afspraak gemaakt die alle leden van de Veiligheidsraad tot militaire actie verplicht. Als laatste redmiddel, natuurlijk,' zei Charlotte kalm.

'En de andere landen hebben hiermee ingestemd?' vroeg de Russische minister van Defensie.

'Ja,' antwoordden Melanie en Charlotte in koor.

'Dat vind ik moeilijk te geloven,' zei Stanimir.

'Ga het ze maar vragen. Mij is gevraagd het aan u voor te leggen aangezien we deze bespreking toch al gepland hadden. Men vond het niet eerlijk u pas kennis te geven van de nieuwe afspraak als we allemaal bij elkaar zitten en de volledige persdelegatie alles filmt,' zei Charlotte.

De Russen waren zichtbaar geïrriteerd. Toen de tolk was uitgesproken, schoven ze hun stoelen naar achter en liepen een stukje de zaal in om te overleggen. Charlotte, Constance en Melanie wachtten in stilte af. Het was hen gelukt de Russen op de kast te krijgen, maar Charlotte blufte natuurlijk wel. De VS had de nieuwe afspraak nog helemaal niet met de andere bondgenoten besproken. Als Rusland meedeed, zouden de anderen zich conformeren. Er zouden consequenties kleven aan het spelen van spelletjes met de Russen, maar als Charlotte een krachtige boodschap uit de VN Veiligheidsraad zou krijgen, kon ze mogelijk uitstellen dat Israël de zaak in eigen hand nam.

De drie vrouwen keken eens goed naar de Russen. De minister van Defensie leek geagiteerd. De Russische president luisterde met afnemend geduld naar zijn naaste medewerkers. Na nog een minuutje overleg, stormde de minister van Defensie de vergaderzaal uit. De president en zijn minister van Buitenlandse Zaken keerden terug naar de tafel en lieten zich langzaam op hun stoel zakken. Stanimir keek Charlotte aan met niet-knipperende ijsblauwe ogen die haar rillingen bezorgden maar haar verder niet van haar stuk brachten.

'Mevrouw de president, u kwam naar een vriendschappelijk gesprek met de bedoeling te onderhandelen. Daar waren we niet op voorbereid. Maar dat is onze fout. Het zal niet weer gebeuren. Misschien bent u in uw tweede termijn meer gericht op de wereldproblemen en minder op uw persoonlijke beproevingen?' zei hij. De belediging was bedoeld om Charlotte een toontje lager te laten zingen.

'Wij waren in de veronderstelling dat Rusland altijd bereid is tot onderhandelen,' zei Charlotte met een kalme glimlach.

'Rusland zal de nieuwe sancties steunen, als de VS de PR-machine stopzet die voortdurend bezig is de Russische bedrijven zwart te maken en lastig te vallen die simpelweg producten en diensten aan een hongerige Iraanse economie leveren. Krijgen we uw woord dat de aanvallen op onze bedrijven zullen stoppen?' vroeg hij.

'Meneer de president, ik bezit niet de macht om de privéactiviteiten van de Amerikaanse burger te onderdrukken. Het recht om te protesteren tegen een beleid waar onze burgers het niet mee eens zijn, is het fundament van onze democratie,' zei Charlotte. Onder tafel gaf ze Melanie een schop. Ze kon niet geloven dat de Russen mee zouden doen aan de militaire waarschuwing die eindelijk de sancties tegen Iran wat meer kracht bij zou zetten.

'Dan vertrouw ik er maar op dat u uw invloed en enorme overredingskracht zult gebruiken om zulke negatieve aandacht voor Ruslands belangrijkste bedrijven te ontmoedigen,' zei hij.

'Natuurlijk, meneer de president.'

'Heel goed. Ik moet nog naar een andere bespreking, maar ik ben blij dat we elkaar vandaag hebben gesproken, mevrouw de president.'

De verslagen Russen en hun tolk verlieten in ganzenmars de zaal. Zodra de deur zich achter hen sloot, stond Constance op en deed een vreugdedansje.

Charlotte moest hard lachen toen ze de normaal gesproken zo stoïcijnse diplomaat door de zaal zag hossen. 'Een goed resultaat, toch?'

'Dat was ongelooflijk. We moeten dit vieren,' zei Constance.

'Mevrouw de president, de technische term voor wat u hem zojuist hebt laten zien begint volgens mij met een "b" en eindigt op "allen",' zei Melanie.

'We zullen er in de toekomst wel voor boeten, maar nu heeft dit reisje tenminste zin gehad. Komen jullie er vanavond in mijn kamer een drankje op drinken?' vroeg Charlotte.

'Sorry, ik heb een werkdiner met de Japanse minister van Buitenlandse Zaken, en we weten allemaal hoe lang dat kan duren,' zei Constance.

'Ik ben er, hoor,' zei Melanie.

Terwijl Charlotte terug naar haar kamer liep, dacht ze aan hoeveel er veranderd was sinds haar eerste termijn. Haar status als de onlangs herkozen Amerikaanse president met ongekend hoge populariteit bij, en steun van, het Amerikaanse volk werd alom opgemerkt – en benijd – in de van ijdelheid overlopende hallen van de G8. Hoewel Charlotte van de nieuwe bewondering van haar gelijken genoot, had het niet dezelfde invloed op haar als het vier jaar geleden gehad zou hebben. Ze had haar voeten nu steviger op de grond. Ze had geleerd de politieke stormen te bevaren en de kiezer de waarheid toe te vertrouwen, hoe onaangenaam die soms ook was. Dat was hoe ze de herverkiezing had gewonnen. Het was ook hoe ze de publieke onthulling van de romance tussen Peter en Dale had overleefd en de beginblunders van haar nieuwe vicepresident had weggepoetst. En het was hoe ze van plan was de andere leiders om de tafel te krijgen om een militair conflict met Iran te vermijden.

De rest van de dag had ze productieve gesprekken met haar evenknieën uit Frankrijk, Italië, Duitsland en Groot-Brittannië. De Britten vonden het hilarisch dat ze de Russen erin had geluisd. Na tien slopende uren van besprekingen en persmomenten, keerde Charlotte terug in haar kamer. Ze was zich net aan het verkleden toen ze Melanie bij haar deur hoorde. 'Kom binnen,' riep ze vanuit de badkamer.

Melanie liep naar binnen en deed haar schoenen uit voordat ze zich op de bank liet zakken. 'Wat zijn dit toch onmenselijke dagen,' zei ze.

'Ja, hè. De begroetingen kosten vaak meer tijd dan de gesprekken zelf. Welkom in de wereld van de diplomatie,' zei Charlotte.

'Wat ben je aan het doen?' vroeg Melanie.

'Me verkleden,' antwoordde Charlotte. Ze kwam de badkamer uit in een legging en lange trui. 'Wil je iets gemakkelijkers lenen?'

'Eén glas wijn en ik ben al vergeten dat ik een pak aanheb,' zei Melanie lachend.

'Hoe bevalt het in het Congres?' vroeg Charlotte.

'Er zitten een aantal vreemde ouwe mannetjes die me nooit zullen mogen, maar ik boek vooruitgang.' Melanie had haar meest sceptische critici voor zich gewonnen met haar grote kennis van huidige militaire operaties en haar uithoudingsvermogen en enthousiasme voor het werk. Het kon in het Capitool en de wereld geen kwaad dat men wist dat Charlotte bij alle zaken met haar meedacht.

'Laat het me weten als ik kan helpen,' bood Charlotte aan.

'Zal ik doen. Hoe was het in Afghanistan?'

'Prima. Ik heb wat tijd doorgebracht met Generaal Ackerly en de andere uniformen. Ze hebben de boel goed onder controle.'

'We verliezen te veel manschappen,' zei Melanie hoofdschuddend.

'Ik weet het. Elke keer dat ik 's morgens het rapport krijg, hou ik mijn adem in totdat ik weet dat Will er niet tussen staat.' Will was de negentienjarige zoon van Brooke en Mark. Hij was in dienst gegaan toen zij werd herkozen.

'Het is een slimme jongen,' zei Melanie.

Charlotte knikte. 'Veel slimme jongens vinden daar de dood,' zei ze.

Melanie zweeg.

'Sorry dat ik zo deprimerend doe. Hé, waarom komen jij en Brian dit weekend niet naar Camp David? We vieren Brookes vijftigste verjaardag. Ze baalt er zo van dat ze vijftig wordt, dat ze Mark niks laat organiseren. We laten alle kinderen en een paar van hun vrienden van thuis overvliegen om haar te verrassen.'

'Dat zou ik graag willen zien! Weet je zeker dat je ons erbij kunt hebben?' vroeg Melanie.

'Natuurlijk,' zei Charlotte. Ze bestelden roomservice van de menukaart en gingen samen op de bank zitten met hun glas wijn.

'Hoe doet Tara het?' vroeg Melanie.

Charlotte zuchtte en nam een slok wijn voordat ze antwoord gaf. 'Goed, zegt men.'

'Zegt men?'

'Ja, Ralph. Hij zegt dat ze het geweldig doet, wat duidelijk een overdrijving is, maar ik denk nog steeds dat ze er wel komt,' zei Charlotte.

'Hm, mm,' zei Melanie.

'Wat, "hm, mm"?'

'Niks. Ik hoop dat Ralph gelijk heeft.'

'Ik ook,' zei Charlotte.

'Denk je dat je de stemmen bij elkaar hebt voor de stemming over Iran in de Veiligheidsraad?'

'Ik weet het niet. Als je terug bent, wil je dan wat afspraken in New York maken? Spreek met een paar VN-ambassadeurs, zeg maar dat je door mij persoonlijk bent gestuurd. Dat zou geen kwaad kunnen.'

'Ja, natuurlijk,' antwoordde Melanie.

'Ik heb er een goed gevoel over, Mel. Je weet dat ik dat nooit zeg. Ik wil het niet jinxen, maar ik heb echt het gevoel dat we wat goede dingen kunnen doen.'

Melanie hief haar glas en Charlotte klonk ertegen met het hare.

'Op de tweede termijn,' zei Charlotte.

'Op een minder bewogen tweede termijn,' voegde Melanie eraan toe.

13
Tara

'Tweeëntwintig, drieëntwintig. Kom op, Tara, nog twee,' beval Marcus.

Tara keek omhoog en herkende de man die op haar voeten zat en tegen haar schreeuwde amper.

'Nog twee sit-ups, Tara, meer vraag ik niet van je,' blafte hij weer. De inspanning van het schreeuwen maakte dat een ader op zijn slaap zichtbaar ging kloppen.

Tara onderdrukte een lach toen ze eraan dacht wat haar bewakers wel niet van hun vreemde nieuwe beschermelingen moesten denken. Ze liet haar rug op de grond zakken en bedekte haar gezicht met haar handen.

'Niet aan je gezicht zitten, weet je niet hoeveel vet en bacteriën er op je handen zit na een work-out?'

Ze negeerde zijn bevel en haalde haar handen niet van haar gezicht.

Marcus duwde zijn knieën in haar voeten en pakte haar onderbenen nog steviger vast. 'Verdomme, Tara. Maak voor één keer eens iets af. Nog twee sit-ups.'

Ze liep een vergadering van de Nationale Veiligheidsraad mis omdat Marcus erop had gestaan dat ze tijd vrijmaakte om beter voor zichzelf te zorgen. Ze had ermee ingestemd en nu, tweeënhalf uur later, in wat voelde als het wrede naspelen van een aflevering van een afvalprogramma op tv, voelde de beslissing belachelijk. 'Marcus, ga alsjeblieft van me af,' zei ze rustig.

'Niet voordat je nog twee sit-ups hebt gedaan.'

'Marcus, ik moet naar mijn werk. Ik weet dat je me alleen maar wilt helpen en god weet dat ik de motivatie kan gebruiken, maar op dit moment moet ik gewoon aan het werk,' herhaalde ze.

'Niet voordat je hebt afgemaakt waar we aan zijn begonnen.'

'Marcus, je doet belachelijk.'

'Ik walg van je,' zei hij cru, en hij drukte zijn knieën nog een laatste keer in haar voeten om zich met een ruwe duw af te zetten en op te staan. Ze had nog amper gevoel in haar voeten.

'Ik ga douchen en me aankleden,' zei Tara zacht.

Terwijl ze met moeite overeind kwam, was Marcus op de loopband gesprongen en rende nu met wat wel vijftien kilometer per uur leek. Hij keek niet weg van zijn reflectie in de spiegel toen ze de fitnessruimte van het Naval Observatory uit hinkte en de trap op liep naar hun slaapkamer. Het optreden op de conferentie voor het MKB waar ze de lof van het publiek had verdiend en wat hoognodige tijd had gewonnen bij de media en haar sceptici, was bijna een maand geleden. *The Washington Post* had geschreven dat Charlotte de hersens van het Witte Huis was en Tara het hart. Dat had ze maar als een compliment gezien. De druk om op die manier contact te blijven leggen, vrat aan haar. Ze was gefrustreerd dat de momenten waarop ze met gezag over iets sprak, nooit de momenten waren waarop ze gefilmd werd door de media. Als de nieuwsgierige blikken van de pers die al haar bewegingen leken te volgen, aanwezig waren, struikelde ze, versprak ze zich en sloeg ze elke keer, zonder uitzondering, een flater.

Ze zette de douche aan en staarde naar zichzelf in de badkamerspiegel, haalde het acne-medicijn voor volwassenen tevoorschijn dat Marcus voor haar had gekocht bij een van de homeshoppingkanalen en smeerde de lotion op haar gezicht. Het brandde zo erg dat ze er waterige ogen van kreeg. 'Hoe is dit zo gekomen?' vroeg ze zich hardop af. Ze wist natuurlijk precies hoe het was gebeurd. Ze had een pact met de duivel gesloten toen ze besloot haar aandoening geheim te houden en een carrière bij de overheid na te jagen. En die duivel had een naam: Marcus. Hij was de onofficiële uitvoerder van haar geheim geworden en nam die verantwoordelijkheid net zo serieus als de Geheime Dienst de eed om haar fysieke veiligheid te bewaren. Terwijl de badkamer zich met stoom vulde, pakte ze de badkamertelefoon en vroeg of ze kon worden doorverbonden met haar persoonlijke assistent. 'Hai Karen,' zei ze.

'Is alles in orde?'

'Ja, ja, prima. Ik kom er zo aan. Ik moest vanmorgen wat dingen voor Kendalls school regelen,' zei ze.

'O, ben je op Sidwell geweest?'

'Nee nee, het was een telefonisch overleg, een telefonische vergadering, bedoel ik, je weet wel, met docenten en de directeur en zo,' zei ze. Ze kon natuurlijk niet zeggen dat ze op de school was geweest wanneer dat niet zo was, want dan zouden de andere ouders haar colonne van vijftien auto's wel hebben opgemerkt. Tara drukte haar ogen stijf dicht en deed ze weer open. Ze kon de leugens nog maar moeilijk uit elkaar houden. Haar gewichtstoename weet ze aan een zeldzame schildklieraandoening en de pukkels aan het klimaatverschil tussen New York en Washington. Haar vele afwezigheid van het werk kwam doordat haar dochter maar moeilijk kon wennen op haar nieuwe school. En als het opviel dat Tara afwezig was bij evenementen op Kendalls school, gaf ze haar baan weer de schuld. 'Hé Karen, hebben we die kappers en visagisten nog steeds in dienst?' vroeg Tara. Ze gebruikte ze zo weinig dat ze op stand-by waren gezet en alleen naar het Witte Huis kwamen voor belangrijke optredens.

'Jawel.'

'Zou je ze nu naar mijn huis kunnen sturen?' vroeg Tara.

'Natuurlijk. Ze zijn er zodra ik een auto voor ze kan regelen.'

'Bedankt, Karen. Tot straks,' zei Tara. Ze hing op en veegde een stukje van de spiegel schoon zodat ze zichzelf kon zien. Ze staarde weer naar haar spiegelbeeld en dacht terug aan wanneer ze voor het eerst de diepten van haar eigen duistere gedachten had ervaren. De jonge Tara studeerde toen in het buitenland, in Venetië, bij een van haar favoriete hoogleraren rechten. De eerste paar weken van haar tijd in Europa waren redelijk goed verlopen. Ze merkte wel dat haar slaappatroon een beetje was veranderd, maar dacht dat haar inwendige klok nog moest wennen aan de nieuwe tijdzone en de uren die de autochtonen erop na hielden. Ze was voor het eerst in het buitenland, maar in plaats van de bezienswaardigheden en geneugten van Venetië tot zich te nemen, was ze geheel in beslag genomen door haar studie. Haar cursus ging over Europese handelswetten en het lesrooster was onvoorspelbaar, wat Tara grote onrust bezorgde. Ze werkte hele nachten in haar poging het onbekende materiaal in zich op te nemen en als ze dan in de les kwam, liet de hoogleraar het college en de toets van die dag links liggen en nam de studenten mee naar een museum of een drie uur durende lunch buiten de stad. Terwijl haar klasgenoten de spontaniteit van deze zomersessies geweldig leken te vinden, zorgde het bij Tara voor grote verwarring.

Ze had vooral een levendige herinnering aan de keer dat ze naar de les kwam na een slopende week studeren, om daar een briefje van de hoogleraar op de deur te vinden waarin hij de studenten vroeg hem te ontmoeten voor een rondleiding langs zijn lievelingspiazza's. Tara had tranen van frustratie weggedrukt, terwijl de andere studenten naar huis waren gerend om hun boekentas te dumpen. Zwervend door Venetië had Tara zich afzijdig gehouden van het groepje meiden dat hun gezicht tegen etalageruiten drukte en de jongens die probeerden hun aandacht te trekken. Ze negeerde de inzichten van de Italiaanse vriend van haar hoogleraar die hen rondleidde en dacht alleen maar aan hoeveel tijd het haar die avond zou gaan kosten om de zaken die ze de avond ervoor had bestudeerd uit het hoofd te leren. Toen ze eindelijk terug in haar flat was, wees ze een zeldzame uitnodiging van haar huisgenoten om met hen mee te eten af en haalde haar boeken tevoorschijn om weer te studeren. Tegen die tijd was Tara helemaal overspannen van de lange avonden studeren en de onzekere timing van mondelinge en schriftelijke examens. De volgende ochtend hoorde ze haar huisgenoten douchen en dacht ze dat ze een dagje gingen sightseeën of winkelen. Het was zaterdag en dat was de enige dag dat Tara het zichzelf toestond uit te slapen en een toeristische attractie te bezichtigen voordat ze weer verderging met leren. Ze had haar kussen over haar gezicht getrokken terwijl haar huisgenoten kabaal maakten in de keuken en nadat ze waren vertrokken, had ze zichzelf opgedragen weer te gaan slapen.

Toen ze rond twee uur 's middags wakker werd, was ze verbaasd auto's langs haar raam te horen razen. Het was in het weekend meestal erg rustig in hun buurt. Ze had zich langzaam aangekleed en was naar buiten gegaan voor koffie met een gebakje. Het puntensysteem van de Weight Watchers had ze opgegeven zodra ze de eerste hap had genomen van de platte, smakelijke Italiaanse versie van pizza. Ze wist zeker dat ze bij elke maaltijd in Venetië voor een dag aan punten consumeerde en dat was ook goed te zien aan haar uitdijende taille. Ze dronk haar melkige koffie op en vroeg aan de vrouw van de broodjeszaak wat er die dag aan de hand was dat er zoveel verkeer was. Tara's Italiaans was zo slecht dat de vrouw in het Engels antwoordde. 'Zo druk is het niet voor een vrijdag,' had ze gezegd.

Tara's ademhaling stokte. Ze had een les gemist. Ze dacht dat het zaterdag was. Ze rende van de bakkerij naar de universiteit en gooide de deur open op het moment dat de andere studenten net weg wilden gaan. Haar tranen terugdringend, rende ze naar haar hoogleraar. 'Ik dacht dat het zaterdag was vandaag. Het spijt me zo dat ik de les heb gemist. Heb ik het examen gemist? Ik heb het examen gemist,' jammerde ze.

'Rustig Tara, relax. Je mag het volgende week ook nog doen. Niks aan de hand,' beloofde hij.

'Nee, nee, ik kan het niet nog een week uitstellen. Ongelooflijk dat ik de toets heb gemist.'

'Maak je geen zorgen, Tara. Het is geen enkel probleem. We doen het maandag wel na de les,' zei hij. 'Zoek de zon op dit weekend. Je ziet er moe uit.'

Ze stopte niet meer met huilen tot ze terug in haar flat was, sloot zich daar op in haar kamer en zwoer het hele weekend te gaan leren zodat ze de toets op maandag zou halen. Ze wist nog dat ze meerdere Italiaanse espresso's had gedronken en midden in de nacht de deur uit was gegaan op zoek naar meer, maar daar hielden haar heldere en samenhangende herinneringen van het voorval ook op. Ze herinnerde zich het geluid van de deur die werd ingetrapt door een van de buren. En dat er een kriebelige deken om haar heen werd geslagen en ze op de achterbank van een taxi werd gezet. De taxi moet haar naar de eerste hulp hebben gebracht.

Volgens de aantekeningen van het Italiaanse ziekenhuis waren haar huisgenoten op zondagavond zo bezorgd geworden om haar nadat ze haar het hele weekend niet gezien of gehoord hadden, dat ze in haar kamer hadden ingebroken en haar naakt op de vloer hadden gevonden met overal om haar heen opengeslagen tekstboeken en schriften. Tara vermoedde dat de ondernomen 'reddingsactie' van haar huisgenoten van die zomer niet honderd procent door bezorgdheid om haar welzijn was gemotiveerd. De arts die haar in het ziekenhuis had opgenomen had in haar dossier genoteerd dat ze zichzelf bevuild had, en in de dampende Venetiaanse zomer was het goed mogelijk dat de stank in het kleine flatje dat ze met z'n allen deelden overal hing.

Tara had geen idee gehad hoe lang ze in het ziekenhuis was, maar ze herinnerde zich nog wel dat het voelde alsof alles eindelijk vertraagde. Menselijke stemmen hadden het lage, langzame geluid van een video die in slow motion werd afgespeeld. Ze begreep niets van wat er tegen haar gezegd werd, maar het was niet onaangenaam. Ze had zich ongewoon ontspannen gevoeld. Uiteindelijk was een Engelssprekende arts met haar komen praten. Hij vertelde haar dat ze daar al tien dagen was. Ze hadden haar geobserveerd en haar het grootste deel van de tijd gesedeerd gehouden terwijl ze wachtten tot de medicijnen haar hersenactiviteit zouden normaliseren. Hij had haar toestand bij binnenkomst als catatonisch omschreven, maar na een paar dagen waren de medicijnen aangeslagen. Ze vroegen haar hoe lang ze al depressief was. Ze wist nog dat ze dacht dat iedereen wel eens down was en dat haar langdurige perioden van zwaarmoedigheid niets geks waren. De artsen hadden haar gevraagd of ze zich nog een tijd kon herinneren dat ze niet down was. Dat kon ze niet. Ze hadden met termen als bipolaire stoornis en manische depressie gesmeten en meerdere medicijnen voorgesteld om haar te helpen.

De artsen veronderstelden dat haar aandoening zich openbaarde door de triggers gecreëerd door de dramatische verandering in haar omgeving en routine. De Engelssprekende arts stelde voor dat ze terug zou keren naar een bekendere omgeving en een minder stressvolle beroepskeuze. Maar Tara was vastbesloten. Ze had stage gelopen bij het kantoor van de openbare aanklager van Manhattan en kon zich geen ander leven voorstellen. De wet was ordelijk en schoon. Al het andere in Tara's leven was altijd chaotisch en slordig geweest. Ze had zich in de stijfheid van de wet gewikkeld en zich ondergedompeld in diens mysterieuze wegen. Ze was geknipt voor een carrière in de rechtspraak en vastberaden van New York haar thuis te maken. Daarbij was ze ervan overtuigd dat ze als aanklager voor de overheid wilde werken. Ze wist zeker dat die banen alleen weggelegd waren voor mensen die geestelijk gezond waren. Misschien zou een particulier kantoor wel een advocaat met geestelijke problemen willen onderbrengen, maar Tara was genoeg te weten gekomen over de typering van een overheidsaanklager om te weten dat als zou worden ontdekt dat ze aan een depressie of bipolaire stoornis leed of iets wat daarop leek, ze het wel kon schudden.

Bovendien had Tara geen veilige thuisbasis om naar terug te keren. Ze had haar familie niet meer gesproken sinds ze jaren daarvoor vertrok naar wat zij dachten dat een baan in een afgelegen deel van New York was. Tara had zich toen ze achttien werd heimelijk ingeschreven voor, en was toegelaten tot, Albany University. Ze kreeg een volledige beurs. Haar moeder, zes broers en twee zussen woonden allemaal binnen een straal van een paar kilometer van waar ze waren opgegroeid in het afgelegen Upper Peninsula Michigan. Haar vader was gestorven aan een hartaanval toen ze elf jaar was, enkele weken nadat de bank de executieverkoop van zijn ijzerhandel had uitgevoerd. Het laatste wat ze had gehoord, was dat haar moeder aan het bed gekluisterd was door complicaties als bijverschijnsel van diabetes. Tara was de enige in haar familie die naar de hogeschool was gegaan, en ze wist zeker dat ze niet zouden begrijpen waarom ze na de hogeschool nog een studie rechten was gaan doen en voor de overheid wilde werken. Haar plan was om er nooit achter te komen wat haar familie van haar levenskeuzes vond. Ze had al bijna twintig jaar geen van allen meer gezien.

Voordat ze het ziekenhuis in Venetië verliet, had ze de arts om een voorraadje medicijnen gevraagd waar ze het een paar maanden mee kon uitzingen. Ze had gelogen dat ze geen ziektekostenverzekering had. 'Amerika is zo'n barbaars land. Zelfs de advocaten hebben er geen ziektekostenverzekering,' had een van de Italiaanse artsen zacht gemompeld terwijl ze een boodschappentas vulde met haar verscheidene voorgeschreven medicijnen. Eenmaal terug in de Verenigde Staten rantsoeneerde Tara de medicijnen en nam slechts een derde van de voorgeschreven pillen zodat ze er langer mee zou kunnen doen. Ze was niet van plan psychiatrische hulp te zoeken in de vs als ze op waren, en ze hoopte dat het beroepsgeheim ervoor zou zorgen dat haar ziekenhuisopname in Italië geheim zou blijven.

Nadat ze als een van de besten van haar jaar was afgestudeerd, kreeg ze een baan bij het kantoor van de openbare aanklager van Manhattan. Ze werkte zich gestaag op en maakte met haar arbeidsethos en kennis indruk op de aanklagers. Een paar jaar later maakte Tara de sprong naar het kantoor van de procureur-generaal. Daar ontmoette ze Marcus. Hij was een FBI-agent die onlangs bij de prestigieuze antiterreureenheid was gekomen nadat hij drie jaar undercover had gewerkt om een van de grootste illegale drugskartels in het Noordoosten op te rollen. Tara wilde dolgraag bij de elite antiterreureenheid van de procureur-generaal, die nauw samenwerkte met de FBI, maar dat waren de begerenswaardigste zaken en het ontbrak haar aan de nodige politieke connecties en opgebouwde ervaring voor zo'n opdracht.

Ze sprak op kantoor bijna nooit met iemand, maar de advocaten hadden af en toe de gelegenheid om met de rechercheurs samen te werken, dus kwam ze Marcus zo nu en dan tegen. Marcus schepte tegen de oplettende jonge advocate met plezier op over de zaken waaraan hij werkte. En Tara was zo wanhopig zo veel mogelijk over de antiterreureenheid te leren, dat ze gretig naar zijn verhalen over zijn undercoverjaren luisterde. Tijdens een lange, warme New Yorkse zomer haalde Marcus Tara zelfs over met hem naar een paar wedstrijden van de Yankees te gaan.

Marcus en Tara werden een stel. Ze deelden een ambitie die voortkwam uit een verlangen door middel van professionele prestaties hun verleden uit te wissen. Toen ze tien maanden samen waren, nam Marcus haar mee uit eten naar Felidia, een chic Italiaans restaurant in de Upper East Side van New York.

'Tara, ik vind je geweldig.'

'Echt waar?'

'Ja. Je behandelt elke zaak waaraan je werkt niet zomaar als een dossier; je behandelt ze allemaal alsof het een mogelijkheid is om het recht te doen zegevieren. Dat is zeer bewonderenswaardig,' zei hij.

'Dank je.'

'Je bent heel speciaal. Ik denk dat je het nog ver kan schoppen in dit wereldje.' Hij glimlachte een beetje verlegen naar haar.

Ze was zo blij dat iemand inzag hoeveel ze om haar werk gaf. Er verschenen tranen in haar ogen.

'Wat is er? Heb ik iets verkeerds gezegd?'

'Niets. Er is niets.'

Hij bekeek haar aandachtig.

'Het is heel aardig van je dat je die dingen zegt, Marcus.'

'En het is waar.'

Ze ademde diep in en vocht tegen de tranen, toen zei ze: 'Ik denk niet dat ik ook maar ergens zal komen in dit wereldje als iemand ooit de waarheid ontdekt.'

Marcus' ogen werden groot.

'Toen ik rechten studeerde ben ik in het ziekenhuis opgenomen geweest.' Ze kon hem niet meer aankijken, maar ze dwong zichzelf verder te gaan. Het geheim verstikte haar. Ze moest het aan iemand vertellen. 'Ik ben daar behandeld voor een depressie.'

Hij knipperde amper met zijn ogen terwijl ze hem precies vertelde wat er die zomer in het buitenland was voorgevallen. Ze bespaarde hem geen enkel onflatteus detail en voelde zich met de seconde meer bevrijd. Toen ze klaar was, keek hij haar vol genegenheid aan. 'Bedankt dat je me dat hebt verteld,' zei hij.

Het had haar uitgeput, maar ze glimlachte naar hem en at haar koud geworden ravioli op.

Een week later vroeg hij haar ten huwelijk.

Tara schudde haar hoofd. 'Waarom wil je met mij trouwen?' vroeg ze.

'Je hebt me nodig,' zei hij terwijl hij haar in zijn armen nam. 'Je zult me altijd nodig hebben. En bovendien hou ik van je.'

Ze knikte en probeerde er niet aan te denken dat wat ze die dag nog het meest voelde, opluchting was en niet liefde of genegenheid voor Marcus. Acht weken later trouwden ze in het stadhuis van New York. Er waren een paar collega's van kantoor bij, maar geen van beiden had familie uitgenodigd. Na de trouwerij stortten ze zich allebei weer op hun werk. Als Tara's werklast te zwaar werd, behoedde hij haar voor aanspraken van buitenaf. Hij werd haar beschermer en poortwachter.

Nu, in hun dampende badkamer in het Naval Observatory, meer dan vijftien jaar later, keek Tara naar haar voeten. Er verschenen blauwige vlekken op van Marcus' knieën. Tara voelde zich schuldig dat ze de work-out niet had afgemaakt. Hij had gedurende al die jaren zoveel voor haar opgegeven. Ze dacht aan hoe veelbelovend alles lang geleden in New York had geleken. Zelfs toen genoot Marcus al meer van Tara's succes dan dat van zichzelf. Hij had haar aangemoedigd en gesteund en in bescherming genomen als de stress haar te veel werd. Op het moment dat plaatselijke Democraten haar aanspoorden zich kandidaat te stellen voor de functie van procureur-generaal van New York, was hij degene geweest die haar ervan verzekerd had dat ze ervoor konden zorgen dat ze gezond genoeg bleef om de baan aan te kunnen. Toen het Witte Huis belde, wist ze dat ze nee moest zeggen. Maar Marcus wilde er niks van weten. 'We kunnen dit,' had hij beloofd. 'We hebben het onder controle.'

Haar symptomen waren erger geworden nu ze in Washington gevestigd was. De verhuizing en de nauwlettendheid waarmee ze in de gaten werd gehouden bij de uitvoering van haar nieuwe baan, hadden haar naar nieuwe diepten gebracht. Vele ochtenden lag ze met zo'n verlammende hoofdpijn in bed dat ze zich niet kon bewegen. Als ze een paar dagen in bed bleef, dreven de donkere wolken langzaam weg. Maar de stress, alle in bed doorgebrachte tijd en haar constante trek in snoep en ander zetmeel, hadden hun tol geëist. Ze was tien kilo aangekomen en had last van een ernstig geval van volwassen acne.

Ze hoorde een klop op de deur. Dat moesten het team van kappers en visagisten zijn. Ze had nog niet gedoucht.

'Tara?'

Het was Marcus. Ze verstijfde.

'Ik weet dat je me kan horen. Moet je horen, iemand heeft per abuis de make-upmensen hierheen gestuurd.'

Ze zei niets.

'Ik heb gezegd dat je ze vandaag niet nodig hebt omdat je vanuit huis werkt.' Marcus had de taak op zich genomen elke dag te bepalen of ze in staat was op het Witte Huis te verschijnen. Hij vond steeds vaker dat het risico van kritiek wegens gemiste werkdagen of het afzeggen van evenementen, minder zwaar woog dan het risico dat iemand erachter zou komen dat Tara last had van ernstige en uitputtende buien van depressie en vertwijfeling. Daarom had hij het team van kappers en visagisten wijsgemaakt dat iemand bij het Witte Huis een fout moest hebben gemaakt. Dat had hij veel liever dan dat iemand haar in de greep van een van haar aanvallen van zwaarmoedigheid zag.

Ze wachtte tot hij weg was en stapte toen onder de douche, waar haar tranen oplosten in het warme water dat over haar gezicht en lijf stroomde.

14
Dale

Dale zette de out-of-office wizard van haar e-mailprogramma aan en schakelde haar computer uit. Het was één uur 's nachts. Later die ochtend, om zes uur, zou ze naar San Francisco vliegen. Ze nam drie nummers van *The Economist* mee en liep het Old Executive Building uit naar waar haar auto geparkeerd stond op West Executive Drive. Ze zou het weekend met Peter doorbrengen. Ze waren het erover eens dat het tijd werd om knopen door te hakken. De telefoon was een ontoereikende plaatsvervanger voor intiem contact gebleken. Dale was altijd afgeleid als hij overdag belde en uitgeput als hij 's avonds belde, dus kwamen ze nooit veel verder met bepalen waar hun relatie nou stond. Hun romance was op sterven na dood. Dale werd misselijk bij de gedachte aan het ergste scenario: de mogelijkheid dat Peter over haar heen was. Ze had zoveel afstand tussen hen in geplaatst – zowel geografisch als relationeel – dat ze bang was dat hij het eindelijk had opgegeven.

Voordat ze wegreed, zag ze dat de lichten nog aan waren in de residentie. Het was hoogst ongewoon dat de president op een vrijdagavond in D.C. was. Ze ging in het weekend altijd naar Camp David, dat een korte helikoptervlucht van Washington verwijderd was. Dale schudde licht het hoofd om het idee te verbannen dat de ex-vrouw van haar vriend, de president van de Verenigde Staten van Amerika, televisie zat te kijken of een boek las in het gebouw naast haar. Ze zette haar auto in z'n achteruit en reed langzaam van de parkeerplek af. Ze zwaaide de bewaker gedag en reed het complex van het Witte Huis af. Rijdend door de lege straten, bedacht ze hoe gestoord het haar zou hebben geleken als iemand een jaar geleden tegen haar had gezegd dat ze deel zou gaan uitmaken van dezelfde regering die ze met haar geheime affaire bijna omver had geworpen. Gelukkig voor haar had Charlotte het niet zo gezien. Na het ongeluk in Afghanistan en het daaruit voortvloeiende verlies van haar baan bij de omroep, was Charlotte zelfs een van de enigen geweest die begreep dat het kwijtraken van haar baan voor haar net zo traumatisch was als de lichamelijke verwondingen die ze had opgelopen. Toen ze na de verkiezingen de positie bij de vicepresident kreeg aangeboden, had Ralph haar duidelijk gemaakt dat Charlotte de benoeming goedkeurde. Dale's aanwezigheid was ongetwijfeld een herinnering aan het drama dat Charlotte tijdens haar eerste termijn omringde, maar de fascinatie van het volk voor Tara had, tot dusver, voor genoeg afleiding gezorgd van de gedeelde geschiedenis tussen Dale en Charlotte.

Dale liet haar ingepakte weekendtas in haar auto liggen en beklom de trap naar haar appartement om een paar uur slaap te pakken. Ze werd wakker van het knipperende licht van haar BlackBerry, keek of er belangrijke berichten waren, nam een douche en haastte zich naar de luchthaven. Ze parkeerde de auto in het gedeelte voor kort parkeren en mailde zichzelf de exacte locatie zodat ze hem maandag weer zou kunnen vinden als ze met de nachtvlucht terugkwam.

Toen ze in haar stoel in de eerste klas was neergestreken voor de vijfenhalf uur durende vlucht, genoot ze enorm van de gedachte dat ze even niet per telefoon of e-mail bereikbaar was. Ze was nooit een van de verslaggevers geweest die dachten dat medewerkers van het Witte Huis het maar makkelijk hadden, maar ze had ook zeker niet geweten hoe hard iedereen, van de onbetaalde stagiaires tot de chef-staf, werkte.

De vrees die ze had gevoeld om het weerzien met Peter na meer dan zes weken van gespannen telefoongesprekken en het driemaal uitstellen van haar bezoek, ging in rook op toen ze hem bij de gate op haar zag staan wachten. Zijn blonde haar was lichter dan gewoonlijk en hij zag er gebruind en fit uit. Ze voelde zich futloos en bleek vergeleken met hem. Hij trok haar naar zich toe en omhelsde haar, en Dale begroef haar hoofd in zijn borst. Ze pakte hem stevig beet. Peter liet haar los en keek naar haar verfomfaaide gezicht. 'Wat is er?' vroeg hij.

'Ik ben gewoon blij je te zien,' zei ze. Ze keek hem aan. Zijn ogen hadden de kleur van een blauwgroen Crayola-krijtje.

'Je ziet er moe uit,' zei hij terwijl hij haar gezicht aandachtig bestudeerde.

'En na zes uur in de lucht, is dit nog wel de uitgeruste ikke,' zei ze, lachend door haar tranen heen en zich tegen hem aan vleiend voor nog een knuffel.

'Maar je vermaakt je toch wel op je werk?'

'Dat zou ik nou ook weer niet zeggen,' zei ze en ze rolde erbij met haar ogen.

'Het kan maar beter wel zo zijn,' plaagde hij.

Ze voelde zich schuldig dat ze klaagde over de baan die hun leven samen in gevaar bracht. 'Het gaat wel, hoor. Ik vind het fijn dat ik een bijdrage kan leveren, snap je?' zei ze.

'Ja,' zei hij.

Ze wist niet of hij bedoelde dat hij het wist omdat hij Charlottes behoefte de politiek in te gaan had meegemaakt of omdat hij gewoon begripvol probeerde te klinken, maar ze wilde hun hereniging niet verpesten met de zoveelste uitleg van haar beslissing de baan in het Witte Huis aan te nemen in plaats van met hem in San Francisco te gaan wonen. Ze hadden dat gesprek al heel vaak gevoerd, en het liep nooit goed af.

'Luister, omdat het nog vroeg op de dag is, dacht ik dat we wel naar Stinson Beach kunnen gaan om te wandelen en dan misschien lunchen in Tiburon. Hoe klinkt dat?' vroeg hij.

'Perfect,' zei ze en ze kneep in zijn hand terwijl ze naar zijn auto liepen. Sinds Charlotte en hij waren gescheiden, was zijn bewaking teruggeschroefd. Hij had nog steeds een mannetje voor publieke aangelegenheden en wanneer hij met de kinderen reisde, maar hij mocht van de Geheime Dienst zijn eigen auto besturen en ze postten niet langer de hele nacht bij zijn huis. Dale keek naar Peter terwijl hij reed. Ze wist niet wat hij dacht. Het verbaasde haar dat hij niet eerst naar huis wilde. Hun normale routine was om vóór al het andere samen het bed in te duiken. Misschien waren de dingen echt veranderd tussen hen.

Ze reden de parkeerplaats bij Stinson Beach op en ondanks haar zorgen over of Peter er voor eens en voor altijd een einde aan wilde maken, werd ze rustig bij het zien van de over het strand rollende golven. Blij dat hij de wandeling had voorgesteld, haalde ze haar loopschoenen en fleecejack uit haar tas en trok ze ze aan terwijl Peter geduldig wachtte.

Eén poosje liepen ze hand in hand, tot het pad te smal werd en Peter haar voorop liet lopen. Na ongeveer drie kwartier stopte ze en draaide zich naar hem om. 'Als het je plan was me te laten beseffen dat ik niet goed snik ben om naar Washington te verhuizen, dan is het je gelukt.' Ze boog zich naar hem toe en gaf hem een kus op zijn mond.

Hij glimlachte en zoende terug. 'Zeg, ik had echt geen bijbedoelingen. Ik dacht dat het wel lekker zou zijn om een frisse neus te halen,' zei hij en hij draaide zich van haar weg en keek naar de mist die als een deken boven op de Grote Oceaan lag. Ze wandelden nog een uur en gingen daarna terug naar de auto.

Toen Peter een andere weg nam dan die waarover ze gekomen waren, dacht Dale dat hij de toeristische route of een achterafweggetje nam. Na een minuut of tien reed hij een steile oprijlaan op en verder naar een schattig huis op een klif dat uitkeek op de Grote Oceaan.

'Waar gaan we naartoe? Woont een van je spelers hier?' vroeg ze.

'Ik wil je iets laten zien,' zei hij.

'Een huis?'

'Ja, een huis.'

Hij zette de motor af en stapte uit de Land Rover. Dale bleef even in de auto zitten en pijnigde haar hersens om te bedenken wat hij van plan kon zijn. Toen ze het portier opende, stond hij aan haar kant van de auto.

'Kom een kijkje nemen in ons nieuwe huis aan het strand.'

'Wat?' vroeg ze. Ze probeerde de paniek die ze voelde uit haar stem te houden.

'Ik dacht dat het meer bij ons zou passen dan de stad. En we hebben nog nooit een huis gehad om samen een thuis van te maken,' zei hij.

Nu durfde Dale niet meer de auto uit te komen. Ze was bang dat ze dan zou toelaten dat Peter haar weer naar zich toe zou trekken, terug naar San Francisco. 'Heb je een huis voor ons gekocht? Ik weet niet eens hoeveel tijd ik hier kan doorbrengen,' zei ze.

'Dat weet ik. Ik dacht gewoon dat het fijn zou zijn een plek te hebben om even helemaal weg te kunnen zijn. Kom ten minste uit de auto om het te bekijken.' Hij begon geërgerd te klinken.

Dale stapte uit en liep naar de voordeur. De huizen in Stinson Beach waren heel anders dan de verzorgde herenhuizen en schilderachtige victoriaanse gebouwen in Pacific Heights. Peter had gelijk; het voelde meer als iets wat bij hen paste. De hele voortuin was bezaaid met groepjes wilde bloemen. Het huis met houten dakspanen zag eruit alsof het door een sterke wind zo van het klif afgeblazen zou worden. Ze kon dwars door het huis heen kijken naar de zee beneden. Peter maakte met een sleutel van zijn sleutelbos de voordeur open. 'Welkom thuis,' zei hij.

Dale liep naar binnen en kon een glimlach niet onderdrukken. Er stonden geen meubels, maar de binnenkant was onlangs opgeknapt. Een verse verfgeur hing in de vochtige lucht en de stickers van de fabrikant zaten nog op de ruiten. 'Heb jij het opgeknapt?' vroeg Dale. Voordat hij antwoord gaf, wist ze het al. De ingehouden elegantie van de vertrekken was Peter ten voeten uit.

'Nu jij zo ver weg zit, heb ik de laatste tijd veel te veel vrije tijd.'

'Dat blijkt,' zei ze terwijl ze een erker in de keuken bewonderde.

'Ik zal je een rondleiding geven,' zei hij en hij pakte haar hand.

Dale liep hem achterna van kamer naar kamer en zag dat hij aan alle details gedacht had. Overal waren kamerhoge ramen, lichte houten vloeren in zandkleur en muren met de kleur van kaarslicht. In de grote badkamer had Peter een bad met douche bij het raam geplaatst dat op de zee uitkeek. De rest van het huis voelde aan als één eindeloze ruimte.

'Wat vind je ervan?' vroeg hij.

'Het is prachtig,' antwoordde ze.

Peter leek nerveus. 'Vind je het echt mooi? Ik was bang dat je je te bekeken zou voelen, vooral in de slaapkamer, maar niemand kan ons toch zien vanuit de zee.'

'Nee, nee. Het is perfect. Het zou een misdaad zijn om deze uitzichten te bedekken,' zei ze terwijl ze haar voorhoofd tegen het raam drukte. Ze haalde diep adem en probeerde zich te ontspannen, maar de gedachte dat Peter een huis had gekocht, opgeknapt en haar er nu mee verraste was gewoon te veel van het goede. Zijn vrijgevigheid smoorde haar met een nieuwe lading schuldgevoel wegens het aannemen van een baan vijfduizend kilometer verderop. Peter kwam achter haar staan en sloeg zijn armen om haar middel. Dale verstijfde.

'Wat is er?'

'Niets. Het is perfect,' zei ze weer. En dat was het ook. Ze deed nog een poging zich te ontspannen, maar ze kon haar gedachten niet uitzetten. Boven op het schuldgevoel dat ze had omdat ze zich een slechte vriendin voelde, had ze geen bereik meer gehad met haar BlackBerry sinds ze uren daarvoor in Stinson Beach waren aangekomen. Ze wilde niet weten hoeveel onbeantwoorde telefoontjes en e-mails ze had.

'Ik was zo bang dat je het niks zou vinden,' zei Peter.

'Hoe kon je dat nou denken?' zei ze defensief.

'Ten eerste is de dekking hier echt hartstikke slecht,' antwoordde hij.

'O ja?'

'Ik heb je je BlackBerry wel tien keer aan en uit zien zetten. Je weet het heus wel,' zei hij.

Ze draaide zich uit zijn armen en keek hem recht aan. 'Jij vindt me geobsedeerd en gestoord omdat ik op mijn BlackBerry kijk tijdens het enige weekend dat we in twee maanden samen hebben, maar wat je niet weet is dat ik me amper staande hou op het werk,' zei ze met overslaande stem.

'Dale, dat vind ik helemaal niet. Ik hou van je en ik vind het super dat je hier bent en ik dacht dat je je hier zou kunnen ontspannen. Ik zat er blijkbaar naast,' zei hij.

'Het voelt gewoon alsof je hier een leven voor ons opbouwt op precies hetzelfde moment dat ik duizenden kilometers verderop aan een nieuwe carrière ben begonnen.'

'Ik woon hier,' zei Peter. Hij draaide zich om en liep de kamer uit. Ze hoorde hem deuren sluiten en lampen uitdoen.

'Toe nou,' smeekte ze toen ze hem naar het halletje volgde.

'Ik dacht dat je het fijn zou vinden de drukte te ontvluchten op de zeldzame momenten dat je langs kon komen. Sorry dat je het als een bedreiging voor je loopbaan zag, of wat het dan ook is wat ik heb misdaan door een huis voor je te kopen.'

Dale was zo moe. Ze probeerde – al weer – iets te bedenken om te zeggen, iets wat alles goed zou maken, maar er kwam niets. Ze wist dat ze hem gewoon moest laten gaan zodat hij een normale partner kon vinden; iemand die de juiste reactie zou vertonen als haar vriend haar verraste met een huis aan het strand. Ze wist dat ze hem kwetste door hem aan het lijntje te houden. Ze wilde hem zeggen hoe geweldig ze dit huis vond. Ze wilde de laatste vijfentwintig minuten terugspoelen en opnieuw voor de eerste keer het huis binnenlopen, met vreugde en dankbaarheid op haar gezicht. Als Dale het over kon doen, zou ze in tranen uitbarsten van geluk terwijl hij uitlegde hoe hij zorgvuldig alles, van de verwarmde vloeren in de badkamer tot het achtpits gasstel in de keuken, zelf had uitgekozen. Daarna zouden ze elkaars kleren van het lijf rukken en vrijen op de slaapkamervloer. Nadien zouden ze daar liggen en bespreken waar ze het bed neer zouden zetten. Ze wilde alles weer goedmaken, maar het was te laat. Ze had hem deze keer te diep gekwetst.

Eenmaal terug in de auto keek hij niet naar haar. Twintig minuten later reden ze de garage van zijn huis in Pacific Heights in en legde ze haar hand op de zijne. 'Het spijt me,' zei ze.

'Het is mijn fout. Ik had moeten zeggen dat het van een vriend was. Dan zou je er meer van hebben kunnen genieten.'

De rest van het weekend heerste er een gespannen sfeer. Het incident in het huis had alle pijn en teleurstelling die ze elkaar hadden bezorgd naar boven gebracht. Nu zweefde dat tussen hen in als de koude, zware mist die dat weekend over de stad hing. Zondagavond maakten ze een wandeling langs de Marina. 'Zullen we nog wat gaan eten voor je vlucht?' vroeg hij.

'Ik heb niet zoveel trek, maar als jij wil eten, eet ik ook wel,' antwoordde Dale.

'Ik heb ook geen trek.'

Ze liepen terug naar zijn huis en gingen naast elkaar op de bank zitten. Na een paar minuten van stilte begonnen er tranen langs Dale's gezicht naar beneden te stromen. Haar verdriet was een wirwar van berouw en spijt, die zo bodemloos was dat ze geen flauw idee had hoe ze er ooit overheen moest komen. Peter had zo lang zo ontzettend veel van haar gehouden dat ze niet wist wie ze was zonder zichzelf door de bril van zijn genegenheid te zien. Hij had haar verzorgd toen ze gewond was en was vier jaar lang haar klankbord, geliefde en haar beste vriend geweest.

Ze was doodsbang. En ondanks dat hij naast haar zat, wist ze dat ze hem deze keer echt kwijt was. Zijn hart was bij het huis aan het strand in te veel stukjes uiteengevallen en was onmogelijk meer te lijmen. Haar stille tranen werden al snel snikken waarvan haar hele lichaam schokte. Peter had zijn armen om haar heen. Hij streelde haar haar en hield haar stevig vast. Ze zaten daar terwijl de lucht van grijs naar zwart overging. Ze bleven zitten totdat ze allebei wisten dat het tijd was om naar de luchthaven te rijden voor Dale's nachtvlucht terug naar Washington.

Ze drukte haar lichaam zo dicht mogelijk tegen het zijne. 'Ik hou van je,' zei ze.

'Ik weet het.'

'Ik vind het vreselijk om afscheid van je te nemen.'

'Ik weet het.'

'Mag ik volgend weekend terugkomen zodat we alles kunnen uitpraten?' vroeg ze.

Hij zei niets.

'Wil je dat het zo eindigt?' vroeg ze.

'Ik wil helemaal niet dat het eindigt, maar we weten allebei dat er toch weer iets tussenkomt. Een toespraak of een persdiner, of een evenement dat aan Tara's schema wordt toegevoegd. Er komt iets tussen en je zult hier niet zijn volgend weekend, of het weekend erna, en zo gaat het maar door.'

Ze zei niets.

'Ik kan dit niet meer,' zei Peter. 'En niet omdat ik niet genoeg van je hou. Ik hou gewoon te veel van je. Het afscheid van vanavond moet ook echt een afscheid zijn. Ik moet proberen over je heen te komen.'

Dale kneep haar ogen stijf dicht. Ze kon niet geloven dat hij dit nu deed. Ze was bang dat als ze zich bewoog of iets zei, hij haar los zou laten en in de auto zou stappen om haar naar de luchthaven te brengen, dus hield ze zich stil en probeerde alles aan hem in haar geheugen te griffen.

15
Charlotte

De ochtendwandeling van de residentie naar het Oval Office maakte Charlotte veel langzamer nu Ralph haar chef-staf was. Niet dat ze hem niet waardeerde, hij deed erg hard zijn best en was de enige persoon die de westvleugel gerund kon hebben tijdens Tara's overgang van staatsambtenaar naar vicepresident. De media noemden Ralph de 'Tara-fluisteraar' en de staf had dat overgenomen. Elke klacht over de vicepresident kwam op Ralphs bureau terecht en hij was meestal degene die haar moest inlichten over gevoelige politieke kwesties of die moest benadrukken dat ze afspraken met bepaalde congresleden vooral níét af moest zeggen. Dat was gewoonlijk niet de taak van de chef-staf van het Witte Huis, maar Charlotte waardeerde zijn kunde en bereidheid om Tara bij te schaven. Ze wist dat de spanningen tussen Melanie en Tara tot uitbarsting zouden zijn gekomen en openbaar zouden zijn geworden als ze op de plek van de chef-staf was blijven zitten. Charlotte wist dat Ralph de beste persoon was voor de functie, maar ze miste Melanies vaardigheid om op haar reacties op alles en iedereen te anticiperen. Tijdens haar eerste termijn had ze altijd meer naar hun vroege-ochtend-besprekingen uitgekeken dan naar de rest van haar dag. Ze zagen elkaar in het Oval Office, namen het schema van die dag door, bespraken wat er in de kranten had gestaan en praatten elkaar bij met goede roddels. Met Ralph had Charlotte gemerkt dat hoe later ze arriveerde, hoe korter de besprekingen waren. De kans dat de Nationaal Veiligheidsadviseur of persvoorlichter langskwam, werd met elke verstrijkende minuut groter en ze had met Samantha, die al vele jaren haar persoonlijke assistente was, de vaste afspraak dat ze hen door liet lopen, zelfs als Ralph nog bij haar was.

Charlotte nam vluchtig de actuele berichten door en las alle namen van de lijst met soldaten die de dag ervoor gesneuveld waren of vermist werden in Irak en Afghanistan. Dat deed ze zeer nauwkeurig, om zich ervan te verzekeren dat er niks met Will was gebeurd. Het rapport was altijd het meest ontnuchterende onderdeel van Charlottes dag geweest, maar nu had het ook nog eens de potentie haar wereld in te laten storten. In het begin had ze Brooke en Mark elke dag gebeld om te laten weten dat hun zoon in orde was. Na een paar weken had Brooke toegegeven dat het dagelijkse telefoontje meer spanning en vrees met zich meebracht dan het voorkwam, dus deed Charlotte dat niet meer. Ze stond op en liep naar het ontvangstgedeelte.

'Kan ik Ralph laten komen?' vroeg Samantha.

'Nog niet, Sam. Ik heb eerst nog één kop koffie nodig.'

'Hij belt al vanaf kwart voor zeven,' pleitte Sam.

'Hoe laat is het?'

'Halfacht.'

'Goed dan, maar kom me na tien minuten halen,' zei Charlotte.

'Dat gaat hij niet leuk vinden.'

'Weet ik, maar doe het toch maar.' Charlotte draaide zich om en liep op haar antracietkleurige schoenen terug naar het bureau om op Ralph te wachten. Ze rook hem al voordat ze hem zag. Wat hij ook als ontbijt had besteld, er had spek bij gezeten. Ze begroef haar gezicht in de mok dampende koffie en vervloekte Melanie omdat ze was weggegaan.

'Goedemorgen, mevrouw de president.'

'Goeiemorgen, Ralph. Wat heb je vandaag voor me?'

'In de opiniepeiling van Rasmussen is je waarderingspercentage gestegen naar zesenvijftig procent nadat je de Russen een poepie, eh, sorry–' Hij stopte abrupt. Ralphs hoofd was zo'n peilloze plek dat sommige dingen niet volledig omgezet werden voordat ze uit zijn mond kwamen.

'Geeft niet. Laat de pers weten dat ik het fijner vind als ik op dertig of veertig zit dan in de vijftig. Wat nog meer?'

'Eh, we gaan ons richten op werkgelegenheid en de economie en blijven daar in de zomer druk mee. Vanaf morgen begint er een doorlopende serie empathie-evenementen,' zei hij. Hij duwde Charlotte een schema onder de neus.

'Empathie-evenementen?'

'Ja, je weet wel, eigenlijk meer een soort ellendetour. We gaan langs de plaatsen die het hardst zijn geraakt door de economische crisis. Je weet wel, dezelfde plekken die we altijd bezoeken in Michigan en Ohio, maar deze keer gaan we je reizen bundelen zodat we kunnen laten zien hoe *in touch* je bent met de middenklasse.'

'Dat klinkt enorm bezielend, Ralph,' zei Charlotte met een stalen gezicht. Even wist hij niet of ze sarcastisch deed of niet. Uit medelijden rolde ze met haar ogen om hem duidelijk te maken dat zijn cynisme niet goed bij haar viel op de vroege ochtend. Ralph wilde net een nieuwe draai aan de empathietour geven toen Charlotte hem onderbrak. 'Hoe doet Tara het?'

Ralph leek verbaasd. 'Super. Ze was een doorslaand succes op dat werkgelegenheidscongres laatst.'

'Dat heb ik gezien. Wat een tragisch verhaal – die dakloze vrouw – en Tara pakte het virtuoos aan. Maar hoe gaat het op het persoonlijke vlak? Went haar gezin al een beetje? Lijkt ze op haar gemak met de dingen die ze van ons op haar bordje krijgt? Is het te veel? Te weinig?'

'Ik denk het.'
'Wat denk je?'
'Ik denk dat alles haar goed bevalt.'
'Dat zou ik graag zeker willen weten. Zet alsjeblieft weer een vaste wekelijkse lunchafspraak met haar op de agenda,' gelastte Charlotte.
'Ja mevrouw.'
'Met onmiddellijke ingang.'
'Goed, we zullen er volgende week mee starten.'
'Laten we een keer alle voorzichtigheid overboord gooien, Ralph.'
'Sorry?'
'Laten we ervoor zorgen dat de lieve mensen van de planning op hun hoofd krabben als ze proberen te bedenken hoe iets op mijn schema terecht kan zijn gekomen zonder zeven planningsbesprekingen, twee rondes van opiniepeilingen en drieëntwintig handtekeningen.'
'Huh?'
'Ik wil graag vandaag met Tara lunchen.'
Ralphs mond hing een fractie van een seconde open. Hij herstelde zich en greep naar zijn BlackBerry. 'Jawel.' Hij draaide zich om om te gaan.
'Nog één ding,' zei ze.
'Ja?'
'Geen personeel erbij.'
'Mevrouw, ik raad ten zeerste aan er iemand bij te hebben die aantekeningen maakt van de zaken die worden besproken,' protesteerde Ralph.
'Hier valt niet over te onderhandelen. Ze moet weten dat ze naar mij toe kan komen als ze ergens mee zit.'
Charlotte zag zijn adamsappel wild pulseren. 'Ja mevrouw.'
'Dank je, Ralph, dat stel ik op prijs. Ik zal vanavond naar het materiaal voor die empathietour kijken. Ik heb er zin in.'
'Bedankt.' Hij draaide zich om en rende nagenoeg het Oval Office uit.

Charlotte stond op om haar benen te strekken en meer koffie te halen. 'Was er nog iemand naar me op zoek?' vroeg ze aan Sam.

'Craig Thompson van Wetgeving zei dat hij tien minuten van je tijd wilde en de tekstschrijvers willen langskomen om de toespraak voor het "werkloos-in-Detroit" evenement te bespreken. Ze vrezen dat het te veel als een campagnespeech klinkt.'

'Stuur Craig eerst langs en kijk maar of de tekstschrijvers daarna naar beneden willen komen.' Charlotte zuchtte. Ze moest een manier zien te bedenken om tot Tara door te dringen en erachter te komen hoe ze haar kon helpen haar draai te vinden. Als de pers eenmaal vond dat er genoeg bewijs was om een verhaal te smeden over dat Tara een onbetrouwbare en ongeschikte nummer twee was, zou het moeilijk worden daar nog van af te komen. Op bepaalde manieren hadden de media Tara in een hoek gedrongen door haar aan de ene kant op het voetstuk van werkende moeder te plaatsen en aan de andere kant bij elk foutje te bekritiseren. Charlotte maakte zich minder zorgen om de toenemende frequentie waarmee Tara openbare evenementen afzegde dan om het groeiende vermoeden dat de schijnwerpers van Washington zwakheden begonnen te belichten die haar niet eerder waren opgevallen. Hoewel Charlotte door de pers voor allerlei zonden was vervolgd, had nooit iemand beweerd dat ze overweldigd was door de verantwoordelijkheden van haar ambt. Ze ging weer aan haar bureau zitten en probeerde de groeiende bezorgdheid om Tara uit haar hoofd te zetten. In haar zes maanden als vicepresident had Tara een diepe emotionele band ontwikkeld met een grote dwarsdoorsnede van het electoraat. Onder haar fanatiekste aanhangers overheerste het gevoel dat ze onnodig wrede kritiek kreeg. Charlotte was dankbaar voor deze hoeveelheid goodwill voor haar running mate, maar de stroom van anekdotes over Tara's onkunde om deel te nemen aan de meest informele en vriendelijke beleidsbesprekingen, deed vermoeden dat het probleem dieper ging dan een gebrek aan voorbereiding.

16
Tara

'Je ziet er mooi uit,' zei Marcus.

'Dank je. Ik ga vandaag met Charlotte lunchen. Haar assistente, Samantha, belde Karen net.' Tara zag verbazing over Marcus' gezicht glijden, maar hij zei niets. 'Gewoon iets wat ze wekelijks op de agenda wil hebben.'

'Hm, mm,' zei Marcus met een opgetrokken wenkbrauw.

'Wat?'

'Niks. Laat me weten hoe het ging. Ik breng Kendall vandaag naar de training zodat ik met haar trainer kan praten.'

'Waarom? Wat is er dan?'

'Er is vast niets.' Marcus liet een strak glimlachje zien. 'Maak je geen zorgen om Kendall. Concentreer je op je lunch met Charlotte.'

Tara vroeg zich soms af of hij bezigheden zoals een afspraak met de trainer van Kendall verzon om in te wrijven dat hij degene was die het meeste voor Kendall zorgde. Een van zijn favoriete manieren om Tara van een zeldzame goede bui te beroven was informatie over Kendall voor zich te houden waarvan hij vond dat ze een bedreiging waren voor haar zwakke mentale gestel. Ze werd er gek van, maar het was een effectieve truc. Als ze volhield dat ze wilde weten wat er aan de hand was, weigerde hij informatie met haar te delen totdat ze buiten zichzelf was. En als ze dan geïrriteerd of hysterisch werd, zei hij: 'Zie je nou wel, ik zei toch dat je er niet nog meer stress bij kon hebben. Ik hou me wel met Kendall bezig.' Ze probeerde zo veel mogelijk tijd alleen met Kendall door te brengen, maar dat was moeilijk. Als ze niet op het werk was of thuis werkte, hing Marcus altijd in de buurt rond of luisterde vanuit de kamer ernaast mee als Kendall en zij samen waren. Nadien kwam hij dan met advies over hoe ze 'effectiever' tegen Kendall kon praten. Ze tolereerde zijn bemoeienis uit angst dat hij haar op een dag zou verlaten en Kendall mee zou nemen. Al het andere zou ze overleven – alle vernederingen die Marcus maar kon verzinnen –, maar ze zou het niet kunnen verdragen Kendall te verliezen. Kendall was haar wonder.

Ze waren niet bezig geweest om zwanger te worden, en met haar depressies die een eigen leven leidden, was ze bang dat ze haar fout bekabelde hersens aan een kind zou doorgeven. Maar zes maanden na hun bruiloft werd ze niet ongesteld. Tara deed een zwangerschapstest en was ontzet toen erop stond dat ze zwanger was. Ze was al aan de pil sinds ze een relatie met Marcus had gekregen. Nadat ze het Marcus had verteld, hadden ze alles doorgelezen wat ze maar konden vinden op het internet over de kans dat ze haar depressie aan hun kind doorgaf. Er waren veel studies die suggereerden dat er een genetische link was, maar het was ook mogelijk dat er niets met hun kind aan de hand zou zijn. In het begin was Tara doodsbang dat Marcus druk op haar zou uitoefenen om het kind weg te laten halen. Ze raakte met de dag meer gehecht aan het leven dat in haar groeide. Het was de enige keer in haar volwassen leven dat ze zich helemaal goed voelde, gelukkig zelfs. Ze at al het juiste voedsel en sliep en bewoog voldoende. En toen Kendall gezond werd verklaard door de artsen die haar hielpen op de wereld te zetten, had Tara tranen van vreugde gehuild waar geen einde aan leek te komen.

Toen Kendall heel klein was, was Tara dag en nacht alert op tekenen dat ze toch niet in orde was. Bij het geringste abnormale verschijnsel ging ze linea recta met haar naar de kinderarts. Zeven jaar later was Kendall een volkomen normaal, gezond en vrolijk kind. Ze had veel vriendinnetjes, de leerkrachten waren dol op haar, en ze was een slim, innemend en grappig meisje. Tara sloop elke avond als Marcus sliep stiekem haar kamer in om te kijken hoe ze droomde.

Nu ze toekeek hoe Marcus Kendall in de SUV tilde voor het korte ritje naar de tennistraining, vroeg Tara zich af of ze ooit in staat zou zijn zich te ontdoen van alle leugens die ze verteld had en een normaal leven met haar dochter te leiden. Ze betwijfelde het. Tara zag hoe Kendall naar voren leunde om de bewaker in de passagiersstoel een high five te geven. Ze glimlachte en rukte zich daarna los van het raam om zich klaar te maken.

Tijdens de tien minuten durende rit naar het Witte Huis zag Tara dat mensen zichzelf koelte toewuifden bij de bushalte. Het was begin juli, maar de warmte hing al boven Washington. Ze bladerde door haar briefingspapieren en maakte wat aantekeningen op een memo van de Economische Raad van het Witte Huis. 'Wie is de Economische Raad?' schreef ze op de voorpagina van het honderd pagina's tellende rapport. Ze kraste het door voordat ze het complex op reden.

Ze zei iedereen gedag toen ze haar kantoor binnenliep en ging aan haar bureau zitten. Een nette stapel van de kranten van die dag lag erbovenop. Ze sloeg de *The New York Times* open en las alle artikelen. Daarna las ze de *Wall Street Journal* en *The Washington Post* aandachtig door. De kranten hadden allemaal heel verschillende ideeën over de uitkomsten van de aankomende vredesbesprekingen in het Midden-Oosten. Tara besefte dat ze geen flauw benul had wat haar eigen regering deed om de vredesbesprekingen te hervatten, en dus ook geen idee had welke krant het dichtste bij de waarheid zat. Ze wilde net Karen bellen om te vragen of ze iemand van haar nationaal veiligheidsteam wilde halen, toen de deur van haar kantoor openging en Karen verscheen. 'De president is klaar voor je,' zei ze.

'Is dat niet wat vroeg? Ik bedoel, de lunch was om halfeen en het is pas een paar minuten over twaalf.'

'Ik denk dat lunchen met de president gebeurt wanneer de president trek heeft,' zei Karen.

Tara haalde diep adem en liep langzaam naar de deur van haar kantoor. 'Oké.'

'Je ziet er mooi uit,' zei Karen.

'Dank je.' Tara liep achter een bewaker van haar kantoor naar het Oval Office en stopte voor het bureau van Sam.

'Ga maar naar binnen. Ze wacht in haar privé-eetkamers,' zei Sam.

'Bedankt, Samantha.'

Tara doorkruiste het Oval Office en klopte op de deur van de privé-eetkamers van de president.

'Binnen,' riep Charlotte van de andere kant van de kamer.

Toen Tara binnenkwam, zat Charlotte op haar hurken voor de dvd-speler. 'Ik wilde je toespraak op het MKB-congres afspelen en je er vragen over stellen omdat ik zo geroerd was door dat verhaal van die vrouw toen ik het op het journaal zag, maar ik krijg dit stomme ding niet aan de praat,' zei ze.

'Kijk het maar liever niet nog een keer. Ik was die dag echt verschrikkelijk. De autocue viel uit en ik sloeg dicht.'

'Je deed het geweldig, Tara. Het was echt vreselijk ontroerend,' hield Charlotte vol.

Tara bloosde. 'Bedankt, mevrouw de president, maar ik probeerde er gewoon het beste van te maken.'

'Charlotte. Noem me alsjeblieft Charlotte.'

'Oké.'

'Ga lekker zitten, Tara. Doe alsof je thuis bent.'

Zodra ze zaten, verscheen er een kelner om hun bestelling op te nemen. 'Weet je al wat je wilt?' vroeg Charlotte.

'Eh, ja, een momentje.'

'Voor mij graag een groentesalade met extra spek en extra slasaus,' zei Charlotte. 'Vertel ze in de keuken maar dat mijn cholesterol niet te hoog is en dat ze niet meer zo zuinig moeten zijn met de lekkere dingen. O, en ook extra roquefort,' voegde ze eraan toe.

'Jawel,' zei de kelner. 'Wilt u er ijsthee bij?'

'Ik denk dat ik vandaag eens ijskoffie neem. Wat een losbandigheid, hè?' grapte ze.

'Goed mevrouw. En u, mevrouw de vicepresident? Hebt u al een keuze kunnen maken?'

'Ja. Voor mij graag een gemengde groene salade met wat gegrilde kip. En als het mogelijk is, wil ik de slasaus er het liefste naast.'

'Natuurlijk. En wat wilt u erbij drinken?'

'Een cola light.'

Hij verliet de kamer en Charlotte wendde zich tot Tara en glimlachte hartelijk. 'Ik ben erg blij dat deze lunch in ons schema paste. Ralph vertelde me hoe hectisch het allemaal voor je is geweest met het reizen, en je hebt natuurlijk een jonge dochter die je vast vreselijk mist als we je naar al die stomme evenementen in de veldslagstaten sturen. Ik weet niet waarom Ralph al zo obsessief met campagnevoeren bezig is. Ik bedoel, de congresverkiezingen zijn pas over iets minder dan twee jaar en hij laat ons nu al elke week door het *heartland* crossen. Ik zal wel met hem praten. Maar goed, ik zie dit al in een klaagsessie veranderen als ik niet oplet. Hoe gaat het met je? Heeft Kendall een beetje een fijne zomer? Is Marcus nog steeds thuis? Heerlijk lijkt me.'

Tara lachte. 'Het gaat prima. Kendall vindt haar zomerkamp geweldig en Marcus is altijd bezig, en ik probeer gewoon alles te lezen en leren zodat ik geen domme dingen zeg of belachelijke vragen stel op een ministerraadsvergadering of iets dergelijks.' Tara's stem brak.

Charlotte legde een hand op haar arm en boog zich naar haar toe. 'Tara, wat is er? Gaat het wel goed?'

'Ja hoor, ja. Ik ben gewoon zo vereerd dat je me hebt gevraagd om je vicepresident te zijn en ik kan niet geloven dat we gewonnen hebben, en nu hebben we een grootse kans om echt een verschil te maken. Dit zijn tranen van blijdschap.' Ze voelde zich belachelijk.

'Weet je het zeker?'

'Ja. Ik wilde alleen zeggen dat ik beter kan. Ik ga nog beter mijn best doen.'

'Je doet het fantastisch,' hield Charlotte vol.

Tara schudde haar hoofd en vocht tegen de tranen. Marcus zou haar vermoorden als hij erachter kwam dat ze was ingestort in aanwezigheid van de president.

'Luister, ik had dit eerder moeten doen. Dat heb ik ook geprobeerd. Ik heb je gevraagd vandaag met me te komen lunchen zodat ik te weten kan komen wat ik kan doen om jou en je gezin te steunen en je te helpen die eikels van de pers op afstand te houden en de ouden van dagen in het Capitool en alle andere rotzakken die ons dolgraag onderuit zien gaan op onze hoge hakken,' zei Charlotte.

Tara veegde haar tranen weg en glimlachte. 'Dank je. Er zitten daar inderdaad een paar hele oude heerschappen.'

Charlotte lachte. 'Ongelooflijk hè? De Senaat is net een bejaardentehuis.'

Tara lachte.

'En ik meen het over de pers. Negeer ze. In mijn eerste termijn heb ik alle gemene dingen gelezen die ze over me schreven. Ik dacht dat ik er wel tegen kon. Maar wat ze over ons allemaal schrijven, daar kan niemand tegen. Je moet goed onthouden dat ze betaald krijgen om ons neer te halen, en degene die ons helemaal uitschakelt, krijgt het meeste betaald.'

'Ik zal het in mijn achterhoofd houden,' zei Tara. Ze wist niet wat Charlotte er precies toe had aangezet haar te waarschuwen niet de kranten te lezen, maar ze nam zichzelf voor er eens voor te gaan zitten met Dale en te weten te komen wat de media de laatste tijd allemaal over haar hadden geschreven.

Na de lunch ging Tara terug naar haar kantoor. Charlotte was enorm hartelijk tegen haar geweest. Ze pakte de telefoon en vroeg aan Karen of ze Dale naar haar toe kon sturen. Een paar minuten later verscheen ze al.

'Goedemiddag,' zei Dale.

'Hai Dale, kom binnen. Luister eens, ik vroeg me af hoe onze kritieken de laatste tijd zijn.'

'Sorry?'

'Ik heb niet de tijd om elk artikeltje dat er over me geschreven wordt te lezen of elk item over mij te bekijken, maar ik neem aan dat jij dat wel doet, toch?' vroeg Tara.

'Natuurlijk.'

'Dus, hoe zijn onze kritieken?'

'Heb je het over het Witte Huis als geheel of specifiek over jouzelf?' vroeg Dale.

'Ik wil gewoon weten wat ze in godsnaam over me schrijven dat ervoor heeft gezorgd dat Charlotte Kramer me uitnodigt voor de lunch om me te vertellen dat ik geen acht moet slaan op de pers!'

Dale's gezichtsuitdrukking ging van verwarring naar iets wat Tara niet eerder had gezien. Het leek op medelijden in combinatie met verbazing. 'Ik probeer altijd een representatieve selectie bij de avondmemo in te sluiten die ik elke avond naar het Naval Observatory stuur. Ontvang je die wel?'

'Niet geregeld,' loog Tara. Ze ontving Dale's memo elke avond. Ze legde hem altijd boven op haar stapel leesmateriaal, maar de meeste avonden viel ze in slaap zonder de memo's van haar personeel ook maar aan te raken.

'O, dat verklaart een hoop. Er is mij verteld dat je de memo's ontving, maar ik zal tot op de bodem uitzoeken waarom ze niet aankomen. Om eerlijk te zijn, zijn de kritieken nogal wisselend. De vrouwenbladen zijn nog steeds laaiend enthousiast. *Good Housekeeping* doet zelfs nóg een stuk over je. Deze keer gaan ze in op je huwelijk en hoe jij en meneer Meyers de opvoeding van Kendall delen. Volgens mij wordt het een mooi stuk,' zei Dale.

Tara keek niet op.

Dale ging verder. 'Maar de Washingtonse verslaggevers zijn een cynisch stel en ze waren allemaal erg kritisch toen we in het voorjaar de eerste overzeese reis afzegden,' zei Dale verontschuldigend.

'Kritisch? Ze waren kritisch dat ik thuisbleef omdat mijn dochter ziek was?' antwoordde Tara.

Dale staarde haar even uitdrukkingloos aan. 'Eh, een aantal had bronnen bij de school die zeiden dat ze die week gewoon op school was, en anderen telden de afgezegde reis op bij een aantal andere gelegenheden waarvan we ons op het laatste moment terugtrokken. Als ze zelf eenmaal overtuigd zijn van een verhaal is het helaas nog moeilijker er een andere draai aan te geven,' zei Dale.

'Is het niet jouw werk om daar korte metten mee te maken, als zo'n verhaal niet waar is?' beet Tara haar toe.

'Jawel,' antwoordde Dale kalm. Tara vond dat Dale tegen haar sprak als tegen een kind dat een woede-uitbarsting had. 'Het is mijn werk om ervoor te zorgen dat de president en jij zo goed mogelijke kritieken krijgen. Misschien kunnen we eens per week bespreken welke interviews en andere kansen we elke week kunnen benutten om het verhaal waar de welwillender journalisten aan werken vorm te geven,' stelde Dale voor.

Tara probeerde zich te concentreren op wat Dale zei, maar haar oren tuitten en haar gezicht voelde warm aan. Ze was boos op zichzelf dat ze een verslaggever had aangesteld als haar communicatieadviseur. Waarom dacht ze dat ze op een van 'hen' kon rekenen trouw aan haar te zijn? Ze had iemand van het kantoor van de procureur-generaal in New York moeten nemen. Die had dan misschien niet het reilen en zeilen in Washington gekend, maar zou haar tenminste hebben beschermd. Ze merkte dat Dale was opgehouden met spreken. Ze wist niet hoe lang de stilte al tussen hen in hing, maar ze maakte haar blik los van het raam en richtte hem op Dale. Haar woede verhevigde toen ze de designjurk zag die aan Dale's dunne lijf leek te kleven en haar smaakvolle hakschoenen en sieraden. Tara wist zeker dat ze moeite deed om haar schoonheid af te zwakken. Ze droeg amper make-up en haar haar zat de meeste dagen in een losse paardenstaart. Terwijl Tara naar Dale's verbijsterde gezicht staarde, besloot ze dat Dale genoot van haar vernedering door de media waar ze ooit deel van had uitgemaakt. 'Ga weg,' gromde Tara.

'Sorry?'

'Ga weg,' tierde Tara.

'Wat is er aan de hand?'

'Ik wist wel dat ik jou niet kon vertrouwen om met mijn pers om te gaan. Ik had naar Melanie moeten luisteren, maar ik had medelijden met je. Ik dacht dat je genaaid was door de omroep en door de bekrompen schijters rond de president. Maar ik heb me vergist. Ga weg, nu,' schreeuwde ze.

De kleur verdween een beetje uit Dale's gezicht, maar ze bleef beheerst. Tara balde haar vuisten terwijl Dale langzaam opstond en de kamer uit glipte. Tara zag al voor zich hoe ze onderweg naar buiten met haar ogen zou rollen of haar hoofd zou schudden naar Karen. Ze legde haar hoofd in haar handen terwijl ze bedacht wat de kans was dat het hele personeel over haar uitbarsting zou horen. Het kon haar niets schelen. Charlottes medewerkers zouden er waarschijnlijk ook wel van op de hoogte worden gebracht. Misschien zou het zelfs de kranten halen. Tara's handen trilden en ze voelde zich licht in het hoofd worden. De muren van haar kantoor leken heen en weer te zwaaien. Ze haalde de mobiele noodtelefoon tevoorschijn die ze ondanks de waarschuwingen van de Geheime Dienst bij zich hield en belde Marcus. Toen hij opnam, was ze amper in staat woorden te vormen.

'Tara, wat is er? Wat is er aan de hand?' vroeg hij. Ze probeerde weer te praten, maar meer dan een snik kon ze niet uitbrengen. 'Tara, ik kom je nu meteen halen,' zei hij. 'Wat er ook gebeurt, neem niet je telefoon op en verlaat onder geen beding je kantoor.'

17
Dale

Tegen de tijd dat ze bij haar kantoor aankwam, deden Dale's wangen zeer van de moeite die het kostte om een onbewogen glimlach op haar gezicht te houden tijdens de wandeling naar de westvleugel. Ze sloeg haar armen om haar lijf terwijl ze door haar kantoor ijsbeerde en de surrealistische vertoning herleefde waarvan ze zojuist in het kantoor van de vicepresident getuige was geweest. Dale kon niet geloven dat de vicepresident geen van de berichtgevingen had gezien. Drie dagen achter elkaar had *The Washington Post* een 'inkijkje in Tara Meyers' gedaan op de voorpagina. De krant was er pas mee gestopt toen Dale voor al hun bloggers uitnodigingen had beloofd voor het kerstfeest op het Witte Huis. MSNBC had een dagelijks onderdeel waarin de frequente afwezigheid van de vicepresident op de hak werd genomen, getiteld: 'Waar zit Tara Meyers?' En *Saturday Night Live* had onlangs een parodie uitgezonden waarin de president de hele westvleugel door rende en onder bureaus en in bezemkasten naar de vicepresident zocht. Iets zeggen van Tara's gewoonte om evenementen af te zeggen lag duidelijk boven Dale's salarisschaal, maar ze kon niet begrijpen waarom Ralph of de president haar niet op het matje riepen en haar opdroegen het niet meer te doen.

De verslaggeving zou zelfs nog erger zijn geweest als Dale niet bereid was geweest gebruik te maken van haar connecties met voormalige collega's. Ze had in haar eentje de meest agressieve onderzoeksjournalist van het land ervan weerhouden een verhaal te schrijven waarin de mentale en emotionele stabiliteit van de vicepresident in twijfel werd getrokken.

'Verdomme, verdomme, verdomme,' mompelde Dale. Ze was woedend op zichzelf alleen al vanwege het aannemen van deze baan. Ze kon nu niet meer op haar knieën terugkruipen naar de mensen die haar na de verkiezingen een baan als verslaggever hadden aangeboden. Ze had zes maanden lang de waarheid over de vicepresident verdraaid en afgeschermd voor dezelfde mensen bij wie ze beroepsmatig aangesloten was geweest. Wat dacht ik wel niet? vroeg ze zichzelf steeds maar weer af terwijl ze bleef ijsberen. Ze wilde eruit stappen, maar ze kon onmogelijk ontslag nemen zonder weer een schandaal te veroorzaken. Bovendien was ze het aan de president verschuldigd om het maar te slikken en er het beste van te maken. Dale haalde nog een keer diep adem en probeerde langzamer heen en weer te lopen. Ze hield zich voor dat geen enkele baan perfect was. Haar positie had een keerzijde, die draaglijk was geweest omdat de vicepresident haar discretie leek te waarderen. Dale had geprobeerd echt op haar te passen, maar ze zagen elkaar zo weinig dat de enige manier om met haar te communiceren de memo was die ze elke avond samenstelde. Ze had geprobeerd de meest relevante krantenartikelen daarin te zetten; de artikelen die de grotendeels negatieve verhaallijn over het optreden van de vicepresident vormgaven, maar ze probeerde er ook altijd iets positiefs bij te doen. In de knipsels die ze haar stuurde zat altijd een vleiend stuk uit een vrouwentijdschrift of een lokaal krantje, of een ingezonden brief van iemand die haar had zien spreken. Nu het duidelijk was dat geen van haar memo's bij de vicepresident waren aangekomen, en na de scène van zonet, vroeg Dale zich af of de ontevreden stafleden van het kantoor van de vicepresident misschien al die tijd al gelijk hadden.

Dale had het altijd vreemd gevonden dat niemand van de campagnemedewerkers een positie bij het Witte Huis had nagestreefd, en de helft van het nieuwe samengestelde team andere baantjes binnen de regering had genomen. Hoewel Dale aannam dat iedereen die als woordvoerder werkte wel eens een leugentje om bestwil vertelde voor zijn baas, was ze er vrij zeker van dat ze niet over de grens gingen die haar was gevraagd te overschrijden. De eerste keer dat ze de waarheid verdraaid had tegen een verslaggever, was traumatiserend geweest. Ze had half verwacht dat er alarmbellen zouden gaan rinkelen en later die avond de waarheidspolitie haar appartement zou binnenvallen om haar te arresteren. Maar niemand had er iets van gezegd. En had Ralph haar niet expliciet opgedragen te dealen met de pers en ze af te wimpelen bij vragen over de middelmatige optredens van de vicepresident? Of had ze het alleen maar zo geïnterpreteerd? Ze schudde haar handen los en haalde diep adem. Hoe ben ik in deze positie beland? vroeg ze zichzelf af. Toen de vicepresident was begonnen met tegen haar uit te varen, was ze in de verleiding gekomen haar over alle verhalen te vertellen die zouden zijn geschreven als zij daar geen stokje voor had gestoken. Dale huiverde toen ze aan de wezenloze, glazige blik dacht die de vicepresident had gekregen. Ze had nog nooit zoiets gezien. Tara's hele lichaam had gebeefd van woede. Dale leunde over haar bureau en pakte haar telefoon. 'Is hij er?' vroeg ze aan Ralphs assistente.

'Ja, maar hij zit in bespreking. Ik zorg dat hij je terugbelt zodra hij klaar is,' antwoordde ze.

'Het is een noodgeval,' zei Dale.

'Volgens mij is hij nu ook met iets vrij dringends bezig, Dale.'

'Dit is ontzettend dringend,' pleitte Dale.

'Wacht even,' zei de assistente.

Terwijl Dale aan de lijn bleef, bedacht ze dat Peter over één ding gelijk had gehad: ze kon nu absoluut de stad niet uit om naar hem toe te gaan. Dale zou hebben moeten afzeggen, met als gevolg dat hij teleurgesteld was, zij zich vreselijk voelde en ze weer terug bij af waren.

'Wat is daarbinnen in godsnaam gebeurd?' vroeg Ralph, waarmee hij Dale met een schok uit haar gedachten aan Peter rukte.

'Heeft de vicepresident je gebeld?' Even was Dale bang dat ze in de problemen zat.

'De assistentes horen alles. De mijne sprak die van Tara, bla bla bla. En Marcus Meyers belde me.'

Dale zakte ineen op haar stoel. 'Waarom belde híj dan?'

'Om te zeggen dat Tara vandaag zichzelf niet was en dat ze bang was dat ze je boos had gemaakt. Wat heeft ze eigenlijk tegen je gezegd?'

'Het is onverklaarbaar. Ze belde me na haar lunch en vroeg wat de media over haar zeiden en ze ging door het lint toen ik vertelde dat de berichtgeving wisselend was. Ze begon te schreeuwen en trillen en zei dat ze me nooit had moeten aannemen. Ik dien met plezier ter plekke mijn ontslag in, Ralph. Ik denk dat ze iemand nodig heeft bij wie ze zich op haar gemak voelt,' zei Dale.

'Dat is onzin. Ze heeft geen flauw benul van wat ze nodig heeft. Ik moet naar beneden voor een vergadering van de Nationale Veiligheidsraad, maar kom rond tien voor halfzes naar mijn kantoor,

Dale. Het is tijd om je in te lichten.'

'Me inlichten waarover?' vroeg Dale.

'Dat kan ik niet over de telefoon bespreken. Het is top secret,' antwoordde Ralph.

Dale wist niet of hij een grapje maakte. 'Ik zie je over een paar uur,' zei ze.

'Wees op tijd.'

'Ralph, waar moet ik anders heen?' Ze dacht dat ze hem hoorde snuiven. Dale hing op en masseerde haar bonkende hoofd. Ze wist niet meer wanneer ze voor het laatst iets had gegeten. Ze had geen zin in weer een maaltijd van het restaurant. Ze doorzocht haar kantoor naar Aleve, slikte er drie met het restje van haar ochtendkoffie en keek op haar horloge. Wat moest ze met de komende drie uur doen?

Ralphs assistente keek verbaasd op toen Dale om kwart voor vijf binnenliep. 'Heeft hij gevraagd of je wilde komen?' vroeg ze.

'Ja,' antwoordde Dale, waarbij ze wegliet dat hij haar had gevraagd te wachten tot tien voor halfzes. De assistente keek sceptisch. 'Is hij in zijn kamer?' vroeg Dale met haar hand op de deurknop.

'Ja,' antwoordde ze.

'Is hij alleen?'

'Nee.'

'Wie is er bij hem?' vroeg ze.

'Meneer Meyers,' zei de assistente.

Op dat moment vloog de deur open en verscheen Ralph in de deuropening. 'Dale, precies wie ik zocht. Kom binnen en ga zitten.'

18
Charlotte

Charlotte liet de honden uit, las een stapel memo's van haar nationaal veiligheidsteam, dronk twee glazen van haar favoriete pinot noir, en nog kon ze zich niet ontspannen. Ze keek op de klok van de televisie. Het was na acht uur 's avonds. Als ze terug zou gaan naar de westvleugel zou de pers denken dat er iets ongebruikelijks aan de hand was. Ze pakte de telefoon en vroeg aan de telefonist of die haar wilde doorverbinden met Melanie.

'Hai. Heb je de memo over onze troepenaanvraag gelezen?' vroeg Melanie meteen.

'Ja. Zeer goed beargumenteerd,' antwoordde Charlotte.

'Dat zeg je altijd als je iets gaat afwijzen.'

'We kunnen het er morgen over hebben, maar ik wil dat je weet dat, wat er ook uitkomt, je je best hebt gedaan.'

'Eh, bedankt. En fijn dat je belt. Alles goed?'

'Ik denk het.'

'Zal ik langskomen?' vroeg Melanie.

'Nee, nee. Brian en jij verheugden zich vast op een lekker avondje samen, zonder lastig te worden gevallen door de neurotische zorgen van een vrouw die alleen woont met haar honden.'

'Echt, ik kom zo naar je toe als je wilt,' bood Melanie aan.

Charlotte zuchtte. 'Ik heb met Tara geluncht en ze leek me niet zichzelf, maar het komt waarschijnlijk doordat het allemaal nog nieuw voor haar is, toch?' Het bleef stil. 'Mel, ik vraag om een *reality* check. Kun je misschien even vijf minuten je persoonlijke gevoelens opzijzetten?' smeekte Charlotte.

'Mevrouw de president,' begon ze. Charlotte wist dat Melanie haar woorden zorgvuldig koos. 'Je weet dat je dat niet aan mij moet vragen. Er zijn zes maanden verstreken. De pers heeft een punt. Dat gezegd hebbende, is het Ralphs werk om ervoor te zorgen dat ze een constructie om haar heen heeft die haar succes en stabiliteit garandeert, dus als dat niet gebeurt, moet je Ralph bellen en zeggen dat hij het fikst,' zei Melanie.

'Je hebt gelijk. Ik ga hem nu bellen. Bedankt Melanie.'

'Graag gedaan. Bel me maar terug als je wilt. En ik zie je morgen bij de vergadering.'

Charlotte hing op en belde Ralph. Ze belde hem bijna nooit buiten kantooruren.

'Mevrouw de president, goedenavond. Is alles in orde?' vroeg Ralph.

'Ja, prima. Bel ik gelegen?'

'Ja, ik rond net een bespreking af. Zal ik naar de residentie komen?'

'Nee,' antwoordde ze, iets te snel. 'Ik wil je nogmaals melden dat ik me zorgen maak om Tara. Ze was vandaag nogal emotioneel tijdens onze lunch en ik maak me zorgen dat ze zich de kritiek te veel aantrekt.'

'Daar hebt u gelijk in. Ze wordt vreselijk behandeld door de pers en ze kan het niet uit haar hoofd zetten.'

Charlotte verbaasde zich erover dat Ralph dat toegaf. Meestal als ze hem vertelde dat ze zich ergens zorgen over maakte, probeerde hij haar er alleen maar van te overtuigen dat ze overbezorgd was. 'En wat is het plan om daar verandering in te brengen?'

'Ze gaat de strijd met ze aan,' zei Ralph triomfantelijk.

'Dat lijkt me op dit moment geen goed idee, Ralph.'

'Luister, ik vond het aanvankelijk ook niets, maar ik heb vandaag besprekingen gehad met Dale, die denkt dat het een goed idee is, en met Marcus Meyers, die zegt dat de beste manier voor Tara om haar kwelgeesten kwijt te raken is om ze recht in de ogen te kijken.'

'Vindt Dale het een goed idee?'

'Nu wel,' zegt Ralph.

'En met wie denkt ze dat Tara moet spreken?'

'Met ze allemaal.'

‘O nee, Ralph. Dat kan ze niet aan,’ zei Charlotte.

‘Dat dacht ik ook, maar Marcus heeft het plan aan Tara voorgelegd en ze zei “We doen het”, dus het gaat door.’

‘Ralph, ik zou liever willen dat ze het rustiger aan gaat doen. Ik denk niet dat ze klaar is voor een kruisverhoor van de omroepen,’ pleitte Charlotte.

‘Geen kruisverhoor; ze nodigt drie ochtendpresentatoren uit om bij de familie Meyers te komen ontbijten. Het hele gezin is erbij. Ze zal de mystiek wegnemen van het hele werkende moedergebeuren. Met Marcus aan haar zij. En we weten hoe dol de kiezers op Marcus zijn. En dat kind... dat kind is superschattig, en Tara en Marcus hebben toestemming gegeven dat ze bij de interviews mag zijn, dus het wordt geweldig.’

‘Ik heb haar acht uur geleden gezien en het leek me niet dat ze nu klaar was voor zoiets.’

‘Dale zal ervoor zorg dragen dat de interviews mild en vriendelijk zijn, en vijandige vragen zijn niet toegestaan,’ schepte Ralph op.

‘Dat kun je niet van Dale verwachten, Ralph. We weten allebei dat elke verslaggever of presentator haar zal vragen naar het afzeggen van haar overzeese reizen en de citaten van anonieme bronnen binnen het Witte Huis over haar gebrek aan kennis over het buitenlands beleid en al die andere gemene opmerkingen. Tara is nu te gevoelig om zulke vragen van zich af te laten glijden,’ zei Charlotte.

‘Dale zegt dat als de interviews niet aan de verwachtingen van de vicepresident voldoen en niet het strategische doel bereiken van een herlancering van haar image, ze ter plekke ontslag neemt. Zoveel vertrouwen heeft ze erin dat dit goed zal gaan.’

Charlotte moest een lachje onderdrukken. Ralph was een sufferd, Dale had die garantie waarschijnlijk geboden omdat ze ontslag *wílde* nemen. Ze zuchtte. ‘Bedankt, Ralph. O, en zeg tegen Dale dat als de interviews fout lopen, ze voor straf moet blijven.’

Ralph liet een ruwe lach horen en hing op. Het klonk alsof hij een hap had genomen van iets groots en vettigs. Charlotte zuchtte weer. De honden tilden hun kop op en keken haar vluchtig bezorgd aan. Ze krabde ze achter de oren en ze sliepen verder. Ze dacht eraan om Melanie weer te bellen, maar wilde haar niet storen. De persoon die ze eigenlijk naar Tara wilde vragen was Dale, maar hoewel ze de vernedering van het schandaal grotendeels vergeten was, hadden Dale en zij niet het soort relatie waarin ze om negen uur 's avonds kon bellen om de gemoedstoestand van de vicepresident te bespreken. Ze moest iemand spreken, dus ze belde Peter. 'Hai, met Charlotte.'

'Dat weet ik.'

'Hoe gaat het met mijn opstandige tieners?'

'De laatste keer dat ik ze sprak nog prima, maar dat kan in één dag geheel en al omslaan.'

Ze lachte. 'Niet te geloven dat ze volgend jaar gaan studeren, hè?'

'Nee. Als ik ze deze week ophaal, is dat de laatste keer voordat ze naar huis komen voor de zomer. Volgend jaar hebben ze hun diploma.'

'Ik heb het gevoel dat ik zoveel heb gemist van die jaren, en nu zijn ze voorbij. Ze zijn praktisch volwassen en hebben ons bijna niet meer nodig. Niet dat ze mij ooit echt nodig hebben gehad, maar je weet wel, het is fijn om het gevoel te hebben dat ze naar je toe kunnen komen als er iets is. En nu gaan ze de wijde wereld in. Ik vind het doodeng.'

'Charlotte, lees je wel eens de krant? Kinderen gaan het huis niet meer uit. Ze heten nu officieel de boemeranggeneratie omdat ze altijd weer terug naar huis komen. Je zult waarschijnlijk wel weer met ze in één huis wonen. Wij allebei.'

'Nou, dat zie ik bij Harry nog wel gebeuren, maar Penny is er helemaal klaar voor om haar vleugels uit te slaan.'

'Wedje leggen?'

'Is goed. Waar wedden we om? Wil je een keer achter de stuurknuppel van Air Force One om over het Soldier Field stadion te vliegen?'

'Dat zou kicken zijn, maar ik denk dat je dan een kleine vijfentwintig verschillende overtredingen aan je broek krijgt.'

'Een etentje dan?'

'De verliezer kookt voor de winnaar. Doen we.'

Ze kletsten nog een paar minuten over de kinderen en hingen daarna op. Charlotte voelde zich al beter. Ze schonk nog een scheutje wijn in haar glas en probeerde haar malende gedachten tot bedaren te brengen. Ralph zou nog eens haar dood worden. Ze pijnigde haar hersens om te proberen andere kandidaten voor de positie chef-staf te bedenken.

19
Tara

'Mevrouw de vicepresident, het is geen geheim dat achter gesloten deuren veel mensen in Washington zeggen dat u de baan niet aankunt. Wilt u daarop reageren?' vroeg Dale.

Tara voelde haar gezicht rood worden en haar neusgaten zich opensperren. Ze gaf geen antwoord.

Dale schoof nog ietsje haar kant op en deed nog een aanval. 'Mevrouw de vicepresident, is het vicepresidentschap een te grote stap vanuit uw vorige positie? Gaat het u, zoals veel critici van beide kanten in de afgelopen weken afzonderlijk van elkaar hebben beweerd, boven de pet?' Dale staarde Tara gevoelloos aan.

Die vocht tegen de neiging de kamer uit te lopen. Ze kneep haar handen tot vuisten, ademde daarna diep in en sloot haar ogen even. Ze blies de lucht weer uit en ging rechter zitten, keek Dale recht in de ogen aan, glimlachte en stak haar kin naar voren. 'Caroline, ik vind het echt heel fijn dat je hier aan de ontbijttafel bent komen zitten met mij en mijn gezin. En ik stel deze mogelijkheid om mijn critici van commentaar te voorzien zeer op prijs.

Het is absoluut waar dat het vicepresidentschap een zware baan is en een belangrijke. Het is er eentje waar ik me al mijn hele leven op heb voorbereid. Of het nu tijdens mijn studie aan de hogeschool was toen ik twee baantjes had om mijn kost en inwoning te betalen, of tijdens mijn rechtenstudie toen ik overdag een Starbucks runde en de hele avond studeerde, of als jonge advocate in het kantoor van de openbare aanklager van Manhattan, of zelfs tijdens mijn periode als procureur-generaal; ik heb me altijd bewezen. Ik wil best toegeven dat ik een moeizame start heb doorgemaakt, maar Caroline, wat jij en je kijkers moeten weten is, eh, wat jullie moeten begrijpen is dat ik, eh, ik, wat ik wil zeggen, Caroline, is... wat? Wat wil ik in godsnaam nou eigenlijk zeggen? Verdomme!' Tara kreunde terwijl ze zich op de bank stortte en haar handen voor haar ogen sloeg.

'Dat ik een vechter ben,' souffleerde Dale.

'Precies, precies. Caroline, je moet begrijpen dat ik een vechter ben,' zei Tara, nog steeds onderuitgezakt op de bank.

'En dat nog geen enkele uitdaging te groot is geweest.'

'En dat nog geen enkele uitdaging te groot is geweest,' herhaalde Tara.

Na een korte stilte ging Dale verder. 'Dat wanneer het leven obstakels voor me opwierp, ik me altijd heb weten aan te passen.'

'Dat wanneer het leven obstakels voor me opwierp, bla bla bla,' zei Tara, waarmee ze duidelijk maakte dat ze niet van plan was de rest van het antwoord op te zeggen dat ze hadden voorbereid.

'Ik werk al mijn hele leven voor rechtvaardigheid en vecht voor anderen, en tegelijkertijd doe ik mijn best als vrouw en moeder. Als puntje bij paaltje komt, kan het Amerikaanse volk gerust zijn dat ik altijd mijn best zal doen en dat ik altijd zal vechten met alles wat ik in me heb voor hun gezinnen,' las Dale op van een systeemkaart. Ze schoof de kaart van dertien bij achttien centimeter terug in de stapel op haar schoot en zuchtte.

Ondertussen speurde Tara naar tekenen van frustratie op haar gezicht, maar alles wat ze kon ontdekken was medeleven.

'Je deed het super,' zei Dale.

'Niet waar. Dat ik me hiertoe door je heb laten overhalen,' klaagde Tara. Dale vouwde haar handen netjes op de stapel systeemkaarten en sloeg haar benen over elkaar. Het maakte Tara bijna razend dat ze Dale maar niet boos kon krijgen. Ze was er vrij zeker van dat de interviews niet Dale's idee waren geweest. Marcus had haar verteld dat Ralph erop had aangedrongen dat de interviews de enige manier waren om haar reputatie te redden en Charlotte de vernedering te besparen van toekijken hoe haar vicepresident implodeerde. Tara wist niet zeker of het idee van Ralph of Marcus was gekomen, maar ze vermoedde dat Dale bezwaar had gemaakt. En nu was het aan Dale de taak om de vijand te spelen. Ze had drie verschillende vraag- en antwoordsets voorbereid met wat zij dacht dat de drie ochtendpresentatoren zouden willen weten. Tara masseerde haar nek en dacht even na over wat ze aan moest trekken. Ze bedacht hoe fijn het zou zijn als ze de interviews in comfortabele pantoffels en pyjama zou kunnen doen.

'Wil je even pauzeren?' vroeg Dale voorzichtig.

'Nee, nee. Laten we maar doorgaan.' Tara keek toe hoe Dale de kaarten in een nette stapel legde en dacht erover na haar verontschuldigingen voor haar uitbarsting van de vorige week aan te bieden. Ze wist niet precies hoe ze moest beginnen. *Dale, sorry dat ik laatst ineens in een psychopaat veranderde. Maak je geen zorgen... het zal niet meer gebeuren.* Ze grijnsde om de gedachte.

'Wat is er?' vroeg Dale.

'Niets,' antwoordde Tara. Toen ze eerder die avond bij het Naval Observatory aan was gekomen, had Dale gedaan alsof er niets bijzonders tussen hen was voorgevallen. Tara had het gevoel dat ze nu al uren in de woonkamer zaten, en terwijl ze toekeek hoe Dale aanvullende gesprekspunten in de kantlijn van de systeemkaarten zette, vroeg ze zich af wat Dale dacht. Ze leek nog serieuzer dan anders. Tara wilde haar vragen wat het probleem was, maar ze was bang dat zíj dat was. De enige keer dat ze in Dale's kantoor was geweest, was haar opgevallen dat er geen foto's van familie of vrienden stonden. Tara vermoedde dat Dale in haar leven weinig meer had dan haar baan. Ineens wilde Tara alles over haar weten. Ze wilde haar vragen hoe ze een affaire met de man van de president uit het nieuws had weten te houden en waarom ze nu niet meer samen waren. Tara wist niet zeker of Dale en Peter Kramer uit elkaar waren, maar ze vermoedde dat dat het geval was. In *US Weekly* en *People*, Tara's andere geheime verzetjes, hadden al een poosje geen nieuwe foto's van het stel gestaan. Net op het moment dat Tara de moed had verzameld om tegen Dale te zeggen hoezeer ze haar hulp op prijs stelde, dwaalde haar blik af naar Dale's Valentino-tas van tweeduizend dollar die achteloos op de grond lag. Toen ze daarna de zwarte kasjmieren sweater van Chanel zag die achter haar over de stoel hing, werd ze overvallen door bekende gevoelens van inadequaatheid. Ze keek naar haar eigen uitpuilende buik en trok haar appeltjesgroene vest strakker om haar lijf. Op dat moment kwam Kendall binnen rennen.

'Hoi mam!'

'Hai moppie! Waar heb jij gezeten?'

'Pap heeft me van school opgehaald en naar tennistraining gebracht, en daarna hebben we een ijsje gegeten bij Thomas Sweet.'

'IJs als avondeten?'

'Nee, het was pizza-avond bij de tennis, dus ik had pizza als avondeten en ijs als toetje.' Kendall straalde terwijl ze haar armen om Tara's nek sloeg.

'Dat klinkt niet erg gezond, meiske. Je wilt toch niet net zo dik worden als mama?' vroeg Tara.

Kendall was onthutst door de vraag. Ze trok Tara naar zich toe en gaf haar een zoen. 'Ik hou van je, mam.'

'Ik ook van jou, liefje,' zei Tara.

Kendall gaf haar nog een zoen.

'Waar was die voor?'

'Papa zegt dat je morgen veel geluk kunt gebruiken,' zei ze.

'Papa heeft gelijk. Zeg je Dale even gedag?'

'Hallo Dale,' zei Kendall.

'Sorry, vind je het erg als ik haar even naar bed breng? Ik heb haar de hele dag niet gezien,' vroeg Tara aan Dale.

'Natuurlijk niet,' antwoordde Dale.

Tara liep achter Kendall de keuken in. 'Heeft papa je verteld wat er morgenochtend gaat gebeuren, lieverd?'

'Een beetje.'

'Er schuiven wat aardige mensen van de ochtendshows bij ons aan tijdens het ontbijt om wat te praten,' legde Tara uit.

'Cool!' zei Kendall opgewekt.

'En je hoeft niet met ze te praten als je dat niet wilt, maar als ze je vragen stellen over je nieuwe school en je vriendinnen, kun je misschien zeggen hoe leuk je het op Sidwell vindt en hoe aardig je je juf, juffrouw Beckinsworth, vindt.'

'Beckworth. En het is niet gegarandeerd dat juffrouw Beckworth volgend schooljaar haar juf wordt,' corrigeerde Marcus.

'O ja, juffrouw Beckworth,' zei Tara.

'Ik wist over wie mama het had,' zei Kendall. Tara voelde iets wat dieper ging dan moederliefde telkens wanneer haar dochter haar verdedigde.

'Het is gewoon belangrijk dat mama morgen alle antwoorden goed heeft, schatje,' zei Marcus.

'Dat gaat wel lukken,' hield Kendall vol.

'Dank je, allerliefste schat van me,' zei Tara en ze opende haar armen voor een knuffel.

Terwijl Kendall op Tara afliep, tilde Marcus haar op. 'Bedtijd, lieverd. Mama moet studeren.'

Tara vocht om de pijnscheut van haar gezicht te houden, maar Kendall zag het. 'Ik wil dat mama me naar bed brengt.'

'Vanavond kan ze niet. Die knappe mevrouw is hier om haar te helpen zich voor te bereiden en die kan ze niet laten wachten,' zei Marcus.

'Dale moest een paar telefoontjes plegen,' opperde Tara.

Marcus zette Kendall weer op de grond. 'Oké, ik ga beneden sporten.'

Tara pakte Kendalls hand en ze liepen de trap op naar haar slaapkamer. 'Je ziet morgenochtend misschien lampen buiten. Dat zijn de cameraploegen die zich klaarmaken,' legde Tara uit.

'Net als bij een film?' vroeg Kendall.

'Ja, een beetje als bij een film.' Ze lachte.

'Komen er beroemde mensen?'

'Nee, alleen wij.'

Kendall kneep in Tara's hand en Tara stond even stil om naar haar te kijken. 'Weet je hoeveel ik van je hou?' vroeg Tara.

'Dat weet ik, mam. Ik ook van jou,' zei Kendall, en ze hield Tara's hand stevig vast.

20

Dale

Dale voelde het laatste beetje verbolgenheid dat ze sinds de week ervoor koesterde, verdwijnen toen ze zag hoe de vicepresident zich aan de hand van haar dochter vastklampte. Tara Meyers deed haar uiterste best, en het feit dat dat niet goed genoeg was, ontging haar niet. Je in dezelfde ruimte bevinden als Tara voelde als naast iemand zitten die aan een explosief zat vastgebonden. De klok tikte en tenzij de situatie zeer tactvol werd aangepakt, zou alles de lucht in gaan. Dale bad dat ze de volgende ochtend normaal zouden overkomen op de televisiekijker. Tara's lef had haar waarderingspercentage tot nu toe hoog gehouden, maar ze had niet veel tijd meer om Washingtons heersende klasse ervan te overtuigen dat ze haar baan aankon. Terwijl ze toekeek hoe Kendall zich aan haar moeders hand vastklampte toen ze de trap op gingen, kromp Dale vanbinnen ineen bij de gedachte aan hoe de zevenjarige zou ontwaken met het geluid van nieuwsploegen die zich klaarmaakten om haar en haar ouders op de nationale televisie te filmen tijdens het familieontbijt. Toen ze bij de omroep werkte, had ze er nooit aan getwijfeld dat ze deel uitmaakte van een edel vak dat van essentieel belang was. Nu ze zag dat de nieuwsgierige ogen van de media de rust binnen een gezin konden ontwrichten, voelde ze eerder een soort minachting voor haar voormalige beroep.

Dale onderdrukte een gaap en stond op om nieuwe koffie te pakken. Ze had amper geslapen sinds haar bespreking met Ralph en Marcus de week ervoor. Tijdens het voorbereiden van de vicepresident op het mediacircus en het proberen te verwerken wat Ralph haar die middag had verteld, was ze immuun geworden voor haar favoriete slaapcocktail. Een combinatie van slaappillen en pijnstillers had haar altijd in slaap kunnen krijgen en was goed geweest voor zes uur gegarandeerde slaap. Maar nu was ze lid van een select gezelschap van Witte Huis-medewerkers dat wist dat wat er in het Naval Observatory gaande was, niet normaal was.

Wat had Ralph ook alweer gezegd? Dat Tara leed aan een tijdelijke angststoornis? Dale roerde twee grote scheppen suiker door haar koffie en zocht naar de melk. Wat hield tijdelijke angst in godsnaam in? En hoe verschilde het van permanente angst? Hoe wisten ze dat haar verlammende angst een tijdelijke aandoening was? Hoe moest Dale omgaan met pers van iemand die last kreeg van door angst aangewakkerde woedeaanvallen als de stress haar te veel werd? En als ze de media al niet aankon, hoe zou ze dan omgaan met de echte uitdagingen die de regering te wachten stond? Dale's hoofd begon te bonzen. Ze sloeg de zwarte koffie achterover en ging weer op haar stoel zitten.

Dale had die bewuste avond uren in haar kantoor gezeten op zoek naar informatie over de termen die Ralph had laten vallen, om te zien of het technische termen waren. Marcus had alleen maar stilletjes in een stoel tegenover Ralphs bureau gezeten. Hij had amper zijn ogen naar haar opgeslagen. Op bepaalde momenten had hij geknikt om aan te geven dat hij het eens was met iets wat Ralph zei, maar verder zat hij daar maar met zijn vuist onder zijn kin. Ze had haar blocnote weggelegd zodra Ralph begon te smijten met termen als 'mentale weerbaarheid' en 'psychische gezondheid'. Het klonk als lulkoek en ze had het gevoel dat hij bedoelde, maar niet kon zeggen en waarschijnlijk nooit zou toegeven, dat hij vermoedde dat ze een of andere inzinking had. Terwijl ze daar zat, die avond in Ralphs kantoor in de westvleugel, enkele stappen verwijderd van het Oval Office, waren er allerlei alarmbellen gaan rinkelen in haar hoofd. Was dit niet een bekwaamheidskwestie? En moesten ze niet aan juridische zaken denken? Zou iemand anders dan Ralph niet de leiding moeten hebben over de situatie? Zoals een arts? En moest de president niet op de hoogte worden gesteld? Of wist de president er al vanaf? Dale had die avond niets kunnen bedenken om tegen Ralph of Marcus te zeggen, dus had ze alleen maar geknikt en ja en amen gezegd als een van beiden iets tegen haar zei.

Toen het gesprek ongeveer een uur aan de gang was, had Ralph haar medegedeeld dat Marcus en hij wilden dat Dale voor de volgende week drie gunstige interviews voor de vicepresident regelde. 'Dat geeft je meer dan genoeg tijd om haar voor te bereiden. Marcus zorgt voor haar psychische gezondheid zoals we al bespraken.' Marcus keek Ralph zijdelings aan. 'Hij gaat met haar sporten zodat ze wat van de stress eruit werkt,' voegde Ralph eraan toe terwijl hij de laatste hap van zijn cheeseburger in zijn mond schoof. Marcus had een onaangeraakte kalkoensandwich voor zich liggen. Dale had niets besteld. Ze had haar blocnote opengeslagen en 'drie interviews' op een lege bladzijde geschreven. Niet omdat ze bang was dat ze haar opdracht zou vergeten, maar ze moest gewoon iets te doen hebben met haar handen zodat ze niet met haar mond open zou blijven zitten. Net toen ze zich opmaakte tegen de interviewstrategie in te gaan met een bondige lijst argumenten waarom het een heel slecht idee was, werd Ralph door de president gebeld. Ze hoorde hem beloven dat Dale basisregels kon onderhandelen voor de interviews die indringende of moeilijke vragen zouden verbieden. Haar maag werd één blok ijs toen hij die verzekering gaf. Zulke voorwaarden waren onmogelijk te onderhandelen. Ze had tot drie uur 's morgens in haar kantoor in het OEOB gezeten en naar de lichten gestaard die nog aan waren in de residentie. Ze had er zelfs over gefantaseerd de president te bellen en haar te smeken zich erin te mengen.

Nu hoorde ze iemand de woonkamer naderen en ze zette zich schrap voor weer een saaie sessie met de vicepresident. Ze dwong zichzelf positieve en bemoedigende energie uit te stralen om Tara's vertrouwen een boost te geven. Toen ze zich omdraaide, stond Marcus in de kamer in een korte zeemleren fietsbroek en een lycra shirt met lange mouwen. Hij wankelde op zijn spinningschoenen.

'Goedenavond, meneer Meyers. Goed u weer te zien,' zei ze terwijl ze opstond.

'Goeienavond, Dale. Blijf alsjeblieft zitten. Doe je aan spinning? De beste work-out die er is. Ik probeer Tara al een eeuwigheid op de fiets te krijgen, maar ze weigert. Het zou haar zo goed doen,' zei hij.

Dale glimlachte beleefd.

'Misschien wil ze het van jou wél aannemen?' opperde hij.

Dale wilde net protesteren, toen hij van onderwerp veranderde.

'Hoe gaat het?' vroeg hij.

'Prima.'

'Serieus?'

'We zijn er nog niet, maar ze doet het goed.'

'Ik hoop het maar. Wat wil je dat ze aantrekt?'

Marcus had zijn voet op de bank gezet en rekte zijn hamstrings.

'Sorry?'

'Morgen. Voor de interviews. Wat moet ze aan?'

'O, dat weet ik niet. Iets waar ze zich lekker in voelt. Ze is in haar eigen huis.'

'Ze is op het moment wat aan de stevige kant dus er zijn niet zoveel opties, maar ik kijk wel wat ik kan vinden.'

Dale was meer dan verbaasd dat Marcus zichzelf opwierp als haar stylist. 'Er zijn vast mensen voor die iets kunnen komen brengen,' opperde ze.

Marcus glimlachte en schudde zijn hoofd. 'Dat hebben we geprobeerd. Dat belandt allemaal op de bodem van haar kast.'

'Ze kan wat dingen uitzoeken; iets waar ze zich prettig in voelt.'

'We gaan ervoor zorgen dat ze snel weer in maatje achtendertig past, en daarna maat zesendertig.' Hij sloeg op zijn eigen platte buik.

Terwijl Dale probeerde te beslissen of het minder gênant was om wél naar hem te kijken of juist niet terwijl hij zijn spieren losmaakte, kwam ze tot de conclusie dat hij een ongelooflijke eikel was.

'Hoe laat wil je dat ze opstaat?' vroeg hij.

'O, ik wilde haar net gaan vragen hoe laat ze morgen wilde afspreken. Ik neem de kranten met haar door, geef wat aanwijzingen van de Nationale Veiligheidsraad of het Witte Huis over actuele zaken en dan oefenen we nog een laatste keer.'

'Zeg maar hoe laat je wilt beginnen en dan zorg ik dat ze klaarstaat,' zei hij.

'Ik denk vijf uur, dan hoeven we ons niet te haasten. Is dat te vroeg?'

'Nee, natuurlijk niet. Ze kan dit wel, hoor. Ik bedoel, ze moet gewoon even door deze aanpassingsperiode heen en dan komt het wel goed,' zei hij. Het was het eerste aardige dat ze hem over zijn vrouw hoorde zeggen.

'Ik vind dat ze het nu ook al goed doet,' zei Dale.

'Waar hebben jullie het over?' vroeg Tara, die uit het niets verscheen in een zwarte joggingbroek en bijpassend *sweat* vest met capuchon. Ze liep op haar sokken dus Dale had haar niet van de trap horen komen. Ze vroeg zich af hoe lang Tara al meeluisterde.

'Hoe je morgen gaat schitteren in die interviews, schat,' zei Marcus met een nepglimlach.

Tara liep naar hem toe en zei iets wat Dale niet kon horen.

Hij knikte en zei: 'Ik snap het. Ga maar gauw verder met oefenen. Dat kun je wel gebruiken.' Voordat hij de kamer uit liep, pakte hij een vetrol bij Tara's buik vast. 'En nadat we de ochtendshows hebben veroverd, gaan we ons hiermee bezighouden,' zei hij en hij keek naar Dale terwijl hij sprak.

Tara keek vernederd en Dale kon de afschuw nauwelijks van haar gezicht houden. Ze wist niet wat schokkender was: dat Marcus zo gemeen deed of dat Tara zijn beledigingen maar over zich heen liet komen. Dale zou wel haar lege koffiekopje naar zijn hoofd willen smijten.

'Dale hier heeft geen grammetje vet te veel, hè Dale?'

Dale keek meelevend naar Tara en probeerde toen snel iets grappigs te bedenken om te zeggen om Marcus' verbale mishandeling doel te laten missen. 'Ik heb een mond vol gaatjes en vlassig bruin haar. Ik zou een moord doen voor het perfecte gebit en de prachtige bos haar van uw vrouw.' Tara glimlachte dankbaar en Marcus liet haar los. Dale ging verder: 'Meneer Meyers, hoewel we zeer vereerd zijn met uw gezelschap, hebben we vanavond nog veel werk te doen voordat we allemaal naar bed kunnen,' zei Dale.

'Geen probleem. Het wordt tijd dat ik een slordige duizend calorieën ga verbranden. Jullie hebben toch geen last van de muziek? Dat lijdt af van de pijn.'

'Nee,' antwoordde Dale. Ze hield haar blik op Tara gericht terwijl hij op zijn spinning-schoenen de trap afstommelde. Zodra de deur zich achter hem sloot, hoorde Dale hem het geluid van de stereotoren harder zetten. Eminem schalde nu van de verdieping onder hen.

Tara zag eruit alsof ze in huilen kon uitbarsten. Dale wilde tegen haar zeggen dat ze de klootzak met wie ze getrouwd was moest negeren, maar ze wist wel beter dan zich ermee te bemoeien. Tara was op dezelfde bank gaan zitten waar ze eerder ook had gezeten. Het leek alsof ze zich probeerde te vermannen.

'Ik heb een idee,' zei Dale.

Tara keek op. 'Die lul neerknallen?' vroeg Tara met zo'n onbewogen gezicht dat Dale te verbijsterd was om nog iets te zeggen. Ze lachte maar. 'Mijn ontoerekeningsvatbaarheid zou goed te verdedigen zijn,' voegde Tara er met een geniepig glimlachje aan toe.

Dale lachte het weg maar borg het wel op in het dossier vol ongelooflijke dingen dat ze in haar hoofd opsloeg. 'Dat was niet wat ik ging zeggen.'

'Ik weet hoe dit eruit moet zien.' Tara zuchtte.

Dale wachtte tot ze verder zou gaan. Toen er niks kwam, zei ze zelf: 'Het Amerikaanse volk wil weten hoe het met je zit. De mensen zijn geïnteresseerder in jou omdat je te normaal lijkt voor de politiek. Dat maakt je op veel manieren intrigerender en aantrekkelijker dan president Kramer.'

Tara dacht hierover na.

'Daarom heb ik een aantal van de problemen waarmee je worstelt – je gewicht, het moederschap, je werk – in antwoorden proberen te verwerken. Ik denk dat we ons zo uit het gat krijgen dat we voor onszelf hebben gegraven. Laat de Amerikanen meedelen in je strijd en misschien trekken ze je er wel uit.' Dale probeerde geruststellend te klinken. Ze vond het niet leuk wat de gehaktmolen met Tara deed en bad dat de vicepresident iets van het lef terugkreeg dat ze tijdens de campagne had laten zien.

'Zal ik je eens iets vertellen?' vroeg Tara.

'Ga je gang.' Dale dacht even dat ze haar in vertrouwen zou gaan nemen over wat er aan de hand was.

'Ik ben zo'n enorme fan van Caroline Carter. Ik kijk al naar *Wake Up, America* sinds ik op de hogeschool zat en ik heb een beetje het gevoel dat ik haar ken. Je vindt het vast dom. Ik bedoel, jij kent die mensen echt.'

'Ik wil je beeld van haar niet verpesten, maar Caroline is nog dommer dan het achterend van een varken,' zei Dale.

Tara keek beteuterd. Toen moest ze lachen. 'Dat neem je terug, Dale. Je kunt me niet een van mijn helden afnemen.'

Dale lachte en liet een zucht van opluchting ontsnappen dat Tara haar gevoel voor humor terug had. 'Zullen we nog een rondje met de systeemkaarten doen?' vroeg ze. 'Geen acteerwerk. We nemen gewoon alle vragen en antwoorden door totdat je de inhoud onder de knie hebt.'

'Kom maar op,' antwoordde Tara.

21

Charlotte

'Allemachtig! Soms begrijp ik wel waarom ze zoveel vijanden hebben,' klaagde Charlotte.

'Het zijn lastpakken, maar wel ónze lastpakken,' antwoordde Melanie.

Charlotte, Melanie, Constance en een hele troep buitenlandadviseurs zaten aan een werkdiner met hun Israëlische tegenhangers om de opties te bespreken voor het omgaan met de Iraanse nucleaire dreiging. De Israëliërs verzochten opnieuw om bommen die de ondergrondse faciliteiten van Iran konden bereiken, en Charlotte bood opnieuw weerstand. Maar bij zichzelf vroeg ze zich stiekem wél af waarom. Als toch al vaststond dat de Israëliërs Iran zouden aanvallen, moest ze er dan niet voor zorgen dat hun missie een kans van slagen had? Vooral als er levens op het spel stonden en Irans buren in het geheim hoopten dat Israël de nucleaire ambities van de Iraniërs succesvol zou verijdelen?

Charlotte zuchtte en keek op haar horloge. Het was al negen uur geweest. Ze had Tara willen bellen om haar succes te wensen morgenochtend, maar Ralph had gezegd dat Tara zich had opgesloten met Dale. Charlotte had al de hele dag een slecht voorgevoel over de interviews. Ze had gesnauwd tegen haar hoofd Begrotingszaken en bevelen geblaft tegen haar economische adviseurs tijdens een vergadering over seizoenswerkloosheid. Op de bespreking van de Nationale Veiligheidsraad, meestal het hoogtepunt van haar dag, was ze afgeleid geweest.

Ze nam afscheid van de Israëliërs en haalde Melanie over boven nog wat te komen drinken. Ze namen plaats op hun vaste plekken op het Truman Balcony met glazen ijsthee en een schaal roomsoesjes tussen hen in. De honden likten de poedersuiker van de grond.

Melanie vroeg: 'Is alles wel goed? Je zat maar niet stil tijdens de bespreking, en ik heb je nog nooit een horloge zien dragen maar vanavond zag ik dat je het afdeed en op tafel legde om de tijd in de gaten te houden. Wat is er aan de hand?'

'Niets, er is niets,' zei Charlotte.

'Als je zo al bent als er niets is, ben ik blij dat mijn kantoor niet meer vlak bij het jouwe is.'

Charlotte zuchtte. 'Jij hebt je eigen problemen, en niet te vergeten je enorme eigen ministerie te leiden.'

'Daar heb je je nooit eerder door laten weerhouden.'

'Je gaat toch zeggen dat je me hebt gewaarschuwd.'

'Je maakt je zorgen over Tara's interviews morgen. Wat hoor je over hoe de voorbereidingen gaan?' vroeg Melanie.

'Ralph zegt dat het goed gaat.'

Melanie deed haar mond open om iets te zeggen, maar hield zich in.

'Je denkt niet dat Ralph eerlijk tegen me is, ik weet het. Maar wat moet ik anders?'

'Je zou Dale kunnen bellen. Ze is misschien niet onze favoriete persoon op aarde, maar je hebt toegestaan dat ze op die belangrijke positie kwam. Je hebt absoluut recht op een directe communicatielijn met haar. Ze is nota bene plaatsvervangend assistente van de president.'

'Ik weet het.' Charlotte stond op en ijsbeerde over de lengte van het balkon. Twee van de honden keken hoe ze heen en weer liep terwijl de oudste op de plek sprong waar ze had gezeten en zich oprolde.

'Bel haar,' zei Melanie.

Charlotte stond stil en keek een paar tellen naar het Washington Monument voordat ze Melanie met een vastberaden blik aankeek. 'Je hebt gelijk. Ze is slim en wil ook niet dat Tara zich voor schut zet.'

'Of jou.'

'Precies.'

De ironie ontging hen allebei niet. Dale had er geen probleem mee gehad Charlotte voor schut te zetten toen ze een affaire met haar man was begonnen. Charlotte pakte de telefoon en vroeg de Situation Room naar Dale. Binnen een paar seconden kreeg ze Dale aan de lijn. 'Hai Dale, met Charlotte Kramer.'

Melanie leunde naar voren om mee te luisteren met Charlottes kant van het gesprek.

'Luister, ik vroeg me af hoe het bij jullie gaat. Is Tara, ik bedoel, denk je dat ze morgen klaar zal zijn voor de interviews? Aha. Je bent nu toch bij haar? Dale, zou je me willen bellen als je daar weggaat, maakt niet uit hoe laat het is? En zeg alsjeblieft tegen haar dat ik over iets anders belde en dat ik haar heel veel succes wens.' Charlotte hing op.

'Was dat net zo ongemakkelijk voor jou als voor mij?' vroeg Melanie.

Charlotte glimlachte en ging weer zitten. Ze trok de slapende hond op schoot. 'Ze was of ontzettend verbaasd dat ik belde of ontzettend bezorgd om Tara, ik zou het niet kunnen zeggen en zij kon niet praten. Verdomme. Ralph spoort echt niet dat hij haar dit aandoet,' tobde Charlotte.

Melanie mompelde instemmend.

'Heb ik je over onze lunch verteld? Tara leek er helemaal doorheen te zitten. Als één bonk zenuwen kwam ze het Oval binnen. Het leek wel alsof ze aan een rondleiding door het Witte Huis meedeed of zo. Ze keek naar alle prullaria alsof ze er nooit eerder was geweest. Ze was alles maar luidruchtig aan het bewonderen. Ik had haar wel door elkaar willen schudden. Toen ik tegen haar zei dat ze geen acht moest slaan op de pers, keek ze alsof ze een klap in het gezicht had gekregen. Ik wilde gewoon laten weten dat ik hetzelfde had doorgemaakt; dat ik ook bespot en bekritiseerd was, en ik ben er nog. Ik wilde haar eigenwaarde en zelfvertrouwen een boost geven en ik denk dat ik het juist verbruid heb.'

'Dat kan niet. Het ligt niet aan jou. Tara staat gewoon niet zo stevig in haar schoenen. Die echtgenoot van haar kijkt altijd alsof hij iets in zijn schild voert en Ralph schermt haar constant af van de media en de rest van de medewerkers, dus ze is volkomen geïsoleerd. Het lijkt alsof ze op zoek is naar iets om zich aan te verankeren. Als ze dat eenmaal heeft gevonden, zal ze zich snel thuis voelen. Net als jij.'

'Wat was mijn anker?'

'De honden.'

Charlotte trok een wenkbrauw op en lachte.

Ze wisten allebei dat Melanie de onverstoorbare, stabiliserende factor was geweest waar Charlotte zich aan had vastgeklampt tijdens de ophef van haar eerste termijn.

'Die honden zijn echt heel speciaal,' zei Charlotte en ze aaide over Cammies buik.

Melanie glimlachte en leunde naar achteren op haar stoel. 'Zullen we een wijntje nemen?'

'Ja, het spijt me. Ik snap niet waarom ze ons thee hebben gebracht. Wacht even.' Charlotte riep iemand van het personeel en er verscheen een fles van hun favoriete Cakebread Chardonnay. 'Hoe gaat het tussen jou en Brian?'

'Goed. Heel goed. Te goed.' Ze glimlachte.

'O ja?'

'We gaan dit weekend naar The Inn at Little Washington. Hij gedraagt zich een beetje raar en ik heb zo het voorgevoel dat hij van plan is me ten huwelijk te vragen, maar iedereen verlooft zich daar, dus daarom denk ik juist weer dat hij het níét gaat doen.'

'Sjonge, als hij niet met je trouwt, doe ik het. Ik kan echt een vrouw gebruiken.'

Melanie lachte. 'Ik zal tegen hem zeggen dat als hij niet snel genoeg is, jij me de oostvleugel aanbiedt.'

'Bel je me meteen als het gebeurt, Mel? Ik ben zo blij voor je. Wil je hier trouwen? Dat zou leuk zijn. Of in Camp David?' vroeg Charlotte, ineens opgetogen door de gedachte aan een bruiloft in het Witte Huis.

'Nee. Ik vind mezelf te oud voor een grootse bruiloft, vind jij niet dan?'

'Je bent zevenendertig.'

'Ik ben achtendertig. Ik heb tegen Brian gezegd dat hij beter iemand kan zoeken wier eierstokken niet hun beste jaren in het kunstlicht van de westvleugel hebben doorgebracht.'

'Aan jouw eierstokken mankeert niks. Bovendien kunnen ze tegenwoordig ongelooflijk veel met ivf en weet ik wat nog meer. Dat komt wel goed. Wil je kinderen dan?'

'Ik heb wel altijd gedacht dat ik ze op een dag zou hebben.'

Charlotte keek haar stralend aan. Ze was trots en jaloers en verdrietig en gelukkig, en dat allemaal tegelijkertijd. 'Brian en jij hebben ongelooflijk veel mazzel dat jullie elkaar gevonden hebben en niet meer los hebben gelaten. Verpest het niet,' zei ze.

'Ik weet het.'

Ze waren geen knuffelaars, maar als dat wel zo was, was dit een goed moment geweest. In plaats daarvan herhaalde Charlotte haar aanbod. 'Ik meen het over een bruiloft in het Witte Huis.'

'Ik ben nog niet eens verloofd,' zei Melanie lachend.

Ze dronken allebei twee glazen wijn en aten de schaal roomsoesjes leeg.

'Ik heb onze tweegangendiners gemist; wijn en dessert. Dat zijn minstens twee voedingsgroepen, toch?'

'Minstens,' zei Charlotte. Charlotte wilde Melanie iets vragen te doen waarvan ze wist dat Melanie het niet zou willen. Het viel totaal buiten haar verantwoordelijkheden als minister van Defensie, maar ze kon het niemand anders vragen. Ze draaide zich om en keek Melanie aan.

'O, O. Wat is er?' vroeg Melanie.

'Waarom vraag je dat?'

'Omdat je die blik hebt.'

'Welke blik?' vroeg Charlotte.

'Die blik van: "vergeet even dat ik de president van Amerika ben terwijl ik je vraag" wat het dan ook is dat je me wilt gaan vragen,' zei Melanie.

Charlotte sloeg haar armen over elkaar en lachte. 'Zo irritant dat jij me altijd doorhebt. Maar je hebt gelijk, ik wil dat je iets voor me doet.'

Melanie leek zich schrap te zetten. 'Ik luister,' zei ze.

'Neem contact op met Dale. Ga met haar lunchen. Probeer erachter te komen wat ze over Tara weet,' smeekte Charlotte.

Melanie glimlachte.

'Wat?' vroeg Charlotte.

'Niets.'

'Doe je het?'

'Heb ik een keus?'

Charlotte glimlachte. Ze was tevreden met zichzelf. Als Melanie een communicatielijntje opende naar Dale, zou ze een informatiebron hebben die onafhankelijk was van Ralphs gespin.

Ze liet Melanie uit en ging weer op de bank op het balkon zitten om aan de toespraak te werken die ze later die week in China zou houden. Charlotte kon aan niets anders denken dan aan Tara's interviews de volgende ochtend. Ze dacht erover na Billy Moore, de nieuwschef van een van de omroepen, te bellen om hem te smeken Tara niet te hard aan te pakken, maar ze wist dat het niets zou uithalen. Bovendien wilde ze het niet alleen nog maar erger maken door te laten doorschemeren dat ze zich zorgen maakte. Ze keek op de klok en vroeg zich af of Dale nog zou terugbellen.

Teruggekeerd naar haar toespraak, streepte Charlotte een groot stuk door met een dikke zwarte viltstift. De tekstschrijvers hadden met wat verloop te kampen – iets wat nooit was gebeurd toen Melanie de scepter zwaaide – en de nieuwe schrijvers hadden nog niet de nodige camaraderie en hersenversmelting bereikt die essentieel was voor een goede presidentiële toespraak. Zuchtend maakte Charlotte zich net op om een hele pagina door te strepen toen ze zich bedacht. Ze zou de schrijvers de volgende ochtend naar het Oval Office laten komen en haar zorgen kenbaar maken. Na ongeduldig door haar stapel met te lezen papieren te hebben gebladerd, legde ze de hele papierwinkel op de grond. Ze was gespannen. Niet alleen vanwege de interviews de volgende ochtend, maar omdat ze zelf het besluit had genomen met Tara voor herverkiezing te gaan. Op dat moment had ze zo'n zin gehad om de status-quo door elkaar te schudden dat ze het selectieproces had afgeraffeld nadat Neal had besloten af te treden. En hoewel ze het aan niemand van haar personeel zou hebben toegegeven, had ze gedacht dat haar kans om herkozen te worden uiterst klein was. De laatste tijd knaagde er een gevoel aan haar dat ze iets onherroepelijk roekeloos had gedaan.

22

Tara

Tara wist dat ze raaskalde. Ze sprak met een accent alsof ze bij een of andere rodeo hoorde. Haar affiniteit met onder andere aanstekelijke zuidelijke samentrekkingen was te danken aan een charmante studente van de Universiteit van South Carolina genaamd Lacey die een zomer stage had gelopen bij de procureur-generaal. Ze kon niet uitleggen waarom of hoe ze precies wat van Lacey's zuidelijke manier van praten had overgenomen, maar het was blijven hangen.

Jezus, wat voelde ze zich vreemd. Het leek wel alsof ze helium had ingeademd en boven de grond zweefde, sprekend met een pieperig, hoog stemmetje en kijkend naar de poespas onder haar. Ze raakte haar gezicht aan en was er onmiddellijk van overtuigd dat haar glimlach veel te veel ruimte innam. Haar mond voelde groot aan en ze deed rare dingen om hem kleiner te laten lijken. De interviews waren nog niet eens begonnen, maar nu al gingen de gesprekken om haar heen de ene keer te snel en de andere keer te langzaam voor haar. Ze had het gevoel dat ze naar een slecht nagesynchroniseerde film zat te kijken waarin de dialoog achter lag op de actie.

Tara keek toe hoe Marcus een latte voor een van de presentatrices maakte. Hij kon altijd zo goed met vreemden omgaan. Ze keek naar Kendall, die aan tafel zat en toekeek hoe de cameraploegen hun camera's en microfoons controleerden. Ze leek nog steeds niet ontdaan of ongemakkelijk, maar Tara zag wel dat ze slaperig was. Ze vond het vreselijk dat ze haar om vijf uur 's morgens had moeten wekken. Tara was vooral boos op zichzelf dat ze zich door Marcus had laten overhalen tot de enorme productie die zich in haar keuken ontvouwde.

Ze bladerde door het stapeltje systeemkaarten dat Dale de avond ervoor bij haar had achtergelaten. Voordat Dale rond elf uur was vertrokken, kon Tara de meesten antwoorden in haar eigen woorden weergeven, maar nu ze haar blik over de kaarten liet glijden, voelde het alsof ze ze voor het eerst zag. Ze nam een hap lucht en liep naar de groep mensen op de patio. Een paar van hen stond te roken. Allemaal hadden ze kartonnen koffiebekertjes in hun hand. Tara glimlachte naar hen en staarde toen weer naar de kaarten zodat niemand een poging zou doen een gesprek met haar aan te knopen. Het was nog donker buiten maar de zon zou op zijn tegen de tijd dat de interviews begonnen. Het was al warm en vrij klam. Washington koelde 's nachts niet af zoals New York. Tara keek naar haar oksels en zag dat ze door de katoenen jurk had gezweet die ze zorgvuldig voor de interviews had uitgekozen. Ze voelde een druk op haar borst en draaide zich om om naar binnen te gaan en zich om te kleden. In de hal kwam ze Dale tegen.

'Goedemorgen, mevrouw de vicepresident. Ben je er klaar voor?'

'Ik denk het,' loog Tara.

'Je ziet er goed uit,' zei Dale met een glimlach.

'Ik zie er dik uit.'

'Nee, je ziet er goed uit.'

'Het maakt niet uit want ik moet me toch omkleden. Er zitten alweer vlekken in.' Voordat Tara zich omdraaide om naar boven te gaan, keek ze afgunstig naar Dale's mouwloze zwarte linnen jurk. Ze had er open schoenen met hoge hakken bij aangetrokken die eruitzagen alsof ze een fortuin hadden gekost. Terwijl ze de trap op liep, keek Tara naar haar eigen voeten. Ze droeg espadrilles waarin haar schuiten net zo breed leken als ze lang waren.

'Heb je de kans gehad om in de kranten te kijken?' riep Dale haar na.

'Nog niet. Stond er wat in?'

'Een paar dingetjes waarnaar ze misschien zullen vragen. Nemen we zo wel door.'

'Is goed. Kom maar mee naar boven, dan kun je het me vertellen terwijl ik me omkleed.'

'Oké.'

Eenmaal boven verdween Tara in haar kledingkast. 'Ik dacht dat dit een ontbijt met het gezin zou zijn? Luchtig en vriendelijk kletsen onder het genot van een eitje en pannenkoeken?' klaagde ze.

'Dat is het ook, maar het is ook een nieuwsuitzending, en er zijn een paar artikelen waarvan je op de hoogte moet zijn,' antwoordde Dale.

Tara voelde haar maag omdraaien terwijl ze een zomerjurk met gele riem pakte en snel verwierp. 'Wat dan? Wat voor artikelen?'

'Zal ik ze voorlezen?'

'Nee. Ik wil dat je me zegt wat ze me gaan vragen en wat ik daarop moet antwoorden,' snauwde ze. Tara vond het vreselijk dat ze zo tegen Dale uitviel, maar haar hoofd liep om.

Dale hield haar BlackBerry omhoog en begon een verhaal te lezen over een eigen vuur-incident de afgelopen nacht in Afghanistan.

Tara had moeite zich te concentreren. 'Ik zei dat ik het verhaal niet wilde horen. Eigen vuur in Afghanistan. Wat moet ik erover zeggen?'

'Ik zou willen voorstellen dat je je diepe medeleven uitdrukt over de gesneuvelden, laat blijken hoe vastbesloten je bent zo veel mogelijk te doen voor de veiligheid van iedere Amerikaanse alliantie- en Afghaanse militair op het slagveld – die voor een veilig en vrij Afghanistan vechten – en zeggen dat de president alles zal doen wat in haar macht ligt om ervoor te zorgen dat er minder en uiteindelijk geen militairen meer sneuvelen.'

'Oké. Volgende.' Tara zag Dale slikken en merkte nu pas op dat ze sinds ze boven was niet van haar BlackBerry had opgekeken.

'Het andere verhaal waarvan je op de hoogte moet zijn, staat in de lifestyle-bijlage van *The Washington Post*. Het gaat over of vrouwen op belangrijke posities aan een andere standaard worden gehouden dan mannen wat betreft het uiterlijk.'

'Waarom zouden ze míj daarnaar vragen?'

'Nou, ik heb het nog niet gezien, maar er schijnt een foto van jou bij het artikel te staan.'

'Van mij?'

'Ja.'

'Waarom dan?'

'Blijkbaar staat eronder: "Makkelijk doelwit? Vicepresident Tara Meyers kijkt niet op een kilo meer of minder sinds ze is ingezworen."'

'O, god. Hoe ziet de foto eruit?'

'Ik ben om vier uur van huis vertrokken, toen waren de kranten nog niet bezorgd.'

'Allejezus.'

'We hebben het hier over gehad. Vragen over je gewicht doe je af met de zin die we hebben geoefend over dat ontelbare vrouwen tegen de ongewenste kilo's vechten. Praat over hoe je een balans probeert te vinden tussen werk, gezin en goed voor jezelf zorgen, en dat je nou eenmaal niet perfect bent.'

'Dat hadden we bedacht voordat er een foto van mij in het stijlkatern stond,' blafte Tara.

Dale zweeg.

'Wat nog meer?'

Dale keek weer op haar BlackBerry. 'Dat was het belangrijkste wel,' zei ze.

Tara trok een overhemdjurk aan die bij haar boezem een beetje strak zat maar verder een redelijke keus was. Ze streek haar haar goed en liep naar de deur.

'Tara?' zei Dale.

'Ja?'

'Je doet het vast super.'

Tara kreeg het voor elkaar om 'dank je' te mompelen voordat ze de trap weer af liep.

23
Dale

Dale had eigenlijk nog een vijftal andere verhalen met de vicepresident willen doornemen, maar ze was bang dat haar stoppen door zouden slaan van te veel informatie. Ze had alleen de artikelen genoemd waarvan ze zeker wist dat de presentatrices ernaar zouden vragen, maar nu piekerde ze over het weglaten van de rest. Ze voelde haar telefoon trillen. 'Hallo?'

'Heb je het met haar over het faillissementswetsontwerp gehad?' vroeg Ralph.

'Nee. Ik ben niet veel verder gekomen dan het verhaal over eigen vuur in Afghanistan,' antwoordde Dale.

'Waarom niet?'

'Geloof me, ik kreeg haar aandacht er al amper bij met een verhaal over Amerikaanse doden in Afghanistan. Ik durfde het er niet op te wagen iets in haar hoofd te stampen over het faillissementswetsontwerp dat is opgesteld door het ministerie van Financiën.'

'Het is wél belangrijk.'

'Als je zelf hierheen wilt komen om haar voor te bereiden, zal ik zeggen dat je onderweg bent.'

'Nee, sorry. Je doet vast je uiterste best. Succes.'

'Dank je.' Voordat hij nog meer kon zeggen, had Dale al opgehangen.

Toen ze de avond ervoor de president terugbelde, was ze min of meer geneigd geweest te zeggen dat de vicepresident zich op het randje van de afgrond bevond. Maar ze bedwong haar impuls om de brenger van slecht nieuws te zijn en concludeerde dat de president de enige was die niets behoorde te weten totdat duidelijk werd waar ze precies mee te kampen hadden. Even dacht ze dat Charlotte ging vragen wat er in godsnaam aan de hand was met Tara, maar dat gebeurde niet. De president was professioneel en genadig en klonk opgelucht toen Dale zei dat ze dacht dat Tara voldoende was voorbereid op de interviews.

Dat was gisteravond. Nu had de vicepresident een wazige blik en bevond zich in een gemoedstoestand die een driftbui voorspelde. Waarover deze keer? Haar gewicht? Haar kleding? Haar echtgenoot? Dale wist het niet.

Terwijl Tara en Marcus plaatsnamen aan de ontbijttafel, positioneerde Dale zich aan de zijkant van de keuken. Ze keek toe hoe Marcus over koetjes en kalfjes kletste met de geluidstechnicus die een microfoon aan zijn overhemd bevestigde. Toen hij eenmaal aangesloten was, nam hij het proces met Kendall door. Die leek van de aandacht te genieten. Dale zag dat Tara in het niets staarde terwijl haar microfoon aan de kraag van haar jurk werd bevestigd. De vicepresident keek niet eens op toen de man met zijn hand onder haar jurk ging om de draden aan de binnenkant vast te tapen.

Dale liep naar de plek waar de producent op een monitor het shot bekeek en beoordeelde het zelf. Tara zat aan de ene kant van de tafel en Marcus en Kendall tegenover haar. Tussen hen in stond een goed gevulde fruitschaal, een soort eiergerecht en een stapel geroosterd brood. Naast het brood bevond zich een selectie van jam en boter en een schaal luxe broodjes. Er stond een karaf sinaasappelsap op tafel en ook iets wat op grapefruit- of ananassap leek, en hun mokken waren gevuld met dampende koffie.

Een producent sprak Dale aan. 'Over drie minuten start de show. We willen graag beginnen met een liveshot van het gezin en daarna meteen aanvangen met het interview om ongeveer drie over heel. Is dat goed?'

'Prima,' zei Dale.

'Wil je aan de familie doorgeven dat we met een liveshot starten. Misschien kunnen ze alvast beginnen met eten zodat het lijkt alsof het interview midden in hun maaltijd plaatsvindt?'

'Prima,' zei Dale. Ze had het gespeelde van zulke interviews nooit fijn gevonden. Ze liep naar de tafel en knielde bij de vicepresident. 'Je mike staat aan,' zei ze tegen Tara.

De vicepresident keek haar onbegrijpend aan.

Dale wees naar de microfoon. 'Hij staat aan. Daar wilde ik je even aan herinneren.'

Tara knikte.

'Over een minuut of twee nemen ze een liveshot van jullie waar ze hun uitzending mee beginnen, dan schuift Caroline aan en start het interview om een paar minuten over zeven. Goed?'

Tara knikte weer.

'En eh, ze willen graag dat jullie vast beginnen met eten.'

'Jippie,' zei Kendall en ze pakte gauw een van de zoete broodjes. Ze legde het op Tara's bord en glimlachte. 'Deze vindt mama het lekkerst.'

Om het gezicht dat Marcus trok zou Dale hem wel hebben kunnen vermoorden. Bij Tara leek het als een slag in het gezicht aan te komen en het duurde dan ook een paar seconden voordat ze zich tot Kendall wendde. 'Dank je, lieverd. Daar ben ik inderdaad dol op,' zei ze. 'Ik zal hem alleen voor later bewaren omdat ik denk dat ik vandaag beter met fruit kan beginnen.'

Dale kon zien dat Kendall dacht dat ze iets fout had gedaan. Snel pakte de dochter van de vicepresident het broodje weer van het bord en stootte daarbij een koffiemok om. Twee leden van het cameratearn kwamen aangesneld met doekjes en zelfs de presentatrice keek even bezorgd.

Het sierde Tara dat ze alleen maar glimlachte en haar schoot bedekte met een servet. 'Niets aan de hand. Iedereen mag zich weer ontspannen,' zei ze.

'Sorry mama,' zei Kendall zacht.

'Het geeft niet, liefie,' antwoordde Tara. Ze pakte Kendalls schouder even vast en keek boos naar Marcus. 'Een standaard ontbijt bij de familie Meyers,' zei Tara, luid genoeg zodat alle aanwezigen het konden horen. Een paar mensen lachten. Tara legde fruit op haar bord en vulde haar koffie bij.

Dale slaakte een zucht van opluchting en nam haar positie aan de zijkant van de keuken weer in. Tara wilde haar altijd graag in haar gezichtsveld hebben zodat ze tijdsaanwijzingen kon geven. Dale hield bijvoorbeeld haar hand op als er nog vijf minuten te gaan waren of ze tikte een paar keer op haar horloge om aan te geven dat een interview bijna voorbij was. In het verleden had Dale haar ook van de andere kant van een kamer geruststelling toe kunnen zenden. Als er ooit een moment was waarop haar telepathische gave goed van pas zou komen, dan was dat nu.

Dale keek toe hoe het perfecte haar en make-up van de presentatrice voor de derde keer sinds haar binnenkomst werden bijgewerkt. Eén persoon depte Carolines gave voorhoofd met een poederdons terwijl een tweede een onzichtbare losse lok op zijn plaats spoot. Een derde bracht nog een laag lipgloss aan op haar perfect glanzende lippen. Dale keek naar haar eigen nagels en probeerde zich te herinneren wanneer ze voor het laatst een manicure had gehad. Ze ging met haar vingers door het puntje van haar paardenstaart en beloofde zichzelf dat ze de volgende keer dat ze in New York was een kappersbezoek in zou plannen. Ze zag dat Caroline nog een laatste keer naar haar aantekeningen keek voordat ze heel theatraal een glas sinaasappelsap voor zichzelf inschonk en een droog stuk geroosterd volkorenbrood uit het broodmandje pakte. Ze legde er drie aardbeien naast en keek toen voor het eerst naar Tara. Slechts seconden later wees de opnameleider naar de camera vlak voor Caroline, en de nieuwsvrouw toverde een grote glimlach tevoorschijn.

'Leuk dat je weer met ons opstaat, Amerika. Vandaag in een speciale uitzending van *Wake Up, America* ontbijten we met vicepresident Tara Meyers en haar prachtige gezin. Goedemorgen, mevrouw de vicepresident. Bedankt dat we mochten komen.'

'Fijn dat jullie hier wilden komen ontbijten, Caroline. Ik vind het zo leuk dat dit kon. Ik ben al jaren een groot fan van je,' zei Tara hartelijk.

'O, wat aardig van u. Ik val maar meteen met de deur in huis. Sommige van uw criticasters vinden dat uw baan u boven de pet gaat. Hebben ze gelijk?'

Tara wierp een vluchtige blik op Dale. 'Wat fijn dat je me die vraag stelt, Caroline. Ik stel deze mogelijkheid mijn criticasters van antwoord te voorzien zeer op prijs. Het is absoluut waar dat het vicepresidentschap een zware baan is, en een belangrijke. Het is er een waar ik me al mijn hele leven op heb voorbereid. Of het nu tijdens mijn studie aan de hogeschool was toen ik twee baantjes had om mijn kost en inwoning te betalen, of tijdens mijn rechtenstudie toen ik overdag een Starbucks runde en hele nachten studeerde, of als jonge advocate bij de openbare aanklager van Manhattan, of zelfs tijdens mijn tijd als procureur-generaal; ik heb me altijd weer bewezen. Ik geef toe dat ik een moeizame start heb doorgemaakt, maar het Amerikaanse volk kan gerust zijn dat ik elke dag mijn best doe voor hen en hun gezinnen,' zei Tara met een zelfverzekerde glimlach terwijl ze het antwoord precies zo opzei als ze met Dale geoefend had.

24

Charlotte

'Schiet op, meiden. Doe je behoefte,' beval Charlotte. De honden negeerden haar en snuffelden gewoon verder aan het gras op precies de plek waar ze de avond ervoor geplast hadden. Charlotte had haar schema tot negen uur 's morgens leeggemaakt zodat ze de interviews in de residentie kon kijken. Na de eerste twee interviews had ze besloten de honden even vlug uit te laten. Ze wilde graag weer terug zijn voordat het laatste begon.

Het eerste deel was soepel verlopen. Tara wekte een nerveuze indruk en Charlotte had door dat de antwoorden gerepeteerd waren, maar ze was tenminste niet dichtgeklapt en had geen rare dingen gezegd. Charlotte hoopte maar dat bij het publiek de lat net zo laag lag als bij haar. Het tweede interview ging al beter dan het eerste. Tara herhaalde dezelfde antwoorden, maar omdat het materiaal nu vertrouwder was, klonk het niet meer zo alsof ze het oplas. Charlotte begon te denken dat ze onnodig streng tegen Ralph was geweest.

'Jullie tijd zit erop, meiden. Cammie, je zult het moeten ophouden tot we over een poosje naar het werk gaan.' Charlotte liep vlot van het zuidgazon terug naar de residentie met de honden voor zich uit. Ze hoopte dat niemand van de pers haar in haar trainingskloffie buiten had zien lopen, want dat zou alleen maar een geruchtenronde op gang brengen dat ze een work-out aan haar ochtendroutine had toegevoegd, en verder ernaast zitten kon bijna niet.

Ze schonk een tweede kop koffie in en ging weer aan haar bureau in de werkkamer op de eerste verdieping zitten. Het derde interview zou om acht uur worden uitgezonden, een tijdstip waarop het publiek bijna geheel uit vrouwelijke kijkers bestond. Charlotte hoopte dat het het makkelijkste interview zou worden.

De vaste presentatrice was met zwangerschapsverlof, dus de vrouw die normaal gesproken het nieuws las, mocht het interview doen. Charlotte kende haar niet en was nooit door haar geïnterviewd, maar ze leek altijd wel sympathiek als ze bij het begin van elk uur haar nieuwsflitsen van twee minuten oplas.

'Goedemorgen, mevrouw de vicepresident,' zei ze. Haar stem was zo luid dat Charlotte de afstandsbediening pakte om het volume zachter te zetten.

'Goedemorgen. Leuk dat je bij mij en mijn gezin aanschuift voor het ontbijt.' Tara zag er al wat minder gespannen uit.

'Wiens idee was het om ons allemaal hier uit te nodigen voor deze interviews en waarom vond u iets als dit nodig?' vroeg de nieuwslezeres.

Charlotte zette het volume weer harder en wachtte op Tara's antwoord.

Tara staarde de presentatrice een paar seconden te lang aan.

O, O, dacht Charlotte bezorgd.

'Ik wilde jullie de kans geven ons gezin wat beter te leren kennen,' zei Tara uiteindelijk.

Goed zo, meid, zei Charlotte bij zichzelf.

'Dat is heel fijn, maar we proberen al maanden tijd bij u los te peuteren om u en uw gezin te leren kennen. Ik vroeg me gewoon af of deze interviews iets te maken hebben met de stortvloed van verhalen onlangs in verscheidene kranten waarin gespeculeerd werd dat u maar niet kunt wennen in Washington.'

'Nee, natuurlijk niet, Maria,' zei Tara vlug.

'Marie,' corrigeerde ze.

'Wat?'

'Ik heet Marie, niet Maria.'

Tara's ogen schoten heen en weer.

Wat kan het ons verdomme schelen hoe je heet? dacht Charlotte ziedend.

'Marie, mijn excuses. We dachten gewoon dat het een goed moment was om jullie uit te nodigen voor een hapje en een gesprekje over wat jullie maar willen weten,' zei Tara met een geforceerde glimlach.

'Maar wat ik vraag is: waarom nú?' drong Marie aan.

'Waarom niet,' zei Tara iets te opgewekt.

'Mevrouw de vicepresident, redt u het een beetje?' vroeg Marie.

Tara keek weer de kamer rond.

Kom op, Tara, stuur het gesprek terug naar je boodschap, bad Charlotte in stilte. De radertjes in Tara's hoofd leken zo verwoed te werken dat Charlotte bijna verwachtte rook uit haar oren te zien komen.

'Het vicepresidentschap is absoluut een zware baan. En ik zal niet ontkennen, Marie, dat ik een moeizame start heb doorgemaakt. Maar wat de kijkers moeten weten is dat ik mezelf altijd heb bewezen, of het nu op de hogeschool, tijdens mijn rechtenstudie of als advocate was, en ik ben geen enkele strijd uit de weg gegaan.' Tara klonk alsof ze van een spiekbriefje oplas dat zich net buiten haar gezichtsveld bevond. De omroep schakelde over naar een breed shot van de ontbijttafel. Een langzame vlieg cirkelde boven het eiergerecht, en de fruitsalade en luxe broodjes leken net zo hard te zweten als de vicepresident. Marie zag eruit alsof ze net uit de airconditioning was gestapt, wat ongetwijfeld ook zo was.

'Ik hoorde u dat eerder vanmorgen ook al zeggen en ik vroeg me af wat voor strijd u dan heeft moeten leveren op de hogeschool en universiteit. Werkte u voor veel goede doelen of politieke campagnes?'

'Nee, ik bedoel dat ik me door de hogeschool heen worstelde en in die tijd maar net rond kon komen, en me toen de rechtenstudie in heb geknokt en daarna het kantoor van de openbare aanklager en dat van de procureur-generaal.' Tara klonk nu geïrriteerd.

Shit, dacht Charlotte, waarom had ze het niet gewoon bij één interview kunnen houden? Deze jonge verslaggeefster heeft vanuit een busje zitten toekijken hoe Tara de vorige presentatrices dezelfde antwoorden gaf. En ze laat hen nu het voordeel zien van als laatste aan de beurt zijn.

'Wat u wilt zeggen is dat uw ambitie u altijd door moeilijke tijden heen heeft geholpen?'

'Nee, ik bedoel, ik denk het. Ik weet het niet. Ik wilde het gewoon goed doen, snap je?'

De verslaggeefster knikte en keek op haar notitieblok. 'Welke kwesties heeft president Kramer aan u toevertrouwd?'

'Hoe bedoel je?'

'Uw voorganger nam de meeste binnenlandse zaken op zich, zodat president Kramer zich kon concentreren op de oorlogen in Irak en Afghanistan. Ik was benieuwd hoe uw portefeuille eruitziet, vooral met het oog op de economische veranderingen die ons te wachten staan.'

'Ik, eh, ik doe van alles een beetje.'

'Er is niets specifieks dat de president aan u heeft overgedragen met de woorden: "Doe wat je goeddunkt, ik laat me door jou leiden"?'

Tara was met stomheid geslagen. Nadat ze, wat aanvoelde als vijf minuten, de tijd had genomen om met een antwoord te komen, schudde ze het hoofd. 'Niets wat ik kan bedenken,' zei ze.

In het groothoekshot dat de omroep liet zien, zag Charlotte dat Marcus ongemakkelijk ging verzitten op zijn stoel en zelfs Kendall van haar stuk gebracht leek.

'Ik stel u deze vraag omdat een van de kritieken van congresleden is dat u vaak overdonderd lijkt door hun beleidsvragen, en ik vroeg me af of de president u daarom misschien gevraagd heeft zich op een aantal belangrijke kwesties te richten en de rest aan haar over te laten?'

Tara staarde Marie onbegrijpend aan.

Charlotte pakte de telefoon. 'Zorg alsjeblieft dat ik Ralph aan de lijn krijg.'

'Ja?' antwoordde hij enkele seconden later.

'Ik wil dat dit nú ophoudt.'

'Ja mevrouw. Ik weet niet wat er is gebeurd. Dale heeft me verzekerd dat deze net als de eerste twee zou gaan en–'

'Zorg gewoon dat het ophoudt. En kom over twintig minuten naar het Oval Office.' Toen ze had opgehangen, ademde ze zo zwaar dat de honden raar opkeken. 'Ssst,' zei ze tegen hen toen ze allemaal dichterbij kwamen. Ze richtte haar aandacht weer op de televisie. Cammie kwam tegen haar aan staan terwijl ze toekeek.

'Sorry, wat was de vraag?' vroeg Tara.

'Laat maar, we gaan wel verder. Ik heb nog een paar vragen voor u en ik moet u om een gunst vragen: uw mensen geven me praktisch sinds het begin afrondsignalen, maar ik vroeg me af of u onze miljoenen kijkers misschien nog een paar minuten van uw tijd wilt gunnen.'

Het leek alsof Tara in shock was. 'Natuurlijk,' zei ze gedwee.

'Kunt u onze kijkers vertellen wat het moeilijkste is aan de verhuizing van uw jonge gezin naar een onbekende stad en de verantwoordelijkheden van het vicepresidentschap op u nemen voor een president die u amper kent en die lid is van een politieke partij waar u niet bij hoort?'

Tara staarde zo lang naar Marie dat de verslaggeefster vroeg of ze wilde dat ze de vraag herhaalde. 'Marie, ik moet zeggen dat het moeilijkste is, nou, momenten als dit, als ik geen idee heb waar ik moet beginnen met het beantwoorden van die vraag.'

'Uw eerlijkheid is verfrissend. Waarom begint u niet met vertellen hoe het is om deel uit te maken van een Republikeinse regering?'

'Dat is super, ik bedoel, ik zat altijd al een beetje in het midden en Charlotte en ik zijn het over bijna alles met elkaar eens.'

'Kunt u ook een terrein noemen waarop u het niet met elkaar eens bent?'

'Nee, ik kan niets bedenken.'

'Mevrouw de vicepresident, hebben u en de president ooit het abortusvraagstuk besproken?'

'Nee. Ik bedoel, ik weet dat ze, ik bedoel, nee. Dat hebben we niet besproken.' Het leek alsof Tara zich niet eens meer realiseerde dat ze op tv was.

'Als er een plaats vrijkwam in het hooggerechtshof, zou u dan iemand kunnen steunen die vindt dat de zaak-Roe verkeerd beslist is?'

'Nee,' antwoordde Tara.

'Oké, nou, ik heb nog meer interessante vragen, maar ik zag net dat uw medewerkers dreigen de stekker van onze camera eruit te trekken. Ontzettend bedankt voor uw tijd. Dit was Marie Mendes, live vanuit het Naval Observatory, de officiële ambtswoning van vicepresident Tara Meyers en haar gezin. Tot zo.'

Zodra het afgelopen was, verscheen Charlottes assistente Sam in haar werkkamer in de residentie. Charlotte had het gevoel dat ze in één klap twintig jaar ouder was geworden.

'Hai Sam. Ik ben over tien minuten in het Oval. Zijn er nog zaken die ik moet afhandelen voordat ik erheen loop?'

'Je hebt een paar dringende telefoontjes. De voorzitter van het Huis van Afgevaardigden belde en wilde je meteen spreken en de voorlichtingsdienst wil je onmiddellijk zien omdat ze willen weten wat ze met journalisten aan moeten die vragen of je de interviews hebt gezien. O, en Melanie belde en bood aan om langs te komen.'

'Heb jij het gezien?' vroeg Charlotte.

'Ja,' antwoordde Sam.

'Was het zo afschuwelijk als het leek?'

'Ik weet het niet. Zal ik Melanie bellen?'

'Sam, kom op. Het was verschrikkelijk. Jij vond het toch ook een ramp?'

'Ze leek me een tikkie ongemakkelijk,' antwoordde Sam schoorvoetend.

Charlotte wist dat wat er allemaal in haar eerste termijn mis was gegaan een peulenschil zou zijn vergeleken bij wat er nu stond te gebeuren. Tot de interviews konden vragen over Tara's deskundigheid en geschiktheid worden afgedaan als partijkritiek. Maar nu ze haar onzekerheden en overduidelijke twijfels over haar rol en functie als Charlottes nummer twee had blootgelegd, waren er maar weinig bevredigende mogelijkheden voor een comeback. 'Bel Melanie maar,' zei ze tegen Sam. Enkele seconden later ging de telefoon. 'Was het zo erg als ik denk dat het was?' vroeg ze aan Melanie.

'Ja.'

'En nu?'

'Dat weet ik niet.'

'Wat denk je?'

'Ik moet erover nadenken.'

'Bel me terug als je weet wat er in het allerbeste en het allerslechtste scenario kan gebeuren.'

'Doe ik. Doe ik.'

Sam had de andere telefoon in de werkkamer opgenomen. 'Ik heb de minister van Buitenlandse Zaken aan de lijn die wil weten of je nog steeds van plan bent vanavond naar Azië te vertrekken. Wil je haar spreken?'

'Nee.'

'Maar...'

'Zeg maar dat je terugbelt zodra je weet of ik vanavond nog naar Azië zal vertrekken.'

'Oké.'

25
Tara

Tara keek hoe de avond overging van een ogenschijnlijk eindeloze schemering naar Washingtons versie van duisternis. De hemel werd nooit helemaal zwart in D.C. Ze had nooit zo op het weer gelet, maar de zomer in Washington was heel anders dan ze gewend was. Tara had besloten dat Washingtons onvermogen te verduisteren kwam door de giftige combinatie van vochtigheid, hitte en de nabijheid van moerasland. Het lag maar een paar honderd kilometer zuidelijker dan New York City, maar het klimaat leek meer op de plakkerige, drukkende hitte van het diepe Zuiden dan de incidentele vochtigheid en onweersbuien die typisch waren voor de zomers in het Noordoosten. In Washington verwelkte alles, inclusief de mensen. Tara voelde zich al zo lang ze zich kon herinneren ongemakkelijk warm. Hoe meer ze haar best deed terug te denken aan een tijd waarin het weer niet onaangenaam was geweest, hoe verder terug ze moest gaan. Ze besloot dat de dag van de inauguratie de laatste dag was waarvan ze zich herinnerde dat die koel aanvoelde. Het leek al een mensenleven geleden, maar het was pas zesenhalve maand.

De hitte had haar fysiek bijna net zo uitgeput als de afgelopen tweeënzeventig uur haar mentaal en emotioneel hadden uitgeput. *The Washington Post* beschreef de interviews als 'een pr-ramp van ongeëvenaarde omvang'. *The New York Times* had een slijmerig hoofdartikel geplaatst over Marie Mendes' 'gedurfde gewiekstheid' en schreef dat het interview 'consequenties van het formaat Woodward en Bernstein' zou hebben.

Achteraf gezien had ze er nooit mee moeten instemmen. Ze had zich door Marcus en Ralph een schuldgevoel aan laten praten met het gevolg dat ze te veel hooi op haar vork nam. Tara had haar beperkingen meer dan vijftien jaar onder controle weten te houden door niet meer aan te nemen dan ze aankon. Het had niet geholpen dat Ralph en Marcus hadden gesuggereerd dat haar toekomst, en Charlottes politieke voorspoed, afhingen van het slagen van de interviews. Er hing zoveel van af dat het op Tara een verlammende werking had gehad, maar in werkelijkheid was het zomer en letten er buiten Washington maar weinig mensen op de stuntelige uitvoering van haar officiële taken. Nu was dat in één klap anders. Ze zuchtte en streelde Kendalls klamme haar. Zelfs binnen met de airco aan was het nog vochtig. Tara staarde naar de vuurvliegjes buiten Kendalls raam en kon zichzelf wel weer voor de kop slaan dat ze niet haar intuïtie had gevolgd wat de interviews betrof. Ze had gewoon de gemene nieuwsstukken kunnen negeren, nog meer studeren en er alles aan doen om een band op te bouwen met de mensen die naar haar evenementen kwamen, en wat expertise laten zien bij kwesties van ordehandhaving als die voorbijkwamen. Charlotte drong haar tenslotte geen van de wetgevende zaken van de regering op. Tara wíst niet eens hoe hun agenda er qua wetsvoorstellen uitzag.

Ze keek naar een snurkende Kendall. Ze had de afgelopen drie nachten in Kendalls kamer geslapen. De eerste nacht was het voor Tara zelf geweest, maar toen Kendall de avond erna in tranen thuiskwam na de tennistraining om iets wat een van haar vriendinnetjes had gezegd, had Tara tijdelijk haar intrek genomen in de kamer van haar dochter. Kendall wilde haar niet vertellen wat het was, maar de trainer had gebeld om te zeggen dat een paar van de kinderen onaardig waren geweest. De zelfhaat die Tara voelde over alles waar ze de mensen om haar heen mee opzadelde, was tegelijkertijd slopend en bevredigend. Ze verdiende het, maar ze wist ook dat geen van hen verder zou kunnen totdat ze het losliet. Zij en Kendall sloegen zich er samen doorheen en voor één keer probeerde Marcus niet tussen hen in te komen. Hij was opvallend tolerant sinds de interviews. In plaats van zijn gebruikelijke rondhangen, gaf hij hen nu zo veel mogelijk ruimte.

Terwijl Kendall sliep, stond Tara het zichzelf toe te zwelgen. Schaamte was altijd haar drijfveer geweest. Die stomme verslaggeefster had naar haar ambitie gevraagd, maar het was voor haar nooit een jacht op loftuitingen of prestaties geweest. Er was nooit iemand geweest om haar successen mee te vieren. Maar de schaamte zat haar altijd op de hielen en dreigde haar te grazen te nemen als ze ook maar heel even niet oplette. Als ze een normaal mens was dat onder medisch toezicht stond, zou ze naar de dokter zijn gegaan en hebben uitgelegd dat sinds ze naar Washington was verhuisd, het zo nu en dan het gevoel hebben dat ze verdronk, was veranderd in iets veel ergers. Ze zou zo'n arts uitleggen dat ze het afgelopen halfjaar opstond met het gevoel dat iemand haar hoofd onder water hield en haar dwong grote happen vloeistof te nemen, en dat hoe erger ze stikte, hoe meer ze terugverlangde naar de dagen dat ze gewoon alleen maar het gevoel had dat ze verdronk. Ze zou dalen beschrijven die zo uitputtend waren dat ze zichzelf langs de muren van het huis sleepte en steunend tegen de deurpost in Kendalls kamer zat om de nacht door te komen. Ze zou uitleggen dat als dat allemaal niet werkte, ze Kendall wakker maakte en haar overstelpte met kussen. Misschien zou een arts iets voor haar hebben kunnen doen. Maar Tara had afgezien van een passende medische behandeling voor haar ziekte toen ze voor het eerst besloot dat ze een carrière bij de overheid wilde. Medische dossiers kregen altijd intense media-aandacht. Ieder bekend figuur dat niet dossiers vrijgaf die anders beschermd werden door het recht op privacy, werd altijd enorm gewantrouwd. Niet dat Tara ook maar het vaagste vermoeden had dat ze in het Witte Huis zou eindigen, maar ze had de politiek goed genoeg gekend om te weten dat een geestesziekte je onmiddellijk diskwalificeerde. Dus in plaats daarvan had ze zich door Marcus van stress en andere triggerende factoren af laten schermen. In New York had dat prima gewerkt, maar Washington leende zich niet voor het zeer afgeschermde bestaan waar ze als procureur-generaal aan gewend was geraakt. Ze keek op toen Marcus in de deuropening van Kendalls kamer verscheen. 'Hai,' fluisterde ze.

Hij wilde iets zeggen. Ze legde een vinger op haar lippen en kwam overeind van het bed.

'Waar heb je gezeten?' vroeg ze toen ze de trap afdaalden naar de keuken.

'Ik heb gebasketbald en hardgelopen in The Mall.'

'Wil je wat eten?'

'Nee, dank je. Ik heb geen trek.'

Tara werd onzekerder van Marcus als hij beleefd deed dan wanneer hij gemeen deed. 'Hoe gaat het met Kendall?' vroeg hij.

'Ze wil niet zeggen wat haar vriendinnetjes hebben gezegd. Ze zei dat ze me niet wilde kwetsen. Ik heb gezegd dat zolang zij van me houdt, niemand me kan raken.' Ze vond dat hij bleek zag. 'Voel je je wel goed?' vroeg ze.

'Ja hoor. Maak je over mij maar geen zorgen.'

Tara keek toe hoe Marcus zijn sporttas uitpakte. Hij legde zijn bezwete kleren op de keukenvloer en haalde zijn basketbalschoenen uit de tas om ze te luchten. Hoe beter ze hem bestudeerde, hoe meer zorgen ze zich maakte. Het leek alsof hij wist dat ze zich in de nesten hadden gewerkt. Ze ademde diep in en wilde net tegen hem zeggen dat alles wel goed zou komen, toen de telefoon in de ontbijtkamer ging en haar opschrikte uit haar gedachten. Marcus sprintte ernaartoe.

'Hallo?' Hij gaf de telefoon aan Tara. 'Het is voor jou. De Sit Room.'

De Situation Room belde nooit zo laat. 'Hallo?'

'Mevrouw de vicepresident, sorry dat ik u stoor, maar over twintig minuten is er een ingelaste vergadering in de Sit Room. Kunt u ook komen?'

'Natuurlijk.' Ze wist niet eens wie ze aan de lijn had. Ze hing op en keek naar Marcus.

'Wat is er aan de hand? Is er iets met Charlotte gebeurd?' Charlotte zat in Azië.

'Ik weet het niet. Ze vroegen me of ik kon komen voor een vergadering.'

Ze wisselden een blik van verstandhouding.

'Ik denk niet dat het over ons gaat,' zei ze zacht. Ze zag Marcus slikken.

'Oké.'

'Ik ga naar boven om me te verkleden. Blijf jij bij Kendall voor het geval ze wakker wordt?'

'Natuurlijk.'

'Er is vast niets,' zei ze met meer vertrouwen dan ze voelde.

Precies twintig minuten later ging iemand haar voor naar de vergaderruimte van de Situation Room op de begane grond van de westvleugel. Het was nooit lawaaierig of chaotisch in het Witte

Huis, maar vanavond hing er een nog andere sfeer. De bewaker die bij de deur postte, stond op toen ze binnenkwam. 'Goedenavond, mevrouw de vicepresident,' zei hij.

Ze glimlachte en knikte naar hem. Ze werd de vergaderruimte in geleid waar ze werd omringd door bekende gezichten op monitoren aan de muren. Op een van de schermen herkende ze een paar topfunctionarissen van het ministerie van Justitie en op een andere zag ze een groepje FBI-agenten van de New Yorkse antiterreureenheid. De New Yorkse politiechef was op een ander scherm te zien. Het middelste scherm was een open satellietverbinding met het woord *Peking* onder het scherm geplakt. Iemand van de entourage van de president zou blijkbaar ook deelnemen, dacht Tara.

De directeur van de CIA en de directeur van de Binnenlandse Inlichtingendienst zaten aan één kant van de tafel. Ralph zat in een stoel achter de rij stoelen langs de tafel, met naast hem een paar andere medewerkers van het Witte Huis die Tara herkende maar van wie ze de naam niet wist.

'Bedankt voor uw komst,' zei de plaatsvervangend Nationale Veiligheidsadviseur. 'We wachten tot POTUS, de minister van Buitenlandse Zaken en de minister van Defensie erbij komen vanuit Peking en dan beginnen we. Ik denk dat iedereen weet waarom we hier zijn,' zei hij.

Tara had geen idee waarom ze daar was. Haar blik was gevestigd op de monitor waar Charlotte, Constance en Melanie waren verschenen tijdens de woorden van de plaatsvervangend Nationale Veiligheidsadviseur. Ze leken in een hotelkamer te zitten.

'Goedemorgen vanuit Peking,' zei Charlotte en ze zwaaide kort. 'Melanie en Constance zijn nog hier voor besprekingen met hun tegenhangers, dus ik heb ze gevraagd erbij te zitten.'

'Goedemorgen, mevrouw de president,' zei de plaatsvervangend Nationale Veiligheidsadviseur. 'Voor ik begin, is Tim ook bij jullie?' Tim was de Nationale Veiligheidsadviseur van de president.

'Iedereen is er,' zei Charlotte. 'Bedankt voor je komst, Tara. Ik hoop dat het niet ongelegen kwam. Je ziet eruit alsof je van een rustig avondje thuis genoot.'

Om de een of andere reden was het niet bij Tara opgekomen dat ze haar konden zien, maar ook op de mensen in de Situation Room was natuurlijk een camera gericht. 'Geen enkel probleem. Tot uw dienst, mevrouw de president.'

'Alles komt hier een beetje vertraagd binnen. Beginnen jullie daar maar,' stelde Charlotte voor.

'Prima, mevrouw de president, mevrouw de vicepresident. Zoals jullie allemaal weten, hebben we onze aandacht gevestigd op een situatie die de potentie heeft zich tot een geraffineerdere en brutalere aanslag te ontwikkelen dan we eerder op Amerikaanse bodem hebben meegemaakt,' zei hij.

Meestal eindigde die zin met 'sinds de aanslagen van elf september'. Hoe angstaanjagend het onderwerp ook was, Tara had eindelijk het gevoel dat de mensen hier een taal spraken die ze begreep.

'Mevrouw de vicepresident, u bent bekend met de zaak. Youseff Bordeaux is iemand die we nu al een aantal jaren in de gaten houden. Zijn broer werd door het kantoor van de procureur-generaal van Manhattan vervolgd voor een mislukte poging om de Brooklyn Bridge op te blazen. Ik geloof dat u op dat moment assistent procureur-generaal was.'

'Ik herinner me Youseff nog wel, ja. Hij was enorm behulpzaam. We hebben een beschuldiging van samenzwering tegen hem laten vallen omdat hij ons hielp zijn broer voorgoed op te sluiten. Hij woont met zijn vrouw en kinderen in New Jersey en werkt als IT-consultant voor vanuit huis opererende eigenaren van eBaywinkels.'

'Hij woonde met zijn vrouw en kinderen in New Jersey. Hij heeft ze acht maanden geleden naar Jemen gestuurd, heeft zijn baan opgezegd en is expert geworden in het wissen van zijn sporen. Zodra we van de rechter toestemming kregen zijn telefoon af te tappen, was hij gevlogen.'

'Dat is gek. Zelfs toen al was hij volkomen verwesterd. Wat hij ook van plan is, je zou aanwijzingen moeten kunnen vinden in zijn mailbox of op de websites die hij bezoekt. Hij was een vroege fan van chatrooms, die hij gebruikte om geld in te zamelen voor de verdediging van zijn broer. We konden hem nooit in verband brengen met de beraming, maar ondanks zijn bereidheid ons te helpen met de vervolging van zijn broer, had ik mijn bedenkingen over welke kant hij daarna op zou gaan.'

'Die argwaan was correct. En het is vrij duidelijk welke kant hij op is gegaan, mevrouw de vicepresident. We denken dat hij in verband staat met een aantal van de recente pogingen tot aanslagen op onze eigen bodem, in het noordoosten van de Verenigde Staten. Gelukkig zijn zijn maatjes minder goed in het wissen van hun sporen. Alle aanslagen die ik noemde zijn verijdeld en daaruit zijn een aantal van de beste aanwijzingen sinds jaren voortgekomen over het financiële systeem en de communicatienetwerken die die losse cellen gebruiken. We vonden Youseffs mobiele telefoonnummer in de telefoon die was achtergelaten door de dader van de kerstboomaanslag. Youseff stuurde een andere wannabe dader een hele serie links naar websites over het maken van bommen. Godzijdank was zijn maatje niet zo goed met handleidingen. Het brouwsel van de man blies zijn keuken op voordat hij er iets mee heeft kunnen doen,' zei de directeur van de FBI.

'Klinkt alsof hij hun nieuwe DHZ-specialist is,' zei Tara.

'DHZ?' vroeg de plaatsvervangend Nationale Veiligheidsadviseur.

'Doe het zelf. De nieuwe ondernemende terroristen rekruteren jonge, losstaande nobody's en brengen ze in contact met een soort helpdesk; iemand als Youseff die vervolgens dient als adviseur voor aspirant-terroristen. Het is efficiënt voor de leiders, die zo geen riskante reizen hoeven te maken of wapens hoeven te importeren op commerciële vluchten. En het is de terroristenversie van een talentenjacht. Ze beginnen in de eerste rondes met tientallen jonge jongens die allemaal op zoek zijn naar waardering in de ogen van hun helden en idolen aan de top van de terreurnetwerken in Jemen, Afghanistan en Pakistan. In de laatste ronde zijn er nog maar een paar van hen over en dat zijn degenen die promoveren en de leiders in de VS worden. Het enge eraan is dat ze niet gemotiveerd worden door religieus fanatisme; het lijkt meer op de allure van een bende en de drang onder de groentjes om bij de groten te mogen horen door een succesvolle aanslag te plegen,' zei het hoofd van de NSA.

'We zijn dus op zoek naar een mentor voor jonge terroristen die hun kennis van het internet halen?' vroeg Charlotte.

'Inderdaad. Mijn grootste zorg is dat hij in de afgelopen weken in rook lijkt te zijn opgegaan. We hebben nog niet eerder zo lang niets van hem vernomen op de mobiele telefoons of e-mailadressen van de andere verdachten die we in de gaten houden,' zei de directeur van de CIA.

Tara staarde naar zijn foto. Ze herinnerde zich alles aan het gezicht. Zelfs nadat het onderzoek en het proces van zijn broer waren afgerond, had ze hem nog maanden in haar dromen gezien. Youseff had het bewijs aangedragen dat ze nodig had om van zijn broers veroordeling een voldongen feit te maken. Ze had geen reden hem niet te vertrouwen. Maar zelfs toen dacht ze al dat het dealtje dat hij met haar kantoor had gesloten een slimme zet was, iets wat een groter doel diende. Ze herinnerde zich nog wat er gebeurde toen ze zijn advocaten de deal had voorgelegd. Zij hadden vierentwintig uur bedenktijd gewild, maar hij had erop gestaan het onmiddellijk te ondertekenen.

'Tara, heb jij een idee?'

'Ik weet het niet, mevrouw de president. Maar het is geen goed teken dat we hem uit het oog zijn verloren.'

'Denken we dat er een verband is met onze acties om Iran te isoleren?' vroeg Charlotte.

'Ik denk het niet, maar we gaan alles na,' zei de baas van de CIA.

'Waarom maken we ons meer zorgen over deze ene verdachte dan over alle andere cellen op eigen bodem in de grote steden in het land?' vroeg Melanie.

'Het is niet dat we ons meer zorgen maken, minister. We hebben teams die alle cellen in de gaten houden die zich op onze radar bevinden. Zoals u weet, hebben we de laatste tijd heel veel succes met het verijdelen van aanslagen. Waar we ons bij Youseff zorgen over maken, is dat hij hier lang genoeg is geweest om iets spectaculairs te kunnen hebben voorbereid voor de gedenkdag van de aanslagen van elf september volgende maand.'

'Ik kan me maar moeilijk voorstellen hoe hij iets spectaculairs kan hebben gepland zonder dat wij het weten. We hielden hem toch in de gaten?' daagde Melanie hem uit.

'Dat was zo. Zijn verdwijning van elk van onze surveillancemethodes en het feit dat er nu al een aantal weken zijn verstreken zonder enig teken van wat hij van plan is, heeft geleid tot deze ingelaste vergadering van vanavond.'

Melanie leek niet tevreden, maar Tara vond het verstandig dat ze de groep bijeen hadden geroepen. Youseff had de kennis, de connecties en de bekendheid met de VS om iets groots te kunnen plannen. Hij was de perfecte spil voor allerlei aanslagen die je je zou kunnen voorstellen op de gedenkdag van elf september. En hij had ruim de tijd gehad een team en een plan voor te bereiden. Youseff was al meer dan twintig jaar in de Verenigde Staten. Tara pijnigde haar hersens om zich meer details over de zaak te herinneren. Als ze Charlotte kon laten zien dat ze tenminste nog érgens goed in was, zou dat haar redding kunnen zijn.

26

Dale

Dale schreeuwde in haar fantasie 'het zal me aan m'n reet roesten wat je gaat schrijven' tegen de strijdlustige, vijandige journalist die ze aan de telefoon zou krijgen. In werkelijkheid stond ze op het punt haar drieëntwintigste telefoontje van die dag te plegen om, onofficieel, over de 'moeilijke tijd' van de vicepresident te spreken met een journaliste die, hoogstwaarschijnlijk, haar medeleven zou tonen en zich zou schamen over de vragen die ze moest stellen.

'Haar staf heeft slecht werk geleverd,' opperde Dale bijvoorbeeld tegen de journalist die er dieper op in wilde gaan.

'We hebben haar niet op voortgangsvragen voorbereid,' zou ze ook zeggen. 'Dat kun je als achtergrond gebruiken van iemand die nauw betrokken was bij de planning van de interviews, als je wilt,' zou ze zeggen.

Maar wat ze ook deed om de schuld op zich te nemen van het niet al te beste optreden van haar baas begin die week, de indruk dat de vicepresident onvoorbereid, onontwikkeld en onstabiel was, stond vastgegrift in de hoofden van de mensen.

Dale staarde naar de stapel roze memobriefjes op haar bureau. In drie dagen had ze amper een beginnetje gemaakt. Vluchtig bekeek ze haar e-mail. Haar inbox zat angstaanjagend vol. Ze sloot haar pc af, gooide haar BlackBerry en telefoons in haar tas en was net op zoek naar een elastiekje om dat om haar telefoonmemo's te wikkelen toen het toestel op haar bureau overging. 'Hallo?'

'Dale Smith? Met Michael Robbins.'

Shit, dacht ze, waarom kon ik die niet gewoon op voicemail laten springen? Ze ging zitten en zette haar computer weer aan.

Dale en Ralph hadden de schadebeperking op zich moeten nemen. De persvoorlichter van het Witte Huis, die nu met Charlotte door Azië reisde, had voor hun vertrek een verklaring opgesteld waarin alleen maar stond dat Charlottes vertrouwen in de vicepresident en haar team ongewijzigd bleef. Dale was degene die al het zware werk met de pers kon afhandelen terwijl Ralph een poging deed Tara's geloofwaardigheid in het Capitool te redden. Geen van beiden boekte veel vooruitgang. Een van de omroepen had een peiling uitgezonden waarin negenenzestig procent van het land zich serieuze zorgen maakte over Tara's vermogen om haar officiële verantwoordelijkheden uit te voeren. Slechts twintig procent van de mensen beweerde te weten wat die officiële taken inhielden.

'Wat kan ik deze avond voor je betekenen, Michael?' vroeg Dale.

'Het spijt me dat ik de zoveelste ben die wat van je wil.'

Ja, ja, dacht ze. Ze zei: 'Maakt niet uit. We doen allemaal ons werk. Dat snap ik. Wat kan ik voor je betekenen?'

'De leiders van het Huis van Afgevaardigden willen een onafhankelijke commissie.'

'Om wat te doen?'

'Om je baas te onderzoeken.'

'Hoezo?'

'Kom op, zeg. Pas maar op, Dale, straks word je nog gedagvaard. Let op wat je zegt. Het is geen spelletje meer. Meineed kan je in de gevangenis doen belanden. Ik wil je niet in de problemen brengen. Als je me niet kunt helpen, moet je het zeggen, maar lieg niet tegen me. Ik geef je goed advies, Dale.'

Ze zweeg.

'Ben je er nog?'

'Ja. En ik ben nog niet gedagvaard.'

'Fijn te horen dat je je gevoel voor humor nog hebt.'

'Fijn dat ik jou daar blij mee kan maken.'

'Ik word gepusht mijn verslaggeving over de zaken waar we het aan het begin van de zomer over gehad hebben te updaten.'

Dale dacht dat ze maar eens stommetje ging spelen. 'Welke zaken? Ik weet niet eens meer waar ik het een week geleden over heb gehad, Michael. Fris mijn geheugen eens op.'

'Kom op. De gewichtstoename, de geruchten over haar afwijkende gedrag, gemiste evenementen, lange afwezigheid, liegen over een ziek kind om geen overzeese reis te hoeven maken.'

'Meen je dat nou echt?'

'Ja, dat meen ik echt. Je baas heeft een groot probleem. Dit wordt geen leuke tijd. Wil je met haar praten over waar ik aan werk en vragen of ze er iets over kwijt wil?'

Dale zuchtte luider dan ze van plan was. 'Ze zal niet op je verhaal ingaan. Kan ik nog iets anders voor je betekenen om halfelf 's avonds?'

'Dat was het. Het verhaal staat over een paar uur online. Ik wilde je gewoon even waarschuwen.'

'Dank je.'

'Ik heb wel wat nummers, mocht je die kunnen gebruiken.'

'Wat voor nummers?'

'Van strafpleiters.'

Krijg de schijt, dacht ze. 'Laten we duimen dat het zo'n vaart niet loopt,' zei ze.

'Dale, ik denk dus van wel,' zei hij.

'Ik moet gaan,' zei ze. Ze smeet de telefoon harder neer dan ze van plan was geweest en legde haar hoofd in haar handen.

'Hé, pas op dat-ie niet stukgaat. Het duurt een week voordat je hier een vervangend toestel krijgt.'

Vlug keek ze op. Haar deur stond open. Ze had niet geweten dat er nog iemand was.

'Ik zweer dat ik je niet afluisterde. Ik liep net langs, hoorde de knal en ben gestopt om te zien of alles wel goed was.'

Dale had nog steeds niets gezegd. Ze probeerde zich te herinneren wie ze nog meer had gesproken terwijl haar deur wagenwijd openstond.

'Je weet toch wel wie ik ben?'

'Greg.'

'Craig.'

'Shit, het spijt me. Ik zit elke ochtend naast je tijdens de stafvergadering. Sorry, zo ben ik normaal niet.'

Hij glimlachte. 'Wij allemaal niet.'

Ze glimlachte terug.

'Ga als straf mee een glas wijn drinken bij Capital Grille. Je ziet eruit alsof je dat wel kunt gebruiken.'

'Zodat ik je kan vertellen over meltdown-maandag?'

'Als je wil. Of we kunnen gewoon wijn drinken zodat de volgende keer dat ik binnenloop om me ervan te verzekeren dat je niet levend begraven ligt onder een boekenplank, je mijn naam goed uitspreekt.'

Ze keek haar kantoor rond. Het leek alsof er een hamsterende kluizenaar zijn intrek had genomen in haar ruime werkkamer naast de ceremoniële suite van de vicepresident. Ze kon toch niet veel mensen meer terugbellen om halfelf en ze was de hele week amper haar kantoor uit geweest. Een glas wijn kon geen kwaad.

Dale dacht erover na om Ralph te bellen voordat ze wegging, maar ze kon concluderen uit de colonne die nog op West Exec geparkeerd stond dat ze nog steeds in een of andere bespreking waren in de Situation Room. Ze zou zich zorgen moeten maken over waarom de vicepresident op een donderdagavond in de Situation Room was, maar ze had het al druk genoeg. Misschien zou het dreigingsniveau verhoogd worden en zou de regering alle telefoonlijnen bezetten zodat ze geen telefoontjes meer hoefde te plegen naar de pers. Dale ademde diep in en sloeg haar ogen op naar Craig. Ze had gehoord dat hij snel op weg was een van de adviseurs te worden waarop de president het meest vertrouwde. Als allereerste Republikeinse president met een Democraat als vicepresident was Charlottes relatie met het Congres ongekend problematisch. Craig werd alom erkend als degene die de Republikeinen tevreden hield op het gebied van defensie en uitgaven terwijl hij ook de uiterst partijdige Democratische Voorzitter van het Huis van Afgevaardigden voor zich won bij zaken die met immigratie, onderwijs en gezondheidszorg te maken hadden. Het tijdschrift *People* had hem in hun nummer met 'mooiste mensen' gezet en Dale had in één oogopslag gezien dat hij opvallend goed gekleed ging voor een regeringsmedewerker. 'Een glas wijn lijkt me heerlijk.'

Ze legde de telefoonberichten van Annie McKay, Melanie Kingstons assistente, boven op haar stapel midden op haar bureau. Daarna keek ze naar de vier paar schoenen onder het bureau en stapte in een paar Manolo Blahniks. Hoewel ze absoluut niet versierd wilde worden door iemand van het werk, was een drankje met een van haar aantrekkelijkere collega's het beste aanbod dat ze in eeuwen had gehad.

Dale stemde er alleen maar mee in om de tweeënhalve kilometer naar Capital Grille met Craig mee te rijden omdat het Witte Huis zich halverwege tussen het restaurant en haar appartement bevond. Ze moest toch de kant van het Witte Huis weer op. Craig liep op West Exec naar een zwarte tweedeurs BMW. Ze had een degelijke doch stijlvolle SUV verwacht en was aangenaam verrast door de gestroomlijnde sedan. Hij reed snel, en aangekomen bij de jongen van de valetparkeerservice glimlachte hij naar haar. Toen Craig zijn hand op haar onderrug legde om haar naar een tafeltje in de bar te leiden, schaamde ze zich hoeveel ze van dat contact genoot. Hij bestelde twee droge martini's en een fles dure rode wijn. 'Wat is er tussen jou en Peter Kramer gebeurd?' vroeg hij.

Ze nam een grote slok van haar martini. 'Wil je niet weten wat er maandagochtend in de ambtswoning van de VP is voorgevallen?'

'Ik vind het veel interessanter wat er tussen jou en Peter is voorgevallen. Jullie leken zo'n leuk stel. Het zag eruit als iets echts. Zeg me alsjeblieft dat het echt was.'

'Dat was het ook.' Dale's gevoelens overvielen haar. Ze nam nog een paar nipjes van haar drankje. 'Wil je me even excuseren?' Ze wilde opstaan.

Hij legde een koele, gebruinde hand op de hare. 'Sorry als ik een nieuwsgierige eikel ben. Ik wilde je niet van streek maken,' zei hij.

'Je hebt me niet van streek gemaakt.' Ze kreeg het voor elkaar een minuscuul glimlachje te laten zien en ging weer zwijgend zitten terwijl ze de rest van haar martini achteroversloeg. 'Peter is geweldig en het was een heel mooie tijd. Hij heeft enorm veel geduld, maar ik heb het verpest,' biechtte ze op.

Zijn vriendelijke, geïnteresseerde ogen moedigden haar aan.

'Weet je waarom we uit elkaar zijn gegaan? Hij had een huisje aan het strand voor me gekocht. Een huis in Stinson Beach, gewoon! Het hing over een klif en was perfect en prachtig. Hij had zelfs een bad in de badkamer laten plaatsen omdat ik zo van een warm bad hou. En toen hij het me liet zien – dat schitterende huis aan het strand –, scheet ik in mijn broek. En daarom ben ik niet meer met Peter. Ik was te gestoord voor hem. Totaal gestoord.'

De barkeeper vulde twee glazen maat vissenkom met de warme, houtachtige rode wijn.

Dale slokte die van haar naar binnen. 'Ben je nog steeds blij dat je me van mijn boekenkasten hebt gered?'

'Echt wel.' Hij glimlachte met zijn perfecte gebit en wierp een vluchtige blik op zijn BlackBerry. 'Ik ben zo terug,' zei hij.

Dale keek toe hoe hij een telefoontje aannam. Ze kon zich niet herinneren wanneer ze voor het laatst zoveel had gedronken. Als hij terugkwam zou ze hem vragen haar in een taxi te zetten. 'Je lijkt me aardig,' zei Dale toen hij weer was gaan zitten.

'Dat ben ik anders niet. Jij voelt je gewoon niet aardig omdat je mijn naam verkeerd uitsprak en je een paar rotdagen achter de rug hebt, maar we lijken veel op elkaar. Ik ben net als jij ook heel erg op mezelf.' Hij dronk zijn glas wijn leeg zonder dat hij enig effect leek te voelen van de grote sloten alcohol die ze in vrij korte tijd hadden geconsumeerd.

'Ga je nooit stappen met de andere Witte Huis-medewerkers?' vroeg ze.

'Doen ze dat dan?'

'Ik weet het niet. Daar ging ik altijd van uit. Ik had er zo'n ontzettend andere indruk van toen ik er verslag van deed. Als je van buiten naar binnen kijkt, krijg je een soort gevoel van intrige. Als je binnen bent, is het heel anders dan je verwachtte.'

'Ja?'

'Ja.'

'Nou, misschien sturen onze verwachtingen de boel wel in de war. Ik bedoel, behalve moeten toezien hoe de vicepresident maandag onderuitging, was het best een redelijk weekje, toch?'

'Grappig dat je het vraagt. Vlak voordat jij binnenliep, bood een onderzoeksjournalist me net de telefoonnummers van een paar strafpleiters aan.'

'En wie zei dat de pers een hekel heeft aan Republikeinse regeringen?'

Ze lachte in haar wijnglas.

'Geef me de anderhalve minuut durende versie van het Meyers-gekkenhuis.'

'O, god. Waar zal ik beginnen? Ten eerste kan ze de baan totaal niet aan. Ze heeft zulke dramatische mood swings dat ze soms helemaal te gek is tijdens een toespraak of evenement en iedereen haar geweldig vindt en ze dingen voor haar inplannen, en dan heeft ze een instorting en moeten ze haar hele rooster leegmaken totdat ze zich weer van het plafond kan schrapen. Marie Mendes trof haar op zo'n slechte dag.'

'Luister, dat is ook wat ik van de congresleden hoor die haar op die slechte dagen tegenkomen. Meestal bellen ze me na afloop om te klagen of, als ze niet helemáál egocentrisch zijn, om te vragen of alles wel goed met haar is. En van die laatste soort zijn er bijzonder weinig.'

'Wat zeg je dan tegen ze?'

'Ik neem meestal de vrijheid een of ander excuus te bedenken dat ze de griep heeft of dat haar dochter haar belde vlak voordat ze een vergadering in ging, of dat er iets niet lekker liep op kantoor, maar het moest een keer uitkomen. Je kunt sommige mensen wel af en toe voor de gek houden...'

'Maar niet iedereen de hele tijd,' maakte Dale het cliché af.

Ze zaten daar even zonder te praten en keken naar een groepje jonge congresmedewerkers die de barkeeper probeerden over te halen hamburgers voor ze te regelen terwijl de keuken al twintig minuten dicht was.

'Was het Michael Robbins?' vroeg Craig nadat er een paar minuten waren verstreken.

'Hè?'

'Was het Michael Robbins die met die strafpleiters kwam aanzetten?'

'Hoe wist je dat?'

'Ik ken hem al jaren. Hij bazuint al weken praatjes over een onafhankelijke commissie rond. Ik heb zelf een aantal zeer goede bronnen in het Capitool die zeggen dat hij al de hele zomer mensen probeert te dwingen zijn theorie over de onafhankelijke commissie te bevestigen,' zei Craig.

'Waarom?'

'Er is niets aan voor onderzoeksjournalisten als iedereen zich netjes gedraagt. Schandalen zijn beter voor de zaken, zelfs al moeten ze ze zelf creëren.'

'Lekker. Hoeveel erger zal mijn baan worden als een onafhankelijke commissie de vicepresident gaat onderzoeken?'

'Het zou wel erger kunnen worden, maar je overleeft het wel, en op een bepaalde manier maakt het ook eigenlijk niet uit, toch? Je baas zal toch de hele tijd dat je voor haar werkt onder vuur liggen. Maar je moet evengoed je werk doen, en dat doe je gewoon. Volgens mij is dit soort banen nooit leuk geweest, maar nu is het helemaal klote. Je doet het zolang je het aankunt en daarna zoek je iets anders.'

'Wat deprimerend.'

'Mwah. Mensen denken dat werken voor het Witte Huis een droombaan is, maar dat is het allang niet meer. Misschien wel nooit geweest ook.'

'Waarom doe jij het?'

'Dat, lieve schat, zal ik een andere keer vertellen... als jij trakteert. Het wordt tijd je naar huis te brengen zodat je weer fris en fruitig op de stafvergadering verschijnt morgenochtend.'

Dale kreunde. Craig betaalde de rekening en Dale zag dat mensen keken hoe ze samen vertrokken. Hij raakte haar onderweg naar buiten niet meer aan, maar toen ze bij haar appartement stopten, sprong hij wel de auto uit om het portier voor haar open te houden en gaf haar een snelle zoen op de wang. Het was een beschaafde man en hoewel ze niet verwachtte dat hij zou proberen met haar mee naar boven te gaan, vond ze eigenlijk dat hij wel even kon vragen wanneer hij haar weer zou zien. Sufferd, dacht ze, hij zit over zes uur weer naast je bij de stafvergadering. Ze bedankte hem voor het heerlijke avondje uit en ging naar binnen. Dale liep door haar appartement, dat ineens enorm en eenzaam aanvoelde. Ze kroop in bed en belde Peter op zijn mobiele telefoon.

'Hoi,' zei hij. Het geluid van zijn stem opende een stukje van haar hart waar ze een slot op had gedaan sinds ze uit San Francisco was vertrokken.

'Hoi,' zei ze hees.

'Wat is er?' vroeg hij, met de betrokkenheid die hij haar altijd had getoond.

'Ik mis je.' En met die eenvoudige bekentenis, stortte ze in.

Hij luisterde naar haar terwijl ze hem vertelde dat Tara de week daarvoor tegen haar geschreeuwd had, en over de bespreking in Ralphs kantoor en de zinspelingen op de mentale gesteldheid van de vicepresident, de interviewstrategie en enge Marcus tijdens de voorbereiding op de interviews. Toen ze bij de ochtend van de interviews was aangekomen, onderbrak hij haar. 'Je hoeft die interviews niet te herleven tenzij je dat wilt. Ik heb ze gezien.'

'En toen vroeg de president Ralph en mij om de schadebeperking te doen, dus heb ik drie dagen aan de telefoon gehangen en god weet wat allemaal gezegd, en het moeilijkste is dat ik het gewoon even niet meer weet.' Ze liet weg dat ze zo eenzaam was dat ze een constante pijn voelde, en besloot hem niet te vertellen dat ze hem afschuwelijk miste en de eerstvolgende vlucht naar San Francisco zou willen nemen om nooit meer naar Washington terug te keren. Toen ze stopte met praten en huilen, hoorde ze hem ademen. Het klonk alsof hij zijn hand op het luistergedeelte had. 'O, god, ben je bij een van je spelers?' vroeg ze. 'Of bij de kinderen? Is de tweeling bij je?'

'Nee, nee. Ik zat gewoon te eten. Jij mag me altijd bellen. Wat rot dat het je zo zwaar valt. Ik wou dat ik iets kon doen.'

Zijn woorden klonken geforceerd. Dale zag haar fout in. 'Sorry dat ik belde. Ik... ik heb gewoon niemand anders... het spijt me. Ik heb niemand anders om mee te praten.' Toen ze het eenmaal zei, voelde ze zich alleen nog maar ellendiger omdat ze Peter nu de indruk gaf dat ze hem alleen maar belde omdat ze niemand had om mee te praten.

'Je mag me altijd bellen, Dale. Luister, het is bij jou al twee uur geweest. Waarom probeer je niet wat te slapen? Als je morgen verder wilt praten, ben ik op mijn kantoor in L.A.'

'Je hebt gelijk, het is al laat. Dank je, Peter.'

'Hou je taai,' zei hij nog.

Ze hing op en voelde zich te verdrietig om nog te huilen. Haar telefoongesprek met Peter had alleen maar benadrukt hoe verschrikkelijk alleen ze was. Dale nam een slaappil en zette haar wekker en BlackBerry op vijf uur.

27
Charlotte

'Zijn dat nou lakens voor de ramen?' vroeg Charlotte. Melanie en zij zaten nog in de kamer vanwaaruit ze aan de conference *call* met de Situation Room hadden deelgenomen. Constance was al vertrokken voor een ontbijt met de Koreaanse minister van Buitenlandse Zaken.

'Volgens mij is de technische term *pipe and drape*,' grapte Melanie.

'En waarom hangen ze voor de ramen?'

'Waarom denk je?'

'Tegen de schittering op de laptops?'

'Je mag nog een keer raden.'

'Ik wil niet weten wat het anders kan zijn.'

Melanie lachte. 'Het stemt nederig om erachter te komen dat de beste contraspionagemaatregelen die we hebben dezelfde zijn als waar een kind van tien forten van bouwt, hè?' plaagde Melanie.

'Jezus. Als de mensen hier een idee van zouden hebben.'

'De meeste informatie die de gastlanden uit dit soort reisjes halen, komt uit ons afval. De Geheime Dienst zet nu shredders in elke hotelkamer omdat mensen hun schema met al hun verplaatsingen in de vuilnisbakken van hotels achterlieten.'

'Echt?'

'Ja.'

Charlotte kon niet ophouden met staren naar de blauwe stukken stof die voor de ramen waren geniet en getapet. 'Echt ongelooflijk.'

Melanie keek geamuseerd toe.

'Bedankt dat je nog een dagje extra bent gebleven. Ik weet dat je terug moet om je te verantwoorden in het Capitool,' zei Charlotte.

'Geen probleem. Ik heb hier een aantal goeie besprekingen gehad. Het was de reis absoluut waard.'

'Wat vond je van deze bespreking?' vroeg Charlotte.

'Ik weet niet of het nou zo belangrijk was om er een satellietverbinding vanuit verschillende continenten voor op touw te zetten. Youseff is 'm gepeerd. De FBI is hem kwijtgeraakt en nu proberen ze zich in te dekken zodat de CIA ze niet de schuld geeft als er iets gebeurt.'

'Denk je dat er iets gaat gebeuren?'

'Het kan altijd,' antwoordde Melanie.

'De FBI en CIA zijn het voor één keer met elkaar eens. Baart dat je geen zorgen?' peilde Charlotte.

'Een beetje, maar ze kunnen er net zo goed allebei naast zitten,' zei Melanie.

Charlotte trok een afkeurend gezicht. 'Ik vond dat Tara goed klonk,' zei ze toen.

'Hmm.'

'Jij niet?'

'Wat wil je dat ik zeg, Charlotte? Ik denk dat ze je een hele hoop geloofwaardigheid en goodwill heeft gekost met die interviews van de week. Ik denk dat het verstandig is dat ik in deze tijden mijn mening voor me hou.'

'Waarom? Omdat je me anders zult zeggen dat ze een foute keus was en dat ik een lafbek en impulsieveling was toen ik haar vroeg?' Charlotte was gaan staan.

Melanie leek geschrokken van Charlottes zeldzame uiting van woede. Ze reageerde niet meteen.

'Luister, Melanie, je was erbij. Je weet dat ik het net zozeer voor Neal deed als voor mezelf. Als ik een vermoeden had gehad dat ze het niet aankon, was ik niet met haar in zee gegaan.' Neal McMillan was Charlottes eerste vicepresident. Hij had aangeboden op te stappen zodat Charlotte de campagne kon opschudden door een Democraat op de kandidatenlijst te zetten en een uniek samenwerkingsverband aan te gaan waar al veel presidentskandidaten over hadden nagedacht maar wat nooit eerder was geprobeerd.

'Charlotte,' begon Melanie zacht. 'Ze is niet eens doorgelicht. Een paar onderzoeksjongens hebben haar gegoogeld en filmpjes van haar bekeken op YouTube.'

'Waar heb je het over?'

'Dat maakt nu niet meer uit.'

'Melanie, ze is wél doorgelicht. Ralph zei dat de advocaten haar een standaard vragenformulier hebben gegeven en haar alle vragen hebben gesteld die we Neal vier jaar daarvoor hadden gesteld.'

'Dat is niet precies hoe het is gegaan. Ze wisten dat je wilde dat ze goedgekeurd zou worden, dus hebben ze gewoon uitgestippeld hoe ze bij 'ja' konden uitkomen. Maar luister, maak je daar nu geen zorgen over. Je moet er het beste van maken. Je moet haar steunen. Als men er lucht van krijgt dat het Witte Huis haar laat vallen, is ze verleden tijd,' zei Melanie. 'En jij ook,' voegde ze eraan toe.

'Waarom vertel je me dit nu?' vroeg Charlotte.

'Vergeet alsjeblieft dat ik iets heb gezegd. Het was niet aan mij. Het spijt me.'

'Ik meen me te herinneren dat jij degene was die eiste dat dit hele gebeuren staatsgeheim zou blijven,' klaagde Charlotte.

'Dat klopt. Ik ben net zo goed schuldig.'

Charlotte zuchtte diep.

Nadat er een paar minuten verstreken waren, stond Melanie op om te gaan. 'Mevrouw de president, ik ga naar de fitnessruimte. Ik heb nog een paar uur voordat ik naar het vliegveld moet en ga een stukje rennen op de loopband. Ga je mee?'

'Nee, dank je. Ik denk dat ik liever de kinderen bel.'

'Het is midden in de nacht in Connecticut,' zei Melanie.

'O, oké. Nou, dan stuur ik ze een mailtje,' zei Charlotte.

Charlotte had geen e-mail. Melanie zei maar niets. 'Ik bel je als ik terug ben. En je weet me te vinden als je me nodig hebt,' zei ze.

Zodra de deur achter Melanie dichtviel, belde Charlotte het nummer dat ze onlangs uit haar hoofd had geleerd. Het was ongeveer elf uur 's avonds in Californië. 'Hoi,' zei ze.

'Hoi,' antwoordde Peter.

'Bel ik te laat?'

'Nee hoor. Hoe gaat het?'

'Hebben ze het daar nog steeds over het interview?'

'Absoluut.'

'Lekker is dat.'

'Red je het nog een beetje?'

'Ik wil er niet aan denken. Vertel me iets over mijn kinderen wat ik nog niet weet. Dat moet toch niet moeilijk zijn?'

'Penelope kan wel wat moederlijke aandacht gebruiken.'

'Hoezo? Wat is er?'

'Gewoon iets. Ik weet het niet precies, maar ze is een beetje humeurig de laatste tijd.'

'Denk je dat het wel goed met haar gaat?'

'Ze is zeventien. Met Penny is niks aan de hand. Char, ik probeerde je alleen maar af te leiden, ik wilde je niet bezorgd maken.'

'Nee, ik ben blij dat je iets hebt gezegd. Ik zal haar later vandaag bellen. Volgens mij is het ochtend in Connecticut tegen de tijd dat ik klaar ben met mijn laatste bespreking.'

'Dat zal ze fijn vinden.'

Charlotte was stil.

'Charlotte?'

'Ik ben er nog,' zei ze.

'Misschien ligt het aan de vertraging, maar je klinkt raar.'

Wat ze wilde zeggen was dat ze had gehoord dat het niets was geworden tussen Dale en hem en dat ze dat naar vond. Ze had zich in hen vergist, want ze had gedacht dat Dale en hij uiteindelijk zouden trouwen en ze zag genoeg van zichzelf in Dale om daar vrede mee te kunnen hebben. Maar Charlotte zou liegen als ze niet zou toegeven dat het nieuws dat Peter weer ongebonden was haar intrigeerde. Ze had de afgelopen weken een terugkerende dagdroom. Dan kwam ze na een lange dag van besprekingen, openbare optredens en saaie politieke debatten terug in de residentie en vertelde ze aan iemand hoe haar dag was geweest. En dan schonk die persoon een glas wijn voor haar in en legde zijn sterke handen op haar gespannen schouders. Net als de fantasie enorm plezierig begon te worden, kwam Peters gezicht in beeld. Ze zette de dagdroom altijd op dat punt stil en zei dan tegen zichzelf dat hij gewoon de laatste man was met wie ze een relatie had gehad. Peter schraapte zijn keel om wat te zeggen, waardoor ze uit haar gedachten werd gerukt. Voordat hij iets kon uitbrengen, onderbrak Charlotte hem. 'Misschien kunnen we weer eens samen wat eten als ik terug ben?'

'Lijkt me leuk,' antwoordde hij.

'Ik wilde de inschrijvingen voor de universiteiten weer als excuus gebruiken, maar ik wil je gewoon graag zien.'

Peter grinnikte.

'Lach je me nou uit?'

'Helemaal niet. Ik was gewoon vergeten hoe direct je kunt zijn. Dat vind ik juist leuk,' verzekerde hij haar.

'Ik bel je als ik terug ben,' beloofde ze. Ze hing op en vroeg zich af waarom ze in godsnaam weer op Peter aan het azen was.

28

Tara

Tara liep terug naar haar kantoor in de westvleugel om het dossier te bestuderen. Ze zag dat ze een aantal gemiste oproepen van Marcus had en voelde een steek in haar buik bij de gedachte dat er iets met Kendall kon zijn. Ze belde hun vaste nummer. 'Marcus, met mij. Is alles goed met Kendall?'

'Ze heeft zich niet meer verroerd.'

Tara was opgelucht. 'Ik ga hier nog wat lezen. Ik ben over ongeveer een uur thuis.'

'Het is al laat,' waarschuwde Marcus.

'Dat weet ik. Nog een halfuurtje maar. Morgenochtend is er weer een vergadering en ik kan deze stof nu beter in me opnemen dan 's morgens vroeg.'

Hij staakte zijn verzet en ze hing net op toen Ralph binnen kwam lopen.

'Goed gedaan daarbinnen, Tara,' zei hij.

Tara schaamde zich dat hij het gevoel had dat hij haar moest loven voor een optreden tijdens een interne vergadering.

'Dank je. En bedankt dat je me erbij betrokken hebt, vooral in een week waarin ik de president alleen maar in verlegenheid heb gebracht.'

'Tara, je moet die interviews van je af schudden. De eerste twee gingen goed, en eerlijk gezegd hebben die omroepen veel betere kijkcijfers. Die Marie was een trut. Dale had het moeten afblazen toen ze zag dat zij het interview mocht doen. Het spijt me heel erg.'

'Het is niet Dale's schuld. Marie kreeg vat op me en ik heb dat laten gebeuren,' zei Tara.

Ralph knikte, haalde zijn schouders op en snoof, en dat allemaal tegelijkertijd, wat Tara de indruk gaf dat hij was uitgepraat over dat onderwerp. 'De procureur-generaal vroeg me je dit te geven.

Hij zei dat je aantekeningen over Youseff uit die tijd erin staan.'

'Dank je.' Ze opende het dossier en las haar eigen aantekeningen bij de zaak. Ze ging altijd zeer nauwkeurig te werk wat aantekeningen betrof, had vaak verschillende kladversies getypt voordat ze perfect waren. Tara beschouwde die dossiers als heilig. Ze was veel beter geschikt voor de wet dan voor de politiek. Had ze dat maar eerder geweten.

Vannacht voelde ze zich eigenaardig verkwikt. Het was stil in het Witte Huis, maar het voelde niet eenzaam of vreemd om op zo'n laat tijdstip in haar kantoor te zijn. Haar bewakers stonden net buiten de deur en het restaurant was weer opengegaan om hapjes en drankjes in de Situation Room te serveren. Een kaasplankje en een paar flesjes water hadden op haar staan wachten op de salontafel toen ze binnenkwam. Tara bedacht dat ze de dingen beter had aangekund als ze meer van zulke rustmomenten had gehad. Ze vroeg zich af of het al te laat was.

29

Dale

Dale balanceerde een halveliterbeker zwarte koffie op de map met haar schema voor die dag en de gedetailleerde schema's van de president en vicepresident. Ze zag nog meer dan normaal op tegen de stafvergadering. De volgende ochtend iemand tegenkomen met wie je naar bed was geweest was ongemakkelijk, maar iemand onder ogen komen die je mee uit neemt, dronken voert en niet eens probeert je te zoenen, is vernederend. Ze ging op de bank zo ver mogelijk bij Craigs kant vandaan zitten. Hij kwam om twee minuten over halfacht binnen. 'Goeiemorgen,' zei hij met een glimlach. Ze kon zijn frisse adem al ruiken voordat hij zat. Hij zag er duizend keer beter uit dan zij zich voelde. Ondanks drie keer flossen en tandenpoetsen, was ze ervan overtuigd dat ze nog steeds een martini-adem had. Ze glimlachte met dichte mond naar hem en zodra de vergadering was afgelopen, haastte ze zich naar het kantoor van de vicepresident. Ralph had het zelfs nog van haar gewonnen en stond al in de ontvangstruimte.

'Precies degene die ik zocht. Dale, omdat POTUS nog vijf dagen weg is, neemt de vicepresident de leiding over de portefeuille binnenlandse veiligheid. Zodra ze op het werk is, heeft ze een briefing bij Defensie en daarna gaat ze naar Manhattan om te worden gebrieft door de leiders van het Joint Terrorism Task Force. Jij reist met haar mee en stelt een kleine persgroep samen die verslag mag doen van haar vergaderingen.'

'Zal dit niet overkomen als een overdreven reactie op de interviews? Het Witte Huis dat overuren draait om haar imago te herstellen nadat de vice geen enkele kwestie kan opnoemen die de president haar heeft toevertrouwd?' protesteerde Dale.

'Ik zit nu niet te wachten op jouw verslaggeverscynisme. Eerder deze week had het goed van pas gekomen, maar vandaag wil ik een andere houding van je. Gaat dat lukken?'

Zijn sarcasme stak haar. Dale had de neiging haar voormalige collega bij de omroep, Brian Watson, te bellen en elk smerigste feitje dat ze over Ralph en alle anderen wist, te lekken. 'Geen probleem.' Ze dwong zichzelf te glimlachen.

'Bedankt, Dale. De vicepresident zal de president adviseren over het dreigingsniveau, en de president zal op haar vertrouwen wat betreft andere aanbevelingen omtrent de nationale veiligheid.'

Ze staarde hem verbijsterd aan.

'Wat is je probleem?' vroeg hij.

'Niets. Ik weet wat me te doen staat, meneer.'

Hij trok haar het trappenhuis in. 'Ik heb de indruk dat je niet honderd procent toegewijd bent, Dale.'

'Volgens mij heb ik de afgelopen dagen wel bewezen dat ik belachelijk toegewijd ben, Ralph. Of wou je beweren van niet?'

'Maar je bent het niet eens met de strategie,' hield Ralph vol.

'Naar mijn mening is de vicepresident nog steeds een beetje fragiel,' zei ze.

'Onzin. Er is helemaal niets met haar aan de hand. Ze had maandag gewoon een slechte dag. Meer niet. Als we haar als een volwassene behandelen, gaat ze zich vanzelf ook zo gedragen. We gaan haar niet meer vertroetelen. Dat werkte toch al niet.'

Dale had weer het gevoel alsof ze een klap in het gezicht had gekregen. Ze mompelde iets over telefoontjes die ze moest plegen om de persgroep bijeen te brengen en rende praktisch de trap af. In de kelder van de westvleugel botste ze tegen Craig op.

'Whaa!' riep hij uit terwijl hij zijn armen uitstak. Nu ze hem zag, wilde ze alleen nog maar harder rennen, maar hij had haar letterlijk opgevangen. 'Waar ga je heen?' vroeg hij.

'New York. De vicepresident gaat terroristjes vangen,' grapte ze.

'Echt waar?'

'Echt waar. Dat klinkt natuurlijk helemaal niet als een overdreven reactie, hè?'

'Dat verklaart waarom ik met Ralph naar het Capitool moet om het Huis en de Senaatscommissies voor de Nationale Veiligheid te briefen.'

'President Kramer heeft ons gevraagd om de schade te beperken, niet om toe te zien op de creatie van een crisis,' klaagde Dale.

'Dit is pas de tweede keer in zo'n twee jaar dat we naar het Capitool gaan om de commissies over een specifieke dreiging te briefen,' zei Craig.

'Echt? Denk je dat ze echt vrezen dat er iets staat te gebeuren?'

'Die besprekingen zijn meestal alleen maar ter indekking, dus Joost mag het weten. Ik zou mijn gasmasker maar meenemen voor de zekerheid.'

'Denk je dat ze zich aan het indekken zijn?' vroeg Dale.

'Misschien. Zullen we een hapje gaan eten als je terug bent?' vroeg hij.

'Lijkt me leuk, maar–' Dale kon geen smoes verzinnen.

Craig leek haar poging wel amusant te vinden en onderbrak haar. 'Wimpel me nou niet meteen af. Als het acht uur is en je hebt honger, kom dan langs. En anders is het ook goed.' Hij wierp haar zijn warme glimlach toe en ze voelde dezelfde vlinders die ze de avond ervoor had gevoeld toen ze Capital Grille binnenliepen met zijn hand op haar rug.

'Je hoort het nog wel,' beloofde ze.

Dale ging met de vicepresident mee naar de briefing op het ministerie van Defensie en reed met haar in de limo naar luchtmachtbasis Andrews waar Air Force Two klaarstond om hen naar New York te brengen. Ze zouden daar nog geen twee uur zijn. 'Tara, zal ik de pers tijdens de heenvlucht inlichten over met wie je in New York een bespreking hebt?'

'Wat jij wil,' antwoordde Tara. Ze had nog maar weinig gezegd en Dale vroeg zich af of ze nog steeds van streek was vanwege de interviews.

'Voor wat het waard is, de heisa rondom de interviews begint af te nemen.'

'Dat kan me niets schelen, Dale. Ik vind het erg dat ik de president en mijn gezin in verlegenheid heb gebracht maar verder kan het me niets schelen. En ik weet dat jij er niets aan kon doen. Ik heb het laten gebeuren. Wat gebeurd is, is gebeurd. We moeten het achter ons laten.'

Dale knikte en keek weer op haar BlackBerry. Annie McKay van Melanie Kingstons kantoor had weer gebeld. Ze voegde een notitie in haar agenda in dat ze Annie vanuit het vliegtuig zou bellen. Ze sloeg vluchtig haar ogen op naar de vicepresident. Tara beantwoordde haar blik en leek een soort van verontschuldigend glimlachje te tonen. Dale keek weg. Tara's momenten van zelfbewustzijn waren voor Dale nog het ongemakkelijkst, omdat ze daaruit wel moest concluderen dat Tara volledig begreep hoe slecht ze er precies voor stond.

Dale liep naar de achterkant van Air Force Two en briefte de aanwezige pers terwijl het vliegtuig opsteeg. Ze zette zich schrap tegen de stoel van een van de verslaggevers en schudde verontschuldigend het hoofd naar een van de stewards die haar telkens wanneer ze weigerde te gaan zitten tijdens het opstijgen een afkeurende blik toewierp.

Tegen de tijd dat ze dertig minuten later in New York landdden, was er een Politico-verhaal getiteld: 'Kan Tara Meyers haar groove nog terugkrijgen?' Er stonden citaten in van anonieme bronnen binnen de regering en het Capitool die zich afvroegen of ze kon herstellen van haar deerniswekkende interview eerder die week door haar kennis op het gebied van wetshandhaving te doen gelden.

Dale dwong zichzelf te glimlachen toen de pers hen filmde terwijl ze de colonne in stapten voor een van sirenes vergezeld ritje de stad in. De geïrriteerde forensen en geërgerde New Yorkers trokken daarna in een waas aan haar voorbij. Bij een stoplicht moest ze haar lachen inhouden. Ze dacht dat ze Tara ook zag glimlachen. Er stond een man in een felgekleurd overhemd met een bord in zijn handen waarop stond: 'Tara, kom terug naar de andere gekken in New York, het land van fruit en noten/waar iedereen gek is op fruit en noten.'

Tara werd begroet door de burgemeester en de politiechef en na een groet naar de camera's die zich voor haar aankomst hadden verzameld, werd ze naar binnen geleid in de antiterreureenheid van de NYPD.

Dale's vrees groeide tijdens de twee uur durende briefings over de losjes verbonden terreurcel (het gevaarlijkste soort, volgens de experts die die dag bij elkaar waren), geleid door Youseff Bordeaux, de broer van een terrorist die zonder succes had geprobeerd de Brooklyn Bridge op te blazen. Tara had jaren geleden aan deze zaak gewerkt. Tegen de tijd dat ze hun rit met politie-escorte terug naar het vliegveld maakten voor hun dertig minuten durende terugvlucht naar Washington, had Dale knallende koppijn.

'Dale, denk je dat ik met je mee moet gaan naar de achterkant van het toestel om de pers te laten zien dat ik nog overeind sta?'

Dale dacht erover na. Het was gewaagd en ze was bang dat het eruit zou zien alsof ze te zeer haar best deed. Bovendien was het meeste wat Tara over de terreurdreiging wist nog geheim, dus er viel weinig te melden over de briefings van die dag. 'Ik ga wel alleen. Het is een lange week geweest en ik denk dat ik hem kan afsluiten met wat algemene opmerkingen over de briefings van net en je plannen om POTUS vanavond op de hoogte te stellen,' zei Dale.

'Wat jij het beste vindt,' zei Tara.

Dale ging aan boord van het vliegtuig en liep rechtstreeks naar het persgedeelte.

'Dale, graag je commentaar op Wadsworths verzoek om een onafhankelijke commissie?' vroeg een verslaggever. Congreslid Wadsworth was hoofd van de Commissie voor Regeringszaken.

'We zullen op alle mogelijke manieren meewerken met onze vrienden van het Congres,' zei Dale, zoals ze was geïnstrueerd door het Witte Huis.

'Wie waren er vandaag allemaal bij de briefings, Dale?' vroeg een verslaggever van *The Washington Post*. Dale scrolde door haar e-mail, vond de lijst met deelnemers en las die voor aan de pers, waarbij ze pauzeerde om een aantal van de namen te spellen en te beloven van een paar de juiste titels op te zoeken.

'Dale, *Wall Street Journal* komt met een verhaal over de achtbaan waar vicepresident Meyers deze week in heeft gezeten; van live op tv vernederd worden tot het briefen van de president over de recentste terreurdreiging. Commentaar?'

'Welkom in het circus.' Onmiddellijk had ze spijt van dat grapje, maar het was te laat. Tegen de tijd dat de landing werd ingezet, speelden de tv-zenders circusmuziek af onder hun livebeelden van de landing van Air Force Two. Dale haastte zich naar de voorkant van het vliegtuig.

'Het spijt me ontzettend. Ik weet niet waarom ik dat zei.'

De vicepresident leek volkomen kalm. 'Beste oneliner van de week, Dale,' zei ze.

Tara stapte in haar limo en Dale klom in het personeelsbusje dat erachter zou rijden. Ze was uitgeput en had nog honderden e-mails in haar inbox waarop ze niet had gereageerd omdat haar BlackBerry in beslag was genomen tijdens de briefings in Washington en New York. Ze was van plan een kom tomatensoep uit het restaurant te bestellen en haar avond te gebruiken om bij te werken.

Het busje voor de medewerkers arriveerde rond acht uur 's avonds op West Exec. Dale liep naar haar kantoor en zette de televisie aan. Op MSNBC was nog steeds een circusmuziekje te horen. 'Na een rampzalige start, eindigde de week voor de vicepresident met een hoogtepunt. Ze heeft blijkbaar de leiding op zich genomen wat betreft een terreurdreiging. Het kan zijn dat er, nu de president weg is voor belangrijke staatszaken in Mongolië en het kabinet op reces is, niemand anders beschikbaar was, maar vicepresident Meyers zal later vanavond de president briefen over een terreurgroepering waartegen ze ooit heeft geprocedeerd, zo vertelde Dale Smith, de belangrijkste adviseur van de vicepresident, ons. Toen we haar naar de tumultueuze week van de vicepresident vroegen, grapte Smith: "Welkom in het circus." Niet helemaal wat de meeste Amerikanen in gedachten hadden toen ze Charlotte Kramer herkozen voor een tweede termijn, maar ach, we doen het er wel mee.'

Dale drukte op de *mute*-knop en zapte naar het Food Network. Ze startte haar computer op en staarde naar haar telefoon-log van de dag. Ze dreef haar assistent tot wanhoop met haar berichtensysteem. Ze hield vast aan ouderwetse roze briefjes voor elk telefoontje zodat ze ze kon stapelen en in stapels sorteren, maar ze wilde ook dat haar telefoontjes werden geregistreerd in een Word-document zodat ze naar patronen kon zoeken in de berichten en een aantekening had van alle telefoontjes van elke dag. Vanavond wachtten er pagina's vol gedetailleerde telefoonboodschappen op haar. Ze staarde ernaar maar er was er geen een bij die ze graag terug wilde bellen. Ze belde Craig op zijn mobiel. 'Staat je aanbod voor het eten nog steeds?' vroeg ze. Ze hoorde Radiohead op de achtergrond.

'Absoluut. Zeg me hoe laat je er kan zijn en dan zorg ik ervoor dat het eten op tafel staat,' zei hij.

'Ik ben er over twintig minuten. Wil je me het precieze adres nog een keer mailen?' Dale hing op en liep de lege gang door richting het toilet. Ze poetste haar tanden en gooide wat water over haar gezicht. Daarna bekeek ze zich in de spiegel. Ze zag er moe uit. Er waren nieuwe lijntjes rond haar ogen verschenen waarvan ze zich voortdurend probeerde te overtuigen dat ze door vochttekort werden veroorzaakt, maar ze wist vrij zeker dat ze er ook waren als ze eraan dacht om genoeg water te drinken. Ze kneep in haar wangen en overwoog wat foundation en rouge op te doen, maar ze vond het te veel moeite voor een tweede keer haar make-up aan te brengen. Haar lange, kastanjebruine haar deed ze in een staartje.

Dale reed het Witte Huis-complex af en ging rechtsaf op 17th Street. Die volgde ze over Dupont Circle en ze voegde zich bij de rest van het verkeer op Connecticut Avenue. Ze moest om grote groepen toeristen heen navigeren. Het was augustus en in augustus waren er in Washington meer bezoekers dan inwoners. Ze dacht er nog over na om een fles wijn te kopen, maar ze kwam langs geen enkele winkel waar een echte goede wijn te krijgen zou zijn. Een paar stratenblokken voor het Washington Hilton ging ze, zoals geïnstrueerd, rechtsaf en kwam vervolgens langs twee stopborden. De gebouwen waren voornamelijk opgeknapte herenhuizen; het soort waar Dale wel in zou willen wonen als ze ooit lang genoeg in een stad bleef om zich er te vestigen. Ze stopte bij het juiste adres en keek omhoog. Het elegante huis van bruinrode zandsteen droop van karakter en charme. In het kleine tuintje ervoor stonden buxusheggen en er hing een kroonluchter achter het raam dat zich een halve verdieping boven straatniveau bevond. Het was compleet anders dan Dale's steriele appartement. Het zag eruit als een thuis.

Ze belde aan en voelde de kriebels opkomen. Het loslaten van haar routine maakte haar nerveus. Craig begroette haar blootsvoets. Hij droeg een spijkerbroek en een wit linnen overhemd met opgerolde mouwen. Dale zag spetters van tomatensaus op zijn gezicht. 'Fijn dat je toch bent gekomen,' zei hij.

'Je ziet er niet uit.' Ze wees naar de saus vlak onder zijn oog.

'Ik kan niets eetbaars maken zonder onder te zitten. Kom binnen. Ik wilde net de pasta opzetten.'

'Het ruikt verrukkelijk,' zei ze. En dat was echt zo. Sinds de laatste keer dat ze bij Peter was geweest had Dale niemand meer om zich heen gehad die kon koken. Ze probeerde zich te herinneren wat de laatste maaltijd was die ze samen hadden bereid, maar ze wist het niet meer.

'Ik hoop dat je van knoflook houdt. Ik ben voor de Siciliaanse versie gegaan. Knoflook, uien, kruiden. Lust je dat?'

'Klinkt heerlijk.'

Ze duwde gedachten aan Peter weg en ging bij Craig in de keuken staan. Hij gaf haar een glas wijn en weigerde haar iets te laten doen. Na precies acht minuten liet hij een dampende pan met penne in een vergiet uitlekken, smeet het in een keramische pastaschaal en goot er een rijke, oranjerode tomatensaus overheen. Hij pakte een homp Parmezaanse kaas en raspte er flink wat overheen, draaide een zoutmolen erboven en daarna een pepermolen, en zette het vervolgens op tafel. Daar stond al een *insalata caprese*, net als een kan ijswater en twee flessen chianti. 'Aan tafel.'

'Waar heb je leren koken?'

'Er zijn dingen die een zichzelf respecterende volwassene zichzelf moet leren, lieve schat,' zei hij. 'Ik ben een zomer naar Italië geweest en heb daar een vijfdaagse kookcursus gevolgd.'

Dale nam een hap. 'Het is onvoorstelbaar lekker. De avonden dat ik daadwerkelijk iets eet wat je een maaltijd zou kunnen noemen, is het een afhaalmaaltijd of een diepvriesmaaltijd.'

'Die troep moet je niet eten. Maak dan een salade, dat is in vijf minuutjes gepiept.'

'Ik heb nooit iets in mijn koelkast.'

'Ben je een kleuter of zo? Ga onderweg naar huis langs de supermarkt en koop een salade. Je zult je een ander mens voelen.'

'Goed, pap,' zei ze.

'Au.'

Hij vroeg haar niet naar haar dag en ze was blij dat ze eens over iets anders dan de vicepresident kon praten. Terwijl ze aten en dronken, vertelde hij haar over zijn kunstcollectie. Op een gegeven moment haalde hij een zelfgemaakte tiramisu tevoorschijn die Dale verorberde. 'Heeft je moeder deze allemaal gemaakt?' vroeg ze, en ze wees naar een serie aquarellen van Yosemite National Park.

'Ja. Ze schilderde tot ze er geld mee ging verdienen. Toen is ze gestopt. Ze zei dat de dag dat het een baan werd, ze geen enkele creatieve streek meer in zich had.'

'Echt? Schildert ze nog?'

'Ze schildert weer maar weigert er iets van te verkopen.'

Na het eten verhuisden ze naar de zitkamer. Ze vertelde hem hoe ze Peter had ontmoet, en wat ze allemaal hadden moeten doen om niet ontdekt te worden. Ze lachten om wat de agenten van de Geheime Dienst gedurende de jaren allemaal wel niet gezien moesten hebben. Hij gaf geen persoonlijke informatie prijs behalve de verhalen over de schilderijen van zijn moeder, en Dale drong ook niet aan. Ze dronken twee flessen wijn leeg.

'Zal ik er nog eentje openmaken?' vroeg hij.

'Dat moeten we eigenlijk niet doen.'

'Waarom niet? Het is vrijdag. Ik laat je in deze toestand toch niet meer rijden. Je kunt hier blijven slapen.'

Dale keek hem lichtelijk verward aan. 'Ik wil je niet tot last zijn. Ik wil niet dat je andere... je weet wel, vriendinnen er iets van gaan denken. Ik wil je niet in de problemen brengen door hier 's morgens de deur uit te gaan.'

Hij lachte met een laag gegrinnik. 'Onmogelijk,' beloofde hij.

'Je zou je nog verbazen, hoor. Ik heb er een handje van om alles te verpesten voor mensen.'

'Dale, ik kan niet geloven dat ik je dit moet vertellen. Ik dacht dat je er zelf wel achter zou komen.'

Hij zat haar daar maar aan te kijken en het was alsof ze hem nu pas voor het eerst zag. 'O, god, wat ben ik ook een suffe doos. Vertel het maar niet. Sorry dat ik zo dom ben. Ik zweer je, dat is niets voor mij.

Hij lachte. 'Ik heb al heel lang niet meer tegen een vrouw hoeven zeggen dat ik niet op haar viel.'

'Wauw. Ik had echt geen idee. Weet Kramer het?'

'Ja. Ik heb het haar verteld toen ze me drie jaar geleden de baan aanbood. Ze kreeg op dat moment een hele lading kritiek over zich heen van rechts omdat ze links van de Democraten in het Congres stond wat het homohuwelijk betrof. Ik heb haar gezegd dat als ze ooit van standpunt zou veranderen, dat voor mij een *deal breaker* zou zijn. Ze is geweldig wat die kwesties betreft en we hebben het er nooit meer over gehad. Ik denk niet dat ze het iemand heeft verteld, zelfs Melanie niet.'

'Is het geheim?'

'Niet echt, maar ik doe wel mijn best om mensen in het ongewisse te houden. Het gaat niemand iets aan.'

Dale knikte instemmend. 'Dat is zo.'

Ze kletsten nog wat over kunst, eten en Italië, en Dale begon slaperig te worden. 'Ik denk dat ik het me hier maar gewoon gemakkelijk maak, als je het niet erg vindt,' zei ze terwijl ze onder de meest luxueuze kasjmieren deken kroop die ze ooit had aangeraakt.

'Mij best, maar je kunt gewoon in de logeerkamer slapen. Die is ook vrij comfortabel. Ik heb er een pyjama neergelegd die ik nooit heb aangehad.'

Ze hees zich van de bank en liep hem achterna naar de logeerkamer. Daar middenin stond het meest uitnodigende bed dat ze ooit had gezien. Het leek wel zo'n bed uit een etalage van een beddenzaak. Er stond een antieke ladekast aan een kant en een nachtkastje met een grote stapel biografieën van presidenten en andere beroemde inwoners van Washington. Ze trok de kaartjes van de Burberry pyjama. 'Bedankt,' zei ze. Hij blies haar een handkus toe en sloot de deur achter zich. Ze waste haar gezicht, poetste haar tanden met de tandenborstel en tandpasta die hij voor haar had klaargelegd en stortte vervolgens neer op het zachtste bed waarop ze ooit had gelegen. 'Allemachtig,' riep ze uit.

'Ik zei het toch. Slaap lekker,' riep Craig vanuit zijn slaapkamer.

'Truste,' riep ze terug.

Dale sliep beter dan ze in weken had gedaan. Toen ze wakker werd, tastte ze naar haar BlackBerry en kwam er tot haar verbazing achter dat het al na tien uur 's morgens was. Ze kleedde zich aan en wandelde de keuken in. Craig had koffiegezet. Er stond een schaal met *biscotti*, croissants en muffins op tafel. 'Trouw met me,' zei ze.

Hij glimlachte. 'Fijn dat je zo goed geslapen hebt.'

'Heb je gesport?'

'Ik heb even een stukje hardgelopen,' antwoordde hij. 'Je lag zo diep te slapen.'

'Ben je superman of zo?'

Hij lachte en schonk een enorme kop koffie voor haar in. 'Melk?'

'Graag.' Ze dronk de koffie en maakte een croissant en een halve bosbessenmuffin soldaat terwijl hij toekeek.

'Dale, ik moet je iets opbiechten.'

'Wat?'

'Ik kwam niet toevallig langs je kantoor die avond.'

'Niet?' Ze pakte de andere helft van de bosbessenmuffin.

'Nee. Ik verwacht niet dat je dit weet, maar mijn kantoor is in de oostvleugel; aan de andere kant van het complex.'

'O.' Ze wist niet dat de afdeling Wetgeving in de oostvleugel zat. 'Waarom was je dan in het OEOB?'

'Ik stond bij de rokers op West Exec en zag je licht branden. Ik vond je er zo bedroefd uitzien tijdens de stafvergadering. Die interviews waren natuurlijk een ramp geweest en ik had een tijdje geleden gelezen dat Peter en jij niet meer bij elkaar waren. Je leek erg van streek en het leek me niet dat je al veel vrienden had in het Witte Huis, dus ik wilde kijken hoe het met je ging.'

Ze stopte met kauwen.

'Ik wilde net binnenlopen toen ik je je computer zag uitzetten en je telefoon ging, dus liep ik de gang in en heb wat rondjes door het OEOB gewandeld. Tijdens een van die rondjes hoorde ik je een gesprek beëindigen dus wilde ik aankloppen en zo kwam het dat ik net daar stond toen je de telefoon neersmeet.'

'Aha.'

'Ben je boos?'

'Nee.'

'Gelukkig.'

Ze stond op en liep naar hem toe in de keuken. 'Ik moet gaan,' zei ze.

Hij keek bezorgd.

Ze grijnsde.

'En niet omdat je me hebt gestalkt in het OEOB. Ik heb een belangrijke dag voor de boeg: of ik moet nieuwe kleren kopen of ik moet op zoek naar het washok in mijn gebouw om mijn vuile kleren te wassen.'

Hij lachte en liep met haar mee naar haar auto.

Toen ze wegreed van haar parkeerplek zag ze dat een stel buren van Craig buiten stond te praten met de krant in de hand. Het leek allemaal zo beschaafd. Ze deed haar raampje naar beneden en riep zijn naam. 'Bedankt voor gisteravond,' zei ze ondeugend, en luid genoeg zodat een paar van zijn buren het zouden kunnen horen.

Hij lachte. 'Peter Kramer is een sukkel dat hij jou met je magere kont heeft laten gaan,' zei hij. Nu strekten de buren hun hals uit om te zien wat er gebeurde.

Met haar hoofd in haar nek van het lachen, toeterde ze en reed langzaam weg. De hele weg naar huis had ze een glimlach op haar gezicht. Dale had iets gevonden wat in Washington nog zeldzamer was dan een betrouwbare enquêteur: een vriend.

30

Charlotte

In Korea ontwaakte Charlotte met een lamleggende bijholteontsteking. Het was pas de zesde dag van haar tiendaagse reis. Het voelde alsof ze midden in haar gezicht was geslagen met een bijl, en haar borstkas deed zeer bij elke ademhaling. De lucht in Mongolië was te smerig geweest om te inhaleren. Charlotte hees zich uit bed en bekeek haar schema van die dag. Ze zou een rondleiding krijgen bij een pasvoltooid monument ter nagedachtenis van de slachtoffers van de Noord-Koreaanse aanval op het eiland Yeonpyeong in 2010. Twee Koreaanse mariniers waren gedood en tientallen mensen waren gewond geraakt. Haar bezoek was bedoeld om Amerika's nieuwe, hardere aanpak van Noord-Korea kracht bij te zetten. Ze zou per helikopter reizen met een klein groepje persmensen dat de plechtige ceremonie zou filmen. Charlotte kreeg weer wat moed toen ze zag dat Tate Morris, de Witte Huis-verslaggever van CBS News met haar mee zou gaan. Hij had nergens ontzag voor, was grappig en slim, en hoewel hij zich nooit inhield als de camera's draaiden, had ze genoeg tijd met hem doorgebracht op internationale vluchten om te weten dat hij voor deze dag aangenaam gezelschap zou zijn.

Met haar uitgeschreven schema in de hand ging Charlotte weer in bed liggen en sloot haar ogen. De laatste keer dat ze zich zo rot had gevoeld bij het ontwaken, was tijdens de herverkiezingscampagne geweest bijna een jaar geleden. Ze reisde toen met Tara door Ohio. Melanie en Ralph zaten voor in de bus en vierden een stijging in de peilingen na afloop van een partijcongres. Eerst dacht ze nog dat ze gewoon uitgeput was van alle bijeenkomsten en toespraken, maar al snel werd duidelijk dat ze echt ziek was. De arts van het Witte Huis had haar zeshonderd milligram Motrin gegeven voor haar hoofdpijn en een sterk decongestivum. Ze had hete thee achterovergeslagen en gewacht tot ze zich beter zou gaan voelen. Na de eerste bijeenkomst van de dag was Melanie naar de achterkant van de bus komen lopen met het nieuws dat Charlottes wereld in deed storten. Roger Taylor, haar belangrijkste adviseur, had zichzelf doodgeschoten.

Officieel had Roger tijdens haar eerste termijn als minister van Defensie gediend, maar hij was veel meer geweest dan dat. Roger was haar beste vriend, haar intellectuele zielsverwant en haar trouwe metgezel. Toen hij zich van het leven beroofde, voelde Charlotte zich verantwoordelijk. Hij was in ongenade gevallen door een onderzoek naar zijn beslissing om in Afghanistan te wisselen van helikopter waar Charlotte en hij in reisden. De ruil had ervoor gezorgd dat de originele presidentiële helikopter zo lang op de plaats van landing was blijven staan dat hij werd aangevallen door rebellen. De helikopter was neergestort en de met Charlotte meereizende nieuwsploeg geraakt. Dale Smith, die een affaire had met Peter waarvan iedereen dacht dat Charlotte er niets van wist, was een van de bij het ongeval gewond geraakte journalisten.

Charlotte gaf niet vaak toe aan haar gevoelens van spijt en wroeging over de manier waarop haar regering het onderzoek naar Rogers acties in Afghanistan had afgehandeld, maar vanmorgen stond ze zich toe te zwelgen in zelfhaat. Ze had erbij staan kijken hoe hij uit de gratie raakte. Achteraf gezien had dat hem al het genadeschot gegeven voordat hij ook maar het pistool vastpakte en de trekker overhaalde. Ze ging met haar hand naar haar borst. Het deed pijn wanneer ze Roger uit haar put met pijnlijke herinneringen omhooghaalde. Charlotte miste hem de laatste tijd meer dan anders. Ze vroeg zich af wat hij zou zeggen over de huidige terreurdreiging. Haar mond vormde de aanzet van een glimlach toen ze terugdacht aan de manier waarop hij met zijn bulderstem en drukke handgebaren maar door kon gaan over de kleine terreurcellen. Ze wist precies wat hij zou zeggen over Youseff en zijn maatjes. 'Blaas ze op, Char. Speel het op de enige manier die zij begrijpen: gewelddadig.'

Ze sprong uit bed en liep langzaam naar de badkamer om te douchen. Charlotte was blij dat Melanie de dag ervoor was vertrokken, want ze begon genoeg te krijgen van Melanies zichtbare afkeuring van Tara. Ze had gedaan wat ze moest doen om ervoor te zorgen dat ze allemaal nog een baan hadden om op zeven november naar terug te keren. Het was niet onredelijk geweest van Charlotte om aan te nemen dat Tara de baan aankon; ze was nota bene een door de hele staat New York gekozen regeringsfunctionaris! Na een vlugge douche leunde ze op de wasbak terwijl ze haar lange blonde haar uitkamde. Haar team van kappers en visagisten zou zo komen. Ze was duizelig, maar ze wist niet of het kwam doordat ze zich niet fit voelde of door het beeld van Tara dat uit alle hoeken van haar regering opdook.

Op de heenvlucht had de CIA-agent die haar briefte opgenoemd dat de vicepresident al meer dan twee weken niet was komen opdagen bij haar ochtendbriefing. Nadat ze een aantal dagen op rij te laat was gekomen voor de briefings met betrekking tot geheime zaken, had de CIA-directeur zijn medewerker voor haar gerief naar de ambtswoning gestuurd. De vicepresident kwam ook niet opdagen voor die briefings, dus nu werden haar inlichtingenbriefings in memovorm getypt en bij haar assistente afgegeven. Een paar dagen voor de ramp tijdens de ochtendshow was Craig Thompson, het hoofd van de afdeling Wetgeving van het Witte Huis, blijven hangen na een beleidsvergadering in het Oval Office om Charlotte te vragen een discreet telefoontje te plegen naar de Democratische senator van New Jersey omdat Tara hem had aangezien voor de onafhankelijke senator van Connecticut. En na lang aansporen had Sam haar met tegenzin toevertrouwd dat Tara's assistente haar baas soms dagenlang niet zag. Sam zei dat Marcus meestal rond negen uur 's morgens belde om te laten weten of Tara zou komen of niet. En haar hoofd Politieke Zaken had een privégesprek aangevraagd om het sterk verminderde aantal verzoeken aan Tara om bij fundraisers of politieke evenementen te verschijnen te bespreken. Dit kwam allemaal nog boven op een bijna-opstand van de beleidsmensen die ziedend waren dat Tara nagenoeg al haar beleidsbriefings afzegde. Onafhankelijk van elkaar gezien waren sommige dingen begrijpelijk, maar alles bij elkaar waren de ontwikkelingen zorgwekkend.

Charlotte werkte met moeite wat toast weg dat was gebracht terwijl zij in de badkamer was en nam daarna een Motrin-pil van zeshonderd milligram. Ze trok een zwart broekpak aan en nam vluchtig de evenementenbriefing door terwijl haar make-up werd aangebracht. Ze sloot haar ogen en probeerde een paar minuten te rusten terwijl haar haar werd droog geföhnd.

Marine One stond niet ver van het hotel en eenmaal aan boord, begroette ze Tate en zijn cameraploeg hartelijk. Hij hield zijn hand voor zijn mond en weigerde haar hand te schudden. 'Ik wil u niet besmetten, ik heb kroep of zoiets achterlijks,' zei hij.

'Ik ook,' antwoordde Charlotte.

Ze instrueerde de Witte Huis-arts hem een lading van dezelfde pillen te geven die zij had gekregen. Vriendelijk gestemd, duurde het langer dan anders voordat Tate naar Tara vroeg. 'Mevrouw de president, ik moet het toch vragen. Even onofficieel, wat is er met de vicepresident aan de hand?'

'O Tate, kom op. Je weet toch nog wel hoe het was toen je pas net bij de omroep zat, of wat dan ook het equivalent is voor de enorme sprong die zij heeft gemaakt. Het Witte Huis is een plek waar geen enkele fout wordt getolereerd. Er is geen tijd voor een leercurve. Ze werd in het diepe gegooid en nu maakt ze al haar fouten in het volle zicht van jullie en het volk,' legde Charlotte uit.

'Ik kan begrijpen dat er dingen zijn die ze niet weet. Maar wat de mensen niet snappen, is volgens mij waarom je niet tegen haar zegt dat ze moet ophouden dingen af te zeggen, evenementen en openbare optredens en zo, de dingen die ze naar haar hand kan zetten. Dat zou al veel helpen om haar stabieler over te laten komen.'

'Dank je, Tate, ik zal het in gedachten houden.'

Hij glimlachte. 'Sorry. U krijgt vast al genoeg adviezen tegenwoordig.'

'En ik stel elk advies op prijs. Zenden jullie vanavond een item over de herdenkingsdienst uit?'

'Om eerlijk te zijn betwijfel ik het, maar ik ga mijn best ervoor doen. Hebt u onofficieel nog informatie over wat Noord-Korea uitspookt? Ze weten natuurlijk dat wij er vandaag zijn.'

'Ja, en ik heb een donkerbruin vermoeden dat ze er wel van genieten dat we de aandacht vestigen op wat zij teweeg hebben gebracht, maar toch is het goed om te doen.'

'Natuurlijk, mevrouw.'

Ze zwegen terwijl Marine One op het kleine eilandje landde. De ploeg ging als eerste van boord zodat ze Charlotte konden filmen. Ze dacht erover na om Ralph snel even te bellen en voor te stellen dat Tara zich aan een normaal schema hield in de nasleep van de interviews, maar een van de militaire medewerkers gaf haar het teken dat ze uit kon stappen. Ze haalde diep adem en glimlachte terwijl ze Marine One uitstapte en door de Koreaanse president werd begroet.

31
Tara

Tara was van plan geweest te wachten tot de president terug was van haar reis voordat ze met haar zou spreken, maar ze kon het niet langer uitstellen. Ze had de livebeelden van de president in Korea gezien en wist dat de publieke evenementen er voor die dag op zaten. Haar hand trilde licht toen ze de Situation Room vroeg haar met het hotel van de president door te verbinden. 'Sorry dat ik stoor, Charlotte. Ik hoop dat ik niet ongelegen bel.'

'Nee, hoor.'

'Hoe voel je je?'

'Al wat beter. Lief dat je het vraagt. Wat is er, Tara?'

'Ik heb een slecht voorgevoel over Youseff. De mensen die we in de gaten houden, communiceren niet, en dat deden ze juist non-stop. Als ze weten dat we meeluisteren, zouden ze evengoed communiceren. Een radiostilte is niets voor hen. Het voelt niet goed,' zei ze.

'Heb je de directeur gesproken?' vroeg Charlotte.

'Ja, zij weten ook niet wat ze ervan moeten denken, maar ik wilde je zelf vertellen dat ik denk dat er iets gaat gebeuren. Het is te stil.'

'Tara, je moet zorgen dat Ralph iedereen vraagt naar de Sit Room te komen zodat jullie als groep kunnen overleggen. Ik kan meteen weer aan de lijn komen, maar ik wil dat je via de NSC alles natrekt wat je wilt uitzoeken. De FBI kan ook mensen sturen. De NSA kan nog meer gesprekken analyseren. We kunnen toestemming vragen voor nog meer telefoontaps, maar je moet het team vertellen wat je denkt. Begrijp je dat?'

'Ja, natuurlijk. Dat zal ik doen.'

'Beloof je me dat je dat doet zodra je hebt opgehangen?'

'Ja,' beloofde Tara plechtig. Ze stond op en liep naar Ralphs kantoor. Ze deed de deur open en bleef in de deuropening staan. De aanwezige medewerkers vertrokken meteen.

'Mevrouw de vicepresident, waar dank ik dit genoegen aan?' vroeg hij terwijl hij opstond om haar te begroeten.

'Wat voor bespreking was dat?' vroeg Tara.

'O, onze vaste bespreking over de landbouwwet. We dreigen altijd met een veto over het wetsvoorstel, maar niemand spreekt er ooit echt zijn veto over uit, dus we bespraken of er niet een manier is om hem wat gunstiger te maken voor onze vrienden, maar ik–'

De kamer begon voor Tara's gevoel te draaien. Nee, smeekte ze zichzelf, niet nu. Ze herstelde zich en ging op de stoel bij Ralphs bureau zitten. 'Ralph, ik heb net met de president gesproken.'

'Nu net? Hoe? Heb je haar gebeld?'

'Ik ben nog steeds in staat een telefoon op te pakken, hoor,' beet ze hem toe.

'Zo bedoelde ik het niet. Natuurlijk kun je de president bellen wanneer je wilt. Hoe voelt ze zich?'

'Ze maakt zich zorgen. En ik ook. Youseff gedraagt zich niet volgens het vaste patroon. Ik denk dat er iets gaat gebeuren en het beangstigt me dat de chef-staf van het Witte Huis dan een landbouwvergadering heeft.'

Zijn gezicht werd rood en hij perste zijn lippen op elkaar. 'Tara,' zei hij met op elkaar geklemde kaken. Hij probeerde haar te intimideren, maar Ralph deed haar niets. Ze was getrouwd met de engste man die ze kende.

Tara stond op en keek op hem neer. 'Jij denkt dat omdat ik die interviews heb verknald, je me als een domme en onbelangrijke lastpost kunt behandelen, maar van nu af aan gaan we het anders doen, Ralph.'

Ralph was ervaren genoeg om te weten hoe hij een brandje moest blussen. Hij veranderde van tactiek. 'Mevrouw de vicepresident,' vleide hij, 'ik begrijp dat dit een terrein is waar je veel vanaf weet en ik stel je input zeer op prijs – wij allemaal – maar de FBI zit al maanden achter die kerels aan. We zitten er zo veel mogelijk bovenop. En zoals je weet, loopt dit soort dreigingen godzijdank meestal op niets uit.'

Ze keek hem boos aan. Op dat moment haatte ze hem meer dan ze Marcus ooit gehaat had. Marcus sprak haar tenminste nooit tegen op het enige terrein waarin ze gespecialiseerd was. 'Ik heb tegen de president gezegd dat ik dacht dat er iets stond te gebeuren,' zei ze.

Hierop verdween Ralphs zelfbeheersing als sneeuw voor de zon. Hij sloeg met zijn vuist op zijn bureau. 'Verdomme. Dat doe je gewoon niet, Tara! We zeggen het nooit tegen de president, ook al weten we dat er iets gaat gebeuren. Hoe kan ze nu vragen beantwoorden over wat ze wist en wanneer?'

Tara staarde verward terug. Daar had ze niet aan gedacht.

'Want stel dat je gelijk hebt en er iets gebeurt, hoe kunnen we dan de vragen beantwoorden over wat de president op dit moment in godsnaam in Mongolië deed?'

'Ze zit nu in Korea,' corrigeerde Tara hem.

'Dat maakt geen ruk uit!' schreeuwde hij.

'Het spijt me. Ik deed wat me juist leek.'

Hij ademde zwaar. Ze richtte haar blik op zijn borstkas, die snel op en neer bewoog. 'Tara, sorry dat ik zo uit mijn slof schiet. Het komt niet door jou. Er is gewoon zoveel gaande. Als je me een halfuur geeft, regel ik een vergadering in de Sit Room,' zei Ralph. Hij ijsbeerde nu achter zijn bureau.

'Dank je,' zei Tara. Ze dwong zichzelf hem nog een laatste keer aan te kijken voordat ze Ralphs kantoor uit liep, terug naar het hare.

32
Dale

Leunend tegen de muur van het restaurant dronken Dale en Craig uit grote bekers koffie. Ze keken toe hoe een van de kelners de schaal met M&M's bijvulde. 'Wist je dat daar meer bacillen op zitten dan op een wc-deur?' merkte Craig op.

'Wat walgelijk. Ik eet er elke dag van.'

'Dat kun je beter niet doen. Ga vanavond met me mee naar Capital Grille,' zei hij.

'Het is maandag.'

'Drink je niet op maandag?'

'Het is halfnegen in de ochtend.'

'Wat heeft dat er nou mee te maken?'

'Moet ik niet thuis groenten staan snijden voor mijn gezonde salade?' plaagde ze.

'Ik zal een extra olijf in je drankje doen. Heb je je vitaminen voor vandaag ook weer binnen,' was zijn repliek.

Ze lachte. 'Oké.'

'O shit, ik moet gaan,' zei Craig toen hij op zijn BlackBerry keek. 'Ze hebben op het kantoor van de Voorzitter van het Huis van Afgevaardigden zojuist gehoord dat het dreigingsniveau wordt opgeschroefd. Weet jij daar iets van?'

'Nee, maar de vicepresident heeft vandaag uitgekozen om vóór het middaguur op haar werk te verschijnen, dus ik moet ook terug naar mijn bureau om erachter te komen welke briljante opdrachten ik krijg. Ik zal je mailen als ik iets hoor.'

'Dank je. Ik jou ook.' Craig liep de kelder van de westvleugel uit en stapte in een auto die hem naar het Capitool zou brengen.

Toen Dale zag hoe een paar van de jonge vrouwelijke medewerkers hem nakeken, glimlachte ze bij zichzelf. Soms was ze wel bang dat ze te veel informatie over de vicepresident met Craig deelde, maar het was fijn iemand te hebben om de waanzin van haar baan mee te kunnen bespreken. Peter had kletsen over werk nooit zo interessant gevonden. Het was leuk om een werkechtgenoot te hebben. Bovendien bracht Craig tegenwoordig meer tijd met de president door dan andere hoge stafleden. Hij moest wel discreet en betrouwbaar zijn als hij haar vertrouwen verdiende.

Ze bestelde een verse kop koffie en liep over de oprit naar haar kantoor. Eenmaal binnen zette ze de tv aan en hoorde geruststellend nietszeggend geklets. Er kon niets onheilspellends onderweg zijn als de presentatoren discussieerden over de vraag of de president meer of minder met haar werk bezig was nu ze een alleenstaande moeder was. Ze besloot eindelijk Annie McKay terug te bellen. Annie vertelde dat minister Kingston een aantal hoge vrouwelijke regeringsfunctionarissen uitnodigde voor een serie lunchdiscussies. Ze wilde Dale er ook bij hebben. Het was een merkwaardige uitnodiging, maar Dale stemde in met de eerste datum die Annie voorstelde. Ze zette net de lunch in haar agenda toen het toestel op haar bureau overging. Ze dacht erover na hem op de voicemail te laten springen omdat het meestal Michael Robbins was, maar het nummer leek op een van de nummers van de Situation Room. Met tegenzin pakte Dale toch na vijf keer overgaan op. 'Hallo?'

'Dale, kom onmiddellijk naar de Sit Room.' Het was Ralph en hij klonk niet blij.

'Wat is er?'

'Deze keer is het echt top secret.'

33
Charlotte

'Allemaal bedankt dat jullie zo snel konden komen. Tara, ga je gang, praat ons bij. Wat weten we?' zei Charlotte over de beveiligde conference call-verbinding die aan boord van Air Force One was opgezet. Het vliegtuig was beter beveiligd dan Charlottes hotelkamer, dus waren ze naar het vliegveld gegaan om te kunnen deelnemen aan de vergadering. Naast haar zaten de minister van Buitenlandse Zaken en de Nationaal Veiligheidsadviseur.

'Mevrouw de president, ik heb de directeur van de FAA, het bureau van de luchtvaartautoriteiten, ook gevraagd aanwezig te zijn en ik zal hem zo het woord geven. Ik wil directeur Dorfman van de CIA eerst vragen te spreken. Directeur?'

'Mevrouw de president, de vicepresident is er sinds onze eerste bespreking een paar dagen geleden van overtuigd geraakt dat we een puzzelstuk missen. We hebben naar Youseff en al zijn bij ons bekende bondgenoten in de VS gekeken. Onze reden tot zorg, zoals we al hebben besproken, was dat hij helemaal uit beeld was verdwenen, of dat dachten we tenminste. We hadden ons niet met zijn vrouw en kinderen beziggehouden omdat we dachten dat ze naar Jemen waren gestuurd zodat hij zich op zijn inspanningen hier in de vs kon richten. Nou, we hebben toch maar weer eens naar de familie gekeken en met de Jemenitische regering samengewerkt om toestemming te verkrijgen hun telefoonlijnen af te tappen en wat andere zaken door te lichten. Ik zal het kort houden: we zijn erachter gekomen dat Youseffs kinderen eigenlijk zijn neefjes zijn. Hij brengt ze groot als zijn eigen kinderen met de belofte dat ze samen hun vaders – Youseffs broers – gevangenneming zullen wreken.'

'Achteraf gezien is dat helemaal niet verrassend,' zei Tara.

Een aantal andere aanwezigen knikte.

'Hoe staat het er nu voor? Weten we waar hij is?' vroeg Charlotte.

'Dat is het slechte nieuws. Het antwoord daarop is nee. Maar we hebben tenminste nieuwe inlichtingen om op te volgen en live-gesprekken in Jemen om af te luisteren,' antwoordde Dorfman.

'En wat is het goede nieuws?' vroeg Melanie.

'Het goede nieuws is dat de neefjes een paar dagen geleden uit Jemen zijn vertrokken en waarschijnlijk op het punt staan te proberen de vs binnen te komen.'

'Waarom is dat goed nieuws?' Konden de Jemenieten ze niet voor ons aanhouden?' protesteerde Melanie.

'Zoals je weet, had dat gekund, maar het bureau raadde aan dat niet te doen. Youseffs neefjes gaan behoedzaam te werk. Ze hebben geen specifieke plot besproken en ze onthullen nooit hun locatie. Het zou onmogelijk zijn geweest ze vast te houden. Maar maakt u zich geen zorgen, alle luchthavens in de vs zijn op hun hoede, net als de binnenlandse veiligheidsdienst.'

'Dus als ik het goed heb, ontdekken we dat Youseffs kinderen eigenlijk de kinderen van zijn broer de terrorist zijn en luisteren we genoeg gesprekken af om te weten dat ze wraak willen nemen vanwege hun vaders gevangenneming, maar denken we niet dat we genoeg hebben om de Jemenieten te vragen ze aan te houden?' protesteerde Melanie weer.

'Melanie, je weet dat de Jemenieten ze in de kraag zouden hebben gevat als we dat hadden gevraagd, maar dan zouden ze uiteindelijk weer zijn vrijgelaten en vervolgens zijn verdwenen. Als we ze hier inrekenen, sturen we ze naar Gitmo en gooien de sleutel weg als we vaststellen dat ze illegale strijders zijn,' zei de staatssecretaris van Defensie.

Melanie leek nog steeds niet tevreden, en de CIA-directeur keek ongemakkelijk bij de verwijzing naar Guantanamo Bay. Hij draaide zich om naar het scherm en richtte zich tot de president. 'We vinden ze wel,' beloofde hij.

'Daar heb ik alle vertrouwen in,' zei ze.

'Mevrouw, zullen we de procedure doornemen zodat u weet wat iedereen doet? We denken dat een aanslag zeer waarschijnlijk zal samenvallen met de aankomst van Youseffs neefjes op Amerikaanse bodem,' stelde de FBI-directeur voor.

Charlotte wreef met haar duimen over haar slapen en overwoog nog een Motrin te nemen. Ze keek naar de gezichten in de Situation Room. Ze staarden haar allemaal aan, wachtend tot ze iets zou zeggen of doen. Ze vroeg zich af wat ze zouden doen als ze daar gewoon bleef zitten zonder iets te zeggen.

Voordat ze daarachter kon komen, kwam Melanie met een waslijst aan vragen. 'Voordat we dat doen, wil ik graag weten of de luchtvaartmaatschappijen op de hoogte zijn,' begon ze.

'Daar is de FAA nu mee bezig,' antwoordde Ralph.

'Hebben we de ordehandhavers ingelicht over de mogelijke verandering van het dreigingsniveau?'

'Melanie, we wilden wachten tot we een consensus hadden over de aanbeveling het dreigingsniveau te verhogen, maar ze ontvangen regelmatige bulletins van het ministerie van Binnenlandse Veiligheid over de dreiging,' zei Ralph.

Melanie knikte.

'Sorry, maar hadden we dan al besloten het dreigingsniveau te verhogen? Was dat niet het doel van deze bespreking?' vroeg Charlotte. 'En waarom zouden we aannemen dat ze weer vliegtuigen zullen gebruiken? Ik wil graag weten wat Tara's gedachten hierover zijn.'

'Ik denk niet dat het weer vliegtuigen zullen zijn. Niet omdat het niet mogelijk is, want we weten allemaal wel beter, maar dat is niet hoe Youseff te werk gaat. Hij is een vernieuwer, en dit is een familieaangelegenheid. Ik denk dat ze iets nieuws zullen proberen,' zei Tara.

'Zoals?' vroeg Melanie.

'Ten eerste zal hij waarschijnlijk een onbeveiligd doelwit kiezen omdat dat minder gedoe is en evenveel psychologische schade veroorzaakt, misschien zelfs meer. Het kan een zelfmoordaanslag zijn of een chemische aanslag, of misschien gewoon een massale schietpartij.'

De groep zweeg weer.

'Moeten we een rondje maken voor de beslissing om het dreigingsniveau te verhogen?' vroeg Charlotte. Een voor een vroeg ze alle aanwezigen om hun mening. Iedereen was vóór de verhoging. 'We breken natuurlijk onze reis af om zo snel mogelijk terug te kunnen zijn. Wat gokken we qua timing?' vroeg ze daarna.

'Met het vertrek van de neefjes uit Jemen en elf september voor de deur, denk ik dat we moeten aannemen dat er iets ophanden is of elk moment kan gebeuren,' antwoordde de CIA-baas.

'Oké,' zei Charlotte. 'Ik vind het maar niks dat ik nu aan de andere kant van de wereld zit. We vertrekken na afloop van deze bespreking rechtstreeks naar huis.' Normaal gesproken zou iemand van haar nationaal veiligheidsteam haar afraden iets te doen wat diplomatieke irritatie zou kunnen opwekken, maar niemand zei iets.

'Mag ik even advocaat van de duivel spelen?' vroeg Melanie.

'Natuurlijk, minister Kingston,' antwoordde de directeur van de CIA.

'Is het ook mogelijk dat er helemaal niets staat te gebeuren? Dat het allemaal loos alarm is?' vroeg ze.

'Dat is altijd mogelijk, Melanie. Maar naar mijn mening is dat op dit moment het minst waarschijnlijke scenario,' zei de directeur.

Charlotte hield haar blik strak op de camera gericht die haar in de Situation Room projecteerde terwijl ze nog een Motrin-pil uit haar zak pakte. 'Melanie heeft wel een punt, maar laten we allemaal handelen alsof er een aanslag te verwachten valt. Tara, Ralph zal het evacuatieplan van je gezin met je doornemen. Ralph, ik bel zo direct Peter en de kinderen om ze te laten weten dat we elk moment tot actie kunnen overgaan. Jullie moeten allemaal je gezin ergens onderbrengen waar je je niet meer zorgen om ze hoeft te maken dan nodig is en waar je ze makkelijk kunt bereiken. Over een paar uur spreken we jullie weer vanuit de lucht. Hou je hoofd erbij en doe gewoon je werk, mensen. Daarvoor zijn jullie hier. Ik geloof in jullie allemaal. Heeft er nog iemand vragen?'

Het bleef stil. De ernst van de situatie drong langzaam door.

'Bedankt allemaal. We spreken jullie zo weer,' zei Charlotte.

34
Tara

Nadat Charlotte had opgehangen bleef er een klein groepje achter in de Situation Room. Tara ging zo op in de discussies dat ze eerst niet doorhad dat Melanie vanaf de andere kant van de tafel naar haar zat te kijken. 'Minister Kingston, is er iets?' vroeg ze uiteindelijk.

Melanie schraapte haar keel en stond vlug op. 'Ik zat gewoon te luisteren naar wat jullie allemaal zeggen en vroeg me af of die vent het type is dat meer genoegen haalt uit al dit gedoe dan uit massamoord,' zei ze, gebarend naar de medewerkers die over hun computerscherm waren gebogen en de stapels geheime documenten op de tafel. Ze staarde Tara een eeuwigheid, of zo voelde het in elk geval, aan en draaide zich toen om om weg te gaan.

'Minister?' riep Tara haar na.

Melanie draaide zich met een hand op de deur om.

'Fifty-fifty,' zei Tara.

'Wat?'

'Er is vijftig procent kans dat dit alles hem meer opwindt dan een heuse aanslag,' zei Tara.

Melanie knikte. Ze wisten allebei dat het operationeel gezien niets veranderde, maar Tara vermoedde dat ze zojuist voor een belangrijke test was geslaagd.

Melanie knikte onderweg naar buiten naar de CIA-directeur. 'Tot bij de tankbriefing,' zei ze.

Tara had geen briefing op het Pentagon op haar schema gezien, maar alles veranderde met de minuut. Ze rondde haar gesprek met de leden van de inlichtingendienst af en ging terug naar haar kantoor. Dale liep een paar stappen achter haar toen ze de trap naar het hoofdgedeelte van de westvleugel op ging. Tijdens de bespreking had Tara achteromgekeken naar de rij met personeel achter haar en gezien dat Dale alles leek op te schrijven wat iedereen zei. Ze had niets gezegd sinds ze de Situation Room verlaten hadden. 'Wat denk je?' vroeg Tara nu. Ze was buiten adem.

'Ik snap niet zo goed wat minister Kingston wilde,' zei Dale.

'Ze wil zeker weten dat we de president niet blootstellen aan beschuldigingen van een overdreven reactie of het gebruiken van de gedenkdag van elf september om de steun voor de missies in Irak en Afghanistan te hernieuwen,' zei Tara.

'Zal ik mijn aantekeningen van de bespreking uittypen? Of zal ik wat gesprekspunten voor je opstellen voor later?' opperde Dale.

'Laat nog maar even zitten. Je telefoontjes stapelen zich vast op. Bel je perscontacten en laat me weten wat je hoort. Als het nieuws eenmaal bekend wordt, moeten we kunnen bevestigen welke besprekingen en briefings ik heb bijgewoond. Daar heb je goede aantekeningen over, toch?'

'Jawel,' antwoordde Dale.

'Fijn. Als ik eenmaal weet of ik bij de Pentagon-briefing aanwezig zal zijn, kunnen we die ook aan de lijst toevoegen,' zei Tara.

Dale knikte en ging naar haar kantoor.

Tara sloot de deur van haar eigen kantoor, ging aan haar bureau zitten en belde Marcus.

'Hoe gaat het?' vroeg hij.

'Prima,' fluisterde ze.

'Echt?' Marcus fluisterde ook, ook al was hij alleen thuis.

'Ja, echt. Ik voel me goed. Zo goed heb ik me in al die tijd dat we hier zijn nog niet gevoeld,' hield Tara vol.

'Dat is fijn. Misschien is dit het begin van betere tijden. Ik blijf in de buurt van het huis. Bel me als je iets nodig hebt.'

'Doe ik.'

'Je kunt het, Tara. Van dit soort zaken weet jij meer af dan alle anderen daar,' zei hij.

Het was het aardigste wat hij tegen haar had gezegd sinds ze in Washington waren komen wonen. Ze voelde een plotselinge genegenheid voor hem terwijl ze ophing. Ze stond op om de gang door te lopen naar Ralphs kantoor en erachter te komen wanneer die Pentagon-bespreking plaats zou vinden en ervoor te zorgen dat ze erbij aan kon schuiven. Tara was bang dat als Melanie over de uitnodigingen ging, ze niet op de lijst stond. Ze vroeg zich af of ze Ralph moest influisteren dat Melanie haar in de besprekingen ondermijnde. Ralph had in het verleden wel vaker met Melanie in de clinch gelegen. Tara dacht dat Ralph nooit Melanies kant zou kiezen bij een geschil, maar ze wilde het zeker weten. Ze wist dat ze nu de kans had om, tenminste intern, haar imago te veranderen door haar Witte Huis-collega's te laten zien dat ze niet helemaal achterlijk was. Dat ging ze niet verpesten.

Ze stormde zonder te kloppen Ralphs kantoor binnen. 'Ralph, vond je dat Melanies manier van vragen stellen gepast was voor zo'n soort bespreking?'

Het scheen hem niet te verbazen dat ze in zijn kantoor stond, maar hij leek haar vraag wel te overpeinzen voordat hij antwoord gaf. 'Typisch iets voor Melanie,' zei hij uiteindelijk.

'Ik vind het van belang dat de president het voordeel heeft van meerdere perspectieven, maar ik denk dat een aantal leden van het nationaal veiligheidsteam geïntimideerd is door haar dominante toon. Ik weet niet of dit het soort feedback is waar de president jou naar zou vragen, maar ik wilde het toch gezegd hebben.'

'Ja, natuurlijk. Ik zal het aan haar doorgeven, bedankt.'

Tara glimlachte bij zichzelf toen ze terugliep naar haar kantoor. Ze wist zeker dat Melanie de president het afgelopen halfjaar van een constante stroom van kritiek over haar prestaties had voorzien. Het voelde goed haar eens een koekje van eigen deeg te geven.

Tijdens de campagne had Tara wanhopig Melanies goedkeuring gezocht, maar hoe harder ze haar best deed, hoe meer Melanie zich van haar leek te distantiëren. Marcus vond Melanie maar een bitch. Hij had haar een typische Washingtonse oude vrijster genoemd die al zo lang met haar werk getrouwd was dat ze een hekel had aan vrouwen die een echtgenoot en kinderen hadden en iets wat op een leven buiten het werk leek. Tara vermoedde dat er meer achter Melanies afkeuring zat dan dat, maar op het moment was ze erg ingenomen met zichzelf. Ze had het voor elkaar gekregen uitgenodigd te worden voor de vergadering, en ze had Melanie een hak gezet. Niet slecht, dacht ze bij zichzelf, helemaal niet slecht.

35
Dale

Dale kon niet bedenken wat verontrustender was: een terreurdreiging die zo serieus was dat de president ervoor naar huis kwam, of het feit dat haar baas de leiding had over de reactie erop van de regering. Ze probeerde Craig op zijn mobiele telefoon te bellen maar die ging rechtstreeks naar de voicemail. Dale herinnerde zich ineens dat iemand in de Situation Room opnoemde dat de Commissies voor de Nationale Veiligheid onmiddellijk gebrieft zouden worden. Craig was daar waarschijnlijk bij. Ze keek door een van de ramen van haar kantoor naar een tuinman die het bloemperk voor de hoofdingang van de westvleugel bijwerkte. Ze voelde haar angst aanzwellen. Een paar verslaggevers hingen rond op de oprit voor de westvleugel waar ze altijd hun informele 'surveillance' hielden. De pers werd onkundig gelaten van de aard en ernst van de dreiging, maar ze waren niet gek. En het zou niet lang duren voordat het Capitool zou gaan lekken.

Dale wist dat ze gebruik moest maken van dit kleine beetje vrije tijd dat was ontstaan, maar ze kon zich niet concentreren. Haar gedachten schoten alle kanten op. Ze had in de Situation Room geen officiële opdracht ontvangen. Ze ging ervan uit dat men verwachtte dat iemand een tijdslijn van de gebeurtenissen van die dag vastlegde. Ze zou er klaar voor zijn. Alles wat iedereen had gezegd in elke vergadering die ze de afgelopen vierentwintig uur had bijgewoond, stond nauwkeurig beschreven in haar notitieblok. Ze had precies bijgehouden wie bij welke bespreking was en wie verantwoordelijk zou zijn voor de follow-up. Haar aantekeningen waren gemaakt met het oog op het soort vragen dat ze gesteld zou hebben in haar tijd als verslaggeefster, vaak met in de kantlijn haar eigen vragen. Bladerend door haar aantekeningen, zag ze dat ze Melanies vraag had omcirkeld, over of Youseff meer zou genieten van de wetenschap dat hij het hele Witte Huis in rep en roer had gebracht dan van het plegen van een daadwerkelijke aanslag. In de kantlijn had ze geschreven: het kan zijn dat hij met ons zit te fucken. Ze begon het door te krassen, maar besloot het toch te laten staan, in elk geval tot het einde van de dag.

Buiten op de gang hoorde Dale een groepje medewerkers praten en lachen. De grote meerderheid van de Witte Huis-medewerkers was zich totaal onbewust dat een gek zijn oude kliek weer bij elkaar bracht om af te maken waar zijn broer en vrienden vijftien jaar daarvoor aan waren begonnen. Ze keek even op haar BlackBerry en had medelijden met haar voormalige collega's van de pers. Dale wist precies wat voor soort wending hun dag zou krijgen. Ze wilde dolgraag met iemand praten, dus probeerde ze Craig nog een keer. Toen die niet opnam, belde ze Ralphs kantoor.

'Hij zit in het restaurant, moet ik een briefje voor hem neerleggen?' vroeg zijn assistente.

'Nee, het is niet dringend,' antwoordde ze. Dale keek nog een paar minuten naar de tuinman. Hij zat nu op handen en knieën met een spuitfles en een doek. Het leek wel alsof hij de blaadjes waste. Ze belde Peters mobiele nummer. 'Hoi,' zei ze toen hij na één keer overgaan opnam.

'Is er wat voor je geregeld?' vroeg hij.

'Ja. Ik ben de hele dag met Tara in de Sit Room geweest. Wat een nachtmerrie, hè?'

'Ik ben blij dat je daar bent,' zei hij.

'Ik begin te geloven dat het maar beter is om niets te weten.'

'Volgens mij is er nooit een tijd geweest dat jij niets wist,' zei hij.

'Dat klopt. Ben je bij de kinderen?'

'Ik ben ze nu aan het oppikken,' zei hij.

Ze zuchtte. 'Niet te geloven dat dit echt gebeurt.'

'Blijf bij Tara in de buurt. Wijk niet van haar zij. Tijdens een crisis als deze is er altijd een communicatiemedewerker aanwezig, dus dat zit wel snor. Als ze geëvacueerd wordt, ga dan met haar mee.'

'Peter, ik weet niet of ze dit aankan.'

Hij was stil.

'Peter?'

'Je moet met Charlotte gaan praten zodra ze terug is.'

'O ja, natuurlijk, goed idee. Ze belandt straks in een Witte Huis dat bedacht is op een terreuraanslag. Dan wil ze vast even gezellig met mij over de vicepresident kletsen,' zei Dale. Haar toon was spottender dan ze bedoeld had.

'Wat wil je dat ik zeg, Dale?' zei hij, en hij klonk geïrriteerd.

'Ik wist niet dat ik je huwelijkse trouw in gevaar zou brengen door mijn hart bij je te luchten.' Ze hoorde hoe Peter diep ademhaalde.

'Dale, als je echt inzit over Tara's bekwaamheid, moet je met Charlotte gaan praten zodra ze landt. Als jij niets tegen haar zegt, doe ik het,' waarschuwde hij. Het was de eerste keer dat hij dreigde iets te onthullen wat Dale hem had toevertrouwd.

'Ik had niets moeten zeggen,' zei ze.

'De kinderen zijn er, ik moet ophangen. Pas goed op jezelf.' Hij hing op zonder gedag te zeggen.

Dale probeerde zich te herinneren wanneer hij háár voor het laatst had gebeld maar kon sinds ze uit elkaar waren gegaan geen enkele keer bedenken. Ze printte haar telefoon-log uit en schreef een paar aantekeningen op haar notitieblok als leidraad voor haar officiële verklaringen over de besprekingen. Het plan was dat zodra na de briefing in het Capitool de eerste telefoontjes van de pers binnenkwamen, de voorlichtingsdienst zou bevestigen dat de president haar reis had afgebroken en onderweg was naar Washington. Dale keek op naar haar televisies en zag dat CNN 'breaking news' aankondigde. Ze pakte haar vaste toestel op en bereidde zich voor op het voorlezen van het vergaderschema van de vicepresident met betrekking tot de dreiging.

Terwijl ze de Witte Huis-verslaggever van NBC in de wacht had, las ze een sms van Craig. 'Zwak rol v. vice af. Men vraagt wie op winkel past b. afw. POTUS. Zeg POTUS regelm. contact m. veiligh.team. De interv. nog scherp op netvlies.'

'Shit,' mompelde Dale.

'Dat hoorde ik,' zei haar assistent. Hij was in de deuropening verschenen. 'Je moet om halfeen op het zuidgazon de aankomst van de president verzorgen,' kondigde hij aan.

'Grapje, toch?'

'Nee. De voorlichtingsdienst belde en zei dat aangezien jij de hoogste communicatiemedewerker bent die niet met de president meereist, jij tot actieleider voor de aankomst bent aangewezen. O, en ze zeiden nog dat ze je zouden helpen met alles wat binnen hun vermogen lag.'

'Zoals het verzorgen van de aankomst van de president?'

'Behalve dat, blijkbaar.'

'Fijn,' zuchtte ze. Tot actieleider aangewezen worden moest zogenaamd autoriteit verlenen, maar meestal betekende het gewoon dat iemand anders zich voor de opdracht had gedrukt.

'Kan ik iets doen om te helpen?' vroeg hij.

'Dat weet ik nog niet. Wil je met me meelopen naar de voorlichtingsdienst om erachter te komen wat zo'n aankomst precies inhoudt?'

'Zekers!' riep hij uit. Hij was een tikkie te enthousiast voor Dale's humeur.

36
Charlotte

De Motrin en koffie begonnen eindelijk te werken en Charlotte werd weer een beetje zichzelf. Na het afronden van telefoongesprekken met een aantal bondgenoten, vroeg ze om een update van de inlichtingen. Ze kon maar moeilijk begrijpen hoe de inlichtingendiensten Youseff in de weken voor elf september uit het oog hadden kunnen verliezen. De president maakte zich het hele jaar al zorgen over de tragische mijlpaal. Ze belde haar persoonlijke steward en vroeg hoe lang het nog zou duren voordat ze op Andrews landden.

'We vliegen nu om wat slecht weer heen, mevrouw. Zodra we weer op koers zijn, duurt het nog zo'n zeven uur,' werd haar verteld.

'Bedankt,' antwoordde ze.

Charlotte stond op en begon te ijsberen in haar cabine. Ze was woedend op zichzelf dat ze naar Azië was gegaan. Ze had nooit eerder ingestemd met een internationale reis rond deze tijd van het jaar. Er broeide altijd wel iets. Het was een schrale troost, maar Tara had erg scherp geleken tijdens hun gesprekken, en de beraadslagingen een groter gevoel van urgentie bezorgd. Haar schrandere kijk op Youseff was zelfs de reden dat Charlotte nu op weg naar huis was. Ze liep weer naar haar bureau en ging zitten, pakte de telefoon op en vroeg de telefonist van Air Force One haar met Peter door te verbinden. Ze wilde zich ervan verzekeren dat de kinderen niet te zeer geschrokken waren van het nieuws. Penelope reageerde de laatste tijd bijzonder slecht wanneer een aspect van Charlottes baan haar leven in de weg zat. En ze maakte constant duidelijk dat dat leven volstrekt gescheiden was van dat van haar moeder. Charlotte prentte zich in wat tijd vrij te maken om iets alleen met haar dochter te doen als alles weer rustig was.

'Charlotte?'

'Hai, ik wilde even weten of de kinderen boos zijn dat ze hun plannen moesten wijzigen.'

'Niet meer dan anders.' Peter klonk kalm. Op de achtergrond hoorde ze de tweeling luidruchtig kletsen. Hij deed het zo makkelijk lijken.

'Bedankt hiervoor. Gaan jullie naar L.A.?'

'Dat weet ik nog niet. Wat denk jij? Ik wist niet precies hoe ver weg ik met ze moest gaan.'

Haar handen gingen naar haar borstkas. Ze voelde hem aanspannen met het intense verlangen hen allemaal te beschermen.

'Char?' vroeg hij.

'Ik ben er nog. Ik denk dat jullie naar San Francisco moeten gaan. Daar gebeurt nooit iets, behalve aardbevingen dan.' Ze probeerde lichthartig te klinken.

Peter lachte niet. 'Je klinkt bezorgd, Charlotte,' zei hij.

'Dat ben ik wel een beetje, ja,' gaf ze toe.

'Maak je je zorgen over de dreiging of is er iets anders?' vroeg Peter.

'Is de dreiging niet genoeg dan?' Ze slaagde er niet in de spanning die ze voelde uit haar stem te houden.

'Is het Tara?'

Ze zuchtte luidruchtig.

'Char, ik denk dat Dale en jij eens met elkaar moeten praten.'

Apart. Ze had er geen problemen mee om Peter naar Dale te vragen, maar als ze hem haar naam hoorde uitspreken, raakte dat haar nog steeds. Ze zei een paar seconden niets. Peter was de meest verstandige mens die ze kende en als hij wilde dat ze met Dale van gedachten zou wisselen, was dat waarschijnlijk een goed idee.

'Char?'

'Peter, blijf je alsjeblieft uit de buurt van de bruggen als je met ze naar San Francisco gaat?' vroeg ze.

'Maak je maar geen zorgen.'

'Ik maak me al minder zorgen nu ik weet dat jullie bij elkaar zijn. Mag ik ze even aan de lijn?'

Ze sprak een paar minuten met Harry en net toen hij de telefoon aan Penelope doorgaf, kwam haar nationale veiligheidsadviseur onaangekondigd binnenlopen.

'Mevrouw de president?'

'Kan het niet wachten?' vroeg ze met haar hand op het spraakgedeelte.

'Dat denk ik niet,' zei hij.

'Penny, ik bel je straks terug,' zei ze in de telefoon. 'Sorry, lieverd.'

'Wat is er?' vroeg Charlotte. Ze was geïrriteerd.

'Melanie wilde dat we u onderbraken en haar meteen doorverbonden.'

Charlotte knikte ter toestemming.

'Ik ben bang dat we te drastisch doen,' zei Melanie zonder enige inleiding.

'Hoe bedoel je precies?' vroeg Charlotte.

'Het Witte Huis wordt op maandag voor schut gezet door de rampzalige interviews van de vicepresident en op vrijdag is ze jouw belangrijkste adviseur bij een dreigende aanslag. Zelfs al zou het allemaal waar zijn, dan nog riekt het.'

'Wat stel je dan voor dat ik doe?'

'Volgens mij moeten we niet zo'n publieke show maken van het versterken van onze verdediging in antwoord op de terreurdreiging.'

'Als er iets gebeurt en ze vallen ons aan omdat we geen beschermende positie hebben ingenomen, zeggen we "sorry mensen, we waren bang dat de media ons voor liegbeesten zouden uitmaken"?'

'Dat zeg ik niet. Ik zeg alleen maar dat we moeten overwegen de hoeveelheid beelden te beperken van Tara die de Joint Terrorism Task Force en het ministerie van Justitie in en uit loopt, en de oneindige updates over jouw locatie en aankomsttijd. Het voelt zo gekunsteld aan.'

Nu was Charlotte boos. 'Melanie, het was handig geweest als je deze dingen tijdens de bespreking had gezegd, toen ik er nog iets mee kon.'

'Sorry. Ik zit hier naar de berichtgeving te kijken en het zette me aan het denken. Ik vond dat ik het je moest zeggen. Het is slechts een kwestie van tijd voordat het Congres je van een afleidingsmanoeuvre zal beschuldigen.'

Charlotte kneep haar ogen dicht en hield haar hand voor haar mond.

'Charlotte?'

'Ik ben er nog.'

'Wat wil je dat ik doe?'

'Hou contact met Ralph totdat ik terug ben.'

'Doe ik.'

'Dank je, Mel. Kijk of hij mijn aankomst wat kan afzwakken.'

'Ik zal hem meteen bellen,' beloofde Melanie.

'Fijn. Bedankt.'

Charlotte hing op en staarde door het raampje in de duisternis.

Ze dacht aan de laatste keer dat Roger en zij samen in haar cabine aan boord van Air Force One waren. Hoe hij erop had aangedrongen dat ze nooit haar gedrag zou laten beïnvloeden door de vijand. 'Zodra je dat doet, winnen ze,' had hij gezegd. Ze dacht aan zijn brief en wilde dat hij er nog was om haar raad te geven en haar bij te staan in de strijd waarvan ze wist dat die in het verschiet lag.

37
Tara

Tara tilde haar hoofd op en veegde de kruimels van haar blouse. Ze lag op de bank in haar kantoor te wachten tot Air Force One op luchtmachtbasis Andrews zou landen. Heel veel omroepen toonden al een halfuur hetzelfde livebeeld van een lege landingsbaan. Ze sloot haar ogen en concentreerde zich op het geluid van haar ademhaling. Ze was een keer naar een yogales geweest en de hele les lang hadden ze naar het geluid van hun ademhaling geluisterd. Het zou moeten klinken als een walvis. Tara herinnerde zich alleen maar dat ze zich net een walvis vóélde.

Nu moest ze onder ogen zien dat ondanks dat ze zo haar best deed het rustig aan te doen, ze tegen een muur aan was gelopen. Het was rond etenstijd in de Roosevelt Room, dat ze zich voelde afglijden. Dale briefte de stafleden over het systeem dat de diensten hadden opgezet om alle mediacontacten van het Witte Huis te centraliseren. Woordvoerders van DOD, CIA, FBI, DOJ, DOT, NSA en BuZa zaten allemaal bij elkaar aan kaarttafels in een kamer vlak bij de Situation Room zodat iedereen met dezelfde feiten naar buiten zou komen.

Het ene moment luisterde Tara naar de briefing en maakte ze een paar aantekeningen, en het volgende voelde het alsof de kamer onder water was gedompeld. Ineens sprak iedereen met vervormde stem; ze moest zich hevig concentreren om nog te kunnen begrijpen wat er werd gezegd. Ze had zich van de tafel afgeduwd en was langzaam naar haar kantoor gelopen. Ze had overwogen Marcus te bellen, maar hij kon toch niets doen, dus had ze haar deur op slot gedaan en haar secretaresse gevraagd alle telefoontjes tegen te houden terwijl ze wat bijlas. Dat was nu bijna vier uur geleden.

Ze trok haar notitieboek van de tafel bij de bank en probeerde het tot één pagina te reduceren voor het geval Charlotte haar zou vragen een samenvatting van de dag te maken. Ze was de dag zo sterk begonnen. Ze was 's morgens een van de meest gehoorde deelnemers geweest in de Situation Room. Op haar terugweg naar het Witte Huis kreeg ze een telefoontje van Dale die haar informeerde dat het nieuws van de terreurdreiging uit Capitol Hill was gelekt en dat de bevestiging van Tara's deelname aan de briefings zou beginnen. Om halfzeven hadden de nieuwsuitzendingen geopend met verhalen over de plausibele terreurdreiging die het land boven het hoofd hing. De kabelzenders gingen er diep op in met analyses en maar heel weinig reclame tussendoor. Ze lieten beelden zien van Tara de vorige dag, toen ze in New York en Washington D.C. briefings bijwoonde.

Tijdens Dale's briefing kregen de medewerkers instructies over hoe ze met telefoontjes van de media om dienden te gaan. Tara begon dat deel te markeren maar kraste het daarna door. Charlotte zou niet interessant vinden hoe er met de pers moest worden omgegaan. Tara zuchtte en deed haar best een nieuwe gedachte of feit over Youseff te bedenken dat ze zou kunnen opperen. Bewijs niet dat je nutteloos bent, zei ze tegen zichzelf. Ze legde haar handen op haar gezicht en wreef in haar ogen tot ze brandden. Ze miste Kendall. Tara vond het vreselijk als ze haar niet naar bed kon brengen. Ze voelde zich uit balans als ze haar dochter een hele dag niet zag. Blijf gefocust, zei ze tegen zichzelf, en herhaalde het mantra keer op keer. Tara voelde pas dat er tranen over haar gezicht stroomden toen ze op haar aantekeningen landden en de inkt vlekte. Wat mankeert jou, Charlotte heeft ook kinderen en die loopt toch ook niet in Air Force One om ze te janken? zei ze tegen zichzelf. Ze kneep haar ogen dicht en probeerde zich te herpakken. Ze keek op toen het apparaat op haar bureau dat haar op de hoogte hield van de locatie van de president voor het eerst in dagen piepte. Na drie lange, lage piepen hoorde ze de bekende mededeling: 'Alle auto's en alle posten, Wayfarer arriveert op luchtmachtbasis Andrews. Wayfarer arriveert.'

38
Dale

'Luister mensen, mag ik alsjeblieft even de aandacht?' schreeuwde Dale zo hard ze kon naar de grote groep verslaggevers die zich op het zuidgazon had verzameld voor de thuiskomst van de president. Niemand luisterde. 'Je zou toch denken dat journalisten beter konden luisteren,' zei ze tegen haar assistent.

Hij bood haar een megafoon aan die de technische jongens hadden gebracht. Die weigerde ze, maar ze ging in plaats daarvan op een kist staan die een van de verslaggeefsters later zou gebruiken om zich groter te laten lijken tijdens een liveshot. 'Luister even, mensen. Air Force One is zojuist op Andrews geland. De president arriveert over ongeveer een kwartier,' kondigde Dale aan. 'We laten nog tot een uur na haar aankomst de lampen aan zodat jullie liveshots kunnen maken. Dat was het, heeft iedereen het gehoord?'

'Wie reist met haar mee in Marine One? Heb je de passagierslijst voor ons?' riep een van de verslaggevers.

'Nee, die heb ik niet, maar je ziet het vanzelf als ze uit de helikopter stappen.'

'Nou lekker,' mopperden een paar verslaggevers.

Dale had tientallen presidentiële aankomsten verslagen. Op dit soort dagen was ze ervan overtuigd dat haar nieuwe verantwoordelijkheden een karmische rechtzetting waren voor haar veronachtzaming van Witte Huis-medewerkers die haar hadden geholpen haar werk te doen toen ze nog voor de omroep werkte.

Op Ralphs bevel was Dale eerst van plan geweest de aankomst voor een kleinere en handelbaardere persgroep open te stellen, maar toen ze van een van de persmedewerkers hoorde dat er een heuse opstand van de Vereniging Verslaggevers Witte Huis ophanden was omdat ze de toegang wilde beperken op een moment van nationaal belang, had ze zich laten vermurwen en de aankomst voor de hele pers opengesteld. Ze hoopte dat Ralph haar niet zou uitfoeteren waar iedereen bij was. Dale waadde door een groepje buitenlandse verslaggevers om weer de Diplomatic Room in te gaan en met de Geheime Dienst te praten. Toen ze over een fotograaf van de Japanse televisie stapte, hoorde ze het bekende pulserende geluid van de propeller. Ze draaide zich om en zag de eerste helikopter die altijd met Marine One meevloog een ogenblik boven de Ellipse zweven en toen opzij gaan om de helikopter van de president het zuidgazon te laten naderen. De bomen begonnen te buigen van de luchtverplaatsing en bladeren werden alle kanten op geblazen. Verslaggevers hielden hun handen voor hun ogen, maar Dale staarde recht naar de helikopter toen die gracieus midden op het zuidgazon landde. Ze dacht niet meer aan de journalisten en keek toe hoe de president van boord zou gaan. Ze ervoer een enorm gevoel van opluchting dat Charlotte nu snel de leiding over het terreuronderzoek zou overnemen. De president stapte uit de helikopter en zwaaide kort naar de pers voordat ze kordaat het Oval Office in liep.

Dale wimpelde een van de journalisten af en verwees ze naar Charlie Higgins, de persvoorlichter van het Witte Huis. Hij was ook uit de helikopter gekomen en naar het lint geslenterd om een paar journalisten te woord te staan. Ze had hem nooit gemogen. Toen ze nog verslag deed van het Witte Huis, vond ze hem lui en passief. Nu ze op het Witte Huis werkte, wist ze dat hij niet eens de kranten las. Hij vertrouwde erop dat zijn medewerkers hem wel vertelden wat erin stond. Maar dat was niet de reden van haar irritatie van vanavond. Dale wilde zo snel mogelijk naar de bespreking in de Situation Room. 'Charlie, je mag ze hebben,' riep ze.

Hij hield zijn hoofd schuin op een manier die Dale aan een golden retriever deed denken. Ze wist niet of hij was vergeten dat ze voor het Witte Huis werkte of gewoon verbaasd was dat zij was gevraagd bij een presidentiële gebeurtenis te helpen.

Na zich naar de Situation Room te hebben gehaast, nam ze achterin plaats. Toen ze opkeek, zat ze bijna recht in de gezichtslijn van de president. Ze luisterde hoe de president het Ralph moeilijk maakte over het grote spektakel op het zuidgazon. 'Het was maar een aankomst, geen koninklijke bruiloft,' verweet Charlotte hem.

Ralph verontschuldigde zich en deed gek genoeg geen poging het Dale in de schoenen te schuiven.

Charlottes ogen waren helder en ze toonde geen tekenen van moeheid na de achttien uur durende vlucht. Gekleed in een hagelwitte blouse en een zwarte pantalon begroette ze iedereen met een glimlachje en vroeg om een update. Ze wendde zich tot Tara die over haar aantekeningen gebogen zat. 'Mevrouw de vicepresident, wil jij beginnen, of zullen we eerst de inlichtingen recapituleren?'

Dale hield haar adem in totdat de vicepresident begon te praten.

'Mevrouw de president, waarom beginnen we niet met een operatie-update?' stelde Tara voor.

'Ook goed. Hank, hoe staat het ervoor?' vroeg Charlotte terwijl ze haar hoofd naar de directeur van de FBI draaide.

Dale's zicht op de vicepresident werd grotendeels geblokkeerd. Toen de minister van Buitenlandse Zaken opstond om haar koffiemok bij te vullen, bestudeerde Dale Tara voor het eerst sinds de bespreking eerder op de dag. Ze zag er verward en moe uit.

Er werd niet veel besproken wat vier uur daarvoor nog niet aan bod was geweest. Na ongeveer een halfuur, maakte de president een rondje en vroeg iedereen een theorie te beargumenteren waarvan ze dachten dat die níét op het onderzoek naar Youseff van toepassing was. Charlotte was een fan van oefeningen die een team dwongen buiten de box te denken. Ze vond dat een bescheiden maar belangrijke manier om volkswijsheden op de proef te stellen. Toen ze bij de vicepresident aankwam, zette Dale zich schrap.

'Mag ik passen?' vroeg Tara. Dale dacht dat haar stem beefde.

Iedereen keek op.

'Jij hebt op de winkel gepast, Tara. Je mag een keertje passen,' zei de president. Het viel Dale op dat de president dezelfde uitdrukking gebruikte als Craig eerder die dag.

Het hoofd van de nationale inlichtingendienst begon net een grapje te vertellen, maar Charlotte onderbrak hem. Ze bedankte iedereen voor hun aanwezigheid en stond op om aan te geven dat de bespreking afgelopen was. 'Morgenochtend komen we weer bij elkaar.'

Dale zag de directeur van de FBI en de minister van Justitie met de ogen rollen naar elkaar. De bespreking was duidelijk alleen maar geweest om de media te dwingen verslag uit te brengen dat de president meteen na haar landing stappen tegen de terreurdreiging ondernam. Tara haastte zich zo snel de zaal uit dat Dale haar niet kon bereiken zonder over de tafel te klimmen, dus bleef ze maar zitten totdat iedereen de zaal begon te verlaten. Een groepje hoge functionarissen van de inlichtingendiensten stond bij de president te fluisteren. Dale keek op haar horloge en verbaasde zich erover dat het al één uur was geweest. Ze was niet moe. Terwijl ze de lijst met aanwezigen onderstreepte en deze controleerde met haar lijst van eerder die dag, kwam er een zaalwacht naar haar toe en vroeg haar in het Oval Office op de president te wachten.

'Sorry?' vroeg Dale.

'De president vraagt of u op haar wilt wachten in het Oval Office, mevrouw Smith,' herhaalde hij.

Dale slikte. 'Jawel,' zei ze.

Hij glimlachte en leidde haar de Situation Room uit en de trap naar het Oval op. Dale liep door de deuropening die ze alleen maar open had gezien voor rondleidingen door de westvleugel. Ze had er nooit iemand doorheen zien lopen.

'Ga uw gang,' zei hij.

Ze was nog nooit alleen in het Oval Office geweest. 'Waar moet ik wachten?'

'Doe alsof u thuis bent.'

Ja, vast, dacht Dale. Ze ging op het puntje van de sofa zitten terwijl ze wachtte tot de president zou terugkeren van de bespreking beneden. Ze keek naar de foto's van de tweeling op Charlottes bureau. Peter had veel van dezelfde foto's. Toen ze de deur hoorde, stond ze op. Het was de assistente van de president, Samantha.

'Wil je misschien iets drinken?'

Dale wilde het net afslaan toen ze bedacht dat het wel handig zou zijn om iets in haar handen te hebben. 'Ik wil niet lastig zijn, maar koffie lijkt me heerlijk.'

'Melk en suiker?'

'Ja, allebei graag. Bedankt.'

Samantha glimlachte. 'De president komt er zo aan.'

Terwijl de deur achter Samantha dichtging, zwiepte de deur aan de andere kant van het Oval Office open en kwam Charlotte binnen schrijden. 'Bedankt dat je wilde wachten, Dale. Het is al zo laat.'

Dale was ervan overtuigd dat de president langer wakker was dan alle anderen. 'Geen probleem.' Ze glimlachte nerveus naar de president.

'En sorry dat ik je hier hou voor nóg een bespreking na wat al een erg lange dag is geweest.'

'Het is mijn werk.'

'Wil je misschien koffie? Of water? Of een borrel? Ik heb een goed gevulde bar.'

'Samantha haalt al koffie voor me,' antwoordde Dale. Ze keek toe hoe Charlotte naar alle deuren toe liep om zich ervan te verzekeren dat ze dicht waren, waarna ze op de sofa tegenover Dale plaatsnam. 'Hoe gaat het?' vroeg ze.

'Ik keek buiten naar al die journalisten die samendromden tijdens de aankomst en bedacht hoe blij ik ben dat ik iets anders kan doen dan er alleen maar verslag van doen.' Charlotte was onmogelijk te peilen, maar Dale deed erg haar best haar niet te vervelen.

'Heeft Melanie contact met je opgenomen?'

'Ja. Toen ze in het buitenland zat, belde haar kantoor om een lunchafspraak te plannen.'

'Fijn, daar ben ik blij om. We moeten manieren bedenken om profijt te halen uit al onze relaties met de pers. Melanie had wat ideetjes over hoe je daar beter bij betrokken kon worden.'

'O natuurlijk, ik help graag.'

'Eén ding waar ik graag jouw mening over wilde horen is de vicepresident.'

Samantha kwam binnen met een zilveren dienblad met twee kopjes koffie, een melkkannetje en een suikerpot. Ze zette het op de salontafel tussen hen in.

'Dank je, Sam,' zei de president. Ze wachtte tot haar assistente de deur achter zich dicht had gedaan. 'Dale, hoe vind je dat het met haar gaat?'

'Ik weet niet zo goed hoe ik die vraag moet beantwoorden,' zei Dale.

'Volgens mij weten we allebei dat er iets ongewoons gaande is,' zei Charlotte met een opgetrokken wenkbrauw.

Dale schonk melk in haar koffie en roerde erin met het sierlijke zilveren lepeltje. Ze durfde niet op te kijken. Ze kon niet tegen de president liegen maar wist ook niet wat ze moest zeggen.

Charlotte ging verder: 'Ik heb mijn eigen theorietjes. Het waren maar vermoedens tot ik een paar weken geleden met haar lunchte. Ik wil heel graag horen wat jij denkt dat er aan de hand is.'

Dale nam grote slokken van haar koffie en probeerde de starende blik van de president te ontwijken. Ze had de indruk dat Peter iets tegen haar gezegd had, wat betekende dat Charlotte en Peter meer contact hadden dan voorheen. Toen ze zich een ogenblik afvroeg of ze weer bij elkaar waren, voelde ze een steek in haar buik. Ze schraapte haar keel en probeerde in haar hoofd een krantenkop te schrijven. Ze maakte haar hoofd leeg en ordende haar zorgen in een redelijk en geloofwaardig stel feiten en anekdotes voor de president. 'Ik deel je bezorgdheid,' begon ze.

Charlotte boog zich naar voren.

Tijdens Dale's relaas veranderde de gezichtsuitdrukking van de president van nieuwsgierig naar bezorgd naar berustend. Dale was opgelucht dat ze haar last kon delen, maar in haar achterhoofd vroeg ze zich af of ze wel zoveel van wat ze gezien had moest onthullen aan de persoon wie serieuze vragen te wachten konden staan over wanneer het voor haar duidelijk werd hoe de vicepresident ploeterde. Toen ze vertelde dat de vicepresident tegen haar was uitgevallen over haar publiciteit, leek de president terug te deinzen. Dale trok de anekdote snel breder door er andere incidenten aan toe te voegen.

Op een gegeven moment pakte de president Dale's arm vast. 'Bedankt voor alles wat je hebt gedaan. Het is veel meer dan van je verwacht wordt en ik stel je discretie zeer op prijs.'

Op dat moment voelde Dale zowel persoonlijk als beroepsmatig meer voldoening dan ooit tevoren.

39
Charlotte

Terwijl Charlotte luisterde hoe Dale voorteken na voorteken van een soort inzinking opratelde, dwaalde ze, zoals vaak wanneer zij en Dale zich in dezelfde ruimte bevonden, in haar hoofd af naar gedachten aan Peter en Dale samen. Ze vroeg zich af of Dale die verhalen ook aan Peter had verteld. Dat moest wel, besloot ze. Hij was degene die erop had gestaan dat Dale en zij informatie zouden uitwisselen. Ze dwong zichzelf goed te luisteren naar wat Dale zei over de afgezegde evenementen, de obsessie met kleding en gewicht, en Tara's vernietigende onzekerheden over hiaten in haar kennis van wereldzaken. Dale schetste een beeld dat zo beroerd was als Charlotte had gevreesd. Het beetje hoop dat ze nog had gehad dat Tara gewoon uit vorm was, vervloog. Ze keek op en realiseerde zich dat Dale haar een vraag moest hebben gesteld. 'Sorry?'

'Ik weet niet of je dit allemaal wel wilt horen,' opperde Dale.

'Ga door,' beval de president.

'Nou, nu komen we bij Ralphs rol in het geheel en ik weet niet of ik daar wel over moet praten.'

'Ik denk dat ik wel kan raden wat zijn rol hierin was, maar ga je gang. Sinds Nixon zijn hier geen taperecorders meer. Dit gesprek blijft tussen jou en mij.'

Dale ademde diep in. 'Ralph vroeg me naar zijn kantoor te komen en Marcus was daar en ze vertelden me dat ze problemen had met haar "mentale weerbaarheid",' zei Dale.

'Dat klinkt echt als iets wat Ralph zou zeggen. Wat zei Marcus?' vroeg Charlotte.

'Niets. Hij zat daar maar in Ralphs kantoor voor zich uit te staren.'

'Leek hij bezorgd?'

'Hij was niet te peilen. Tara en hij hebben een bizarre relatie. Ik heb hen samen meegemaakt en ze hebben zo hun momenten. Ik was in de ambtswoning om haar te helpen met de voorbereiding op de ochtendshows toen hij tegen haar sprak op een manier die me een heel ongemakkelijk gevoel gaf, maar ik weet niet wat Marcus' rol in dit alles is.'

De president knikte. 'Wat zei hij tegen haar dat je een ongemakkelijk gevoel gaf?'

'Hij maakte opmerkingen over haar gewicht en haar kleding en was ontzettend bot en neerbuigend tegen haar.'

De president knikte weer.

'Het spijt me dat ik niet meer heb kunnen doen,' zei Dale.

Charlotte wilde net iets zeggen toen Samantha haar hoofd om de hoek van de deur stak. Het was al na tweeën. 'Sorry, maar ik heb de FBI-directeur aan de lijn. Hij zei dat het dringend was.'

Dale stond op om weg te gaan.

'Blijf maar,' zei Charlotte. Ze nam het telefoontje aan op haar speakertelefoon. 'Zeg het maar, Hank,' zei ze.

'We hebben hem. We hebben Youseff.'

'Dat is goed nieuws. Hebben jullie specifieke informatie uit hem los kunnen krijgen over waar hij mee bezig is?'

'We zijn nog niet begonnen hem te ondervragen. Dat is de volgende stap. Gezien zijn relatie met de verschillende losse cellen en het feit dat hij zijn neefjes heeft opgeleid, is het goed mogelijk dat hij al afdoende materiaal en technisch support heeft gegeven om het evengoed te laten uitvoeren. We kunnen nog geen gas terug nemen.'

'Hou me op de hoogte.'

'Ja mevrouw.'

40
Tara

Er klonk een geluid dat maar niet ophield. Tara keek om zich heen. Marcus was niet in hun slaapkamer. Ze staarde naar de klok in de kamer en die gaf aan dat het drie uur was. Ze vroeg zich even af of dat drie uur 's morgens of 's middags was. Ze wist niet of ze twee uur geslapen had of twaalf. Het was nog donker. De telefoon ging niet meer over maar haar oren tuitten nu. Ze wist niet wat erger was. Ze zat op de rand van het bed met haar voeten naar beneden bungelend.

Marcus kwam de kamer binnen. 'Het is de Sit Room,' zei hij.

'Hoe laat is het?' vroeg Tara. 'Heb ik me verslapen?'

'Het is drie uur in de ochtend. Je sliep.' Hij sprak op vriendelijke, kalmerende toon.

'Ik bel straks wel terug, ik moet nu slapen,' zei ze. Ze wilde weer gaan liggen.

'Ik denk dat je aan de lijn moet komen.'

Ze hield haar handen voor haar gezicht. 'Ik ben kapot,' zei ze.

Marcus ging ook op de rand van het bed zitten en keek naar haar terwijl hij haar bureautelefoon oppakte. 'Hallo, met Marcus Meyers weer. Ik heb de vicepresident hier voor u.' Hij gaf haar de telefoon.

'Hallo?' Tara knikte een paar keer en keek toen naar Marcus terwijl ze met de adjudant van dienst van de Situation Room sprak. 'Hoe laat moet ik er zijn? Oké, ik zal er zijn. Bedankt.' Ze gaf de telefoon weer aan Marcus en legde haar gezicht in haar handen.

'Wat is er?' vroeg hij.

'Ze hebben Youseff en we vergaderen om zes uur,' zei ze. Ze had nog steeds niet opgekeken.

Onhandig legde Marcus een hand op haar schouder. 'Wat goed!'

Met een gezicht vol tranen richtte ze haar hoofd naar hem op. 'Ik kan daar niet meer heen. Ik ben volkomen uitgeput.'

'Sst. Je kunt het wel.'

'Ik kan niet meer, Marcus. Echt niet.'

'Wat wil je dan?'

'Ik wil dat het ophoudt.'

'Over een paar dagen voel je je vast weer beter,' zei hij.

'Dat zeggen we steeds, maar het is nooit zo. Het wordt alleen maar erger. Ik word alleen maar erger.'

Hij legde zijn hoofd in zijn handen en zei verder niets meer.

41
Dale

Dale had amper de tijd om naar huis te rijden, te douchen, schone kleren aan te trekken en weer terug te gaan naar kantoor voor de eerste vergadering van de dag. Tot groot ongenoegen van de persvoorlichter had Ralph aan Dale gevraagd de leiding op zich te nemen over het team dat alle persbriefings over Youseffs gevangenneming afhandelde. Hij had tegen de persvoorlichter gezegd dat Dale bij alle vergaderingen van de Nationale Veiligheidsraad was geweest en daardoor meer grip op de inlichtingen had, maar Dale vermoedde dat hij de publiciteit wilde micro-managen, waarmee hij geen moeite zou hebben met Dale aan het roer. Haar de leiding geven was ook een subtiele manier om zijn beslissing kracht bij te zetten de vicepresident naar voren te schuiven als het publieke gezicht dat de bedreiging afhandelde tijdens Charlottes afwezigheid.

Haar eerste vergadering van de dag was met de CIA. Ze kreeg een geheime briefing over de inlichtingen die tot Youseffs arrestatie hadden geleid. Het was haar verantwoordelijkheid om met de briefers aan een versie van de informatie te werken die kon worden vrijgegeven en gedeeld met de pers. Craig was er ook bij. Hij zou het openbare materiaal gebruiken voor zijn briefings van congresmedewerkers. Na de CIA-vergadering haastte ze zich naar de dagelijkse stafvergadering. De president liep bij aanvang even binnen en bedankte iedereen voor hun harde werk. Dale zag dat een paar mensen tranen in de ogen hadden toen ze hen prees wegens het bewaren van de nationale veiligheid. Charlotte kon heel inspirerend zijn en Dale verbaasde zich over hoe toegewijd ze zich voelde om op elke mogelijke manier te helpen. Toen de president was uitgesproken, gaf de staf haar een staande ovatie. Daarna zat Dale een vergadering voor met alle naar het Witte Huis gedetacheerde woordvoerders van de diensten. Ze besloten de gecentraliseerde perskamer tot het eind van de week te behouden. Het Witte Huis worstelde met hoe de boodschap aan het volk over te brengen dat Youseffs gevangenneming niet betekende dat de dreiging voorbij was. Om ervoor te zorgen dat de regering geen gemengde boodschap afgaf, moesten alle woordvoerders verantwoording blijven afleggen bij Dale. Haar dag bestond uit vergaderen, perstelefoontjes plegen en het oplossen van problemen van haar gegroeide aantal medewerkers. Rond vier uur 's middags kwam haar assistent binnenlopen. 'Ralph wil je spreken,' zei hij.

'Zeiden ze waar het over ging?' vroeg ze.

'"Ze" zeiden helemaal niets. Híj zei dat ik moest vragen of je zo snel het je uitkwam langs kon komen.'

'Híj?'

'Ralph.'

Dale ademde diep in en wierp een vluchtige blik op de residentie. Charlotte zou niet haar vertrouwen hebben geschaad door Ralph te vertellen wat ze de vorige nacht had gehoord. Dale stond op en trok haar rok goed. Ze nam een slok koffie en stopte wat TicTacs in haar mond voordat ze richting de westvleugel liep. Er vormde zich een glimlach om haar mond toen ze Craig met een paar van zijn collega's in de deuropening van de kelder van de westvleugel een sigaret zag staan roken.

'Waar heb jij de hele dag gezeten?' vroeg Craig.

Dale trok hem een stukje bij de rest vandaan. 'Ik heb je zoveel te vertellen,' fluisterde ze.

'Ik weet het, ik weet het. Jij bent de vrouw van het moment,' plaagde hij.

'Ik was afgelopen nacht om twee uur in het Oval toen de FBI-directeur belde.'

'Waarom?'

'Dat vertel ik je later wel. Waar zit je de rest van de dag?'

'Hier.'

'Ik vind je wel.' Zonder erbij na te denken, gaf ze hem zomaar een knuffel. Shit, waarom doe ik dat soort dingen toch, dacht ze toen ze wegliep en de andere medewerkers nog bij de deur zag staan.

Dale liep naar het ontvangstgedeelte van Ralphs kantoor. 'Is hij daar?' vroeg ze aan zijn assistente.

'Loop maar naar binnen. Hij wacht al op je,' antwoordde ze.

Ralph zat achter een laptop die hij nog naast zijn desktopcomputer gebruikte voor e-mails van politieke of privéaard. 'Hé, hoe gaat-ie?' vroeg hij zonder op te kijken.

'Gaat wel,' zei ze.

'Goed gedaan gisteren. De president vond je indrukwekkend.'

'Dank je. En bedankt dat je niet zei dat het mijn schuld was dat er zoveel pers bij haar aankomst was.'

Ralph pakte een speelgoed-football van zijn bureau en gooide die in de lucht. Dat deed hij een paar keer terwijl Dale toekeek. 'Dat is mijn werk,' zei hij zonder op te kijken.

'Nou, evengoed bedankt.'

'Dale, hoe vind je dat alles gaat?' vroeg hij.

'Prima, volgens mij. Wat vind jij?'

Ralph gooide de bal omhoog en wachtte tot deze neerkwam voordat hij verderging. 'Verschrikkelijk goed. Ik denk...' Hij gooide de bal weer op en wachtte tot deze naar beneden was gekomen voordat hij zijn zin afmaakte. '... dat alles wel eens heel goed zou kunnen aflopen. Het volk vindt het geweldig als de president slechteriken vangt.' Hij gooide de bal omhoog en deze keer kwam die neer tussen zijn bureau en waar Dale zat. Ze deed geen moeite hem te vangen, dus hij landde met een zachte plof tussen hen in.

Ze staarde hem aan. Ze had geen flauw idee wat ze hier deed.

'Ik wilde je bedanken voor wat je hebt gedaan om alles hier op de rails te houden,' zei hij.

'Wat bedoel je?'

'Nou, dat je alles hebt stilgehouden rond de vicepresident heeft heel wat goede dingen mogelijk gemaakt, Dale. En dat zullen we nooit vergeten.' Hij glimlachte naar haar.

Hij was bijna net zo eng als Marcus Meyers. Ze wilde tegen hem zeggen dat hij de pot op kon, maar in plaats daarvan wierp ze hem een koel glimlachje toe. 'Heel graag gedaan, Ralph.'

Hij stond op om zijn football te pakken en wierp ondertussen een lange, wellustige blik op haar benen.

'Kan ik nog iets voor je doen?' vroeg ze gauw.

'Je hebt al zoveel gedaan. Ik ben erg blij dat we je in het team hebben.'

Ze stond op om te gaan.

'Nogmaals bedankt, Dale.'

Ze voelde haar hart tekeergaan en ze wist zeker dat als ze naar haar handen zou kijken, die licht zouden trillen.

Dale rende Ralphs kantoor uit naar de trap. De president kwam net van beneden. 'Goedemiddag,' zei Dale en ze probeerde niet tegen Charlottes lijfwacht op te botsen.

'Wat een haast.'

Dale forceerde een glimlachje. 'Ik trek even een sprintje naar mijn bureau,' grapte ze.

'Bedankt voor vannacht,' zei de president zacht.

Dale knikte. Ze dacht dat ze Charlotte ook licht zag knikken. Dale stapte opzij en leunde tegen de muur zodat Charlotte en haar lijfwacht konden passeren. Ze stond daar nog toen haar assistent verscheen.

'Je bent laat voor je volgende bespreking,' zei hij terwijl hij haar notitieblok in haar handen duwde.

'Welke bespreking?'

'De Nationale Veiligheidsraad heeft je uitgenodigd aanwezig te zijn bij hun briefing over vrijgegeven informatie voor congresleden, aangezien de vicepresident zich heeft ziek gemeld. Craig houdt een plaatsje voor je vrij,' zei hij.

Mijmerend dat ze de hele dag nog niets van Tara had gehoord, liep Dale de trap weer op naar de Roosevelt Room. Ze maakte uitgebreide aantekeningen van de bespreking en ging toen terug naar haar kantoor om telefoontjes van de pers te beantwoorden en haar e-mail bij te werken. De terreurdreiging had haar telefoontjes aardig gestroomlijnd. In plaats van duizenden verschillende stukjes informatie voor iedere journalist apart te moeten opzoeken, belden ze nu allemaal met dezelfde vraag. Rond tien uur 's avonds sms'te ze Craig: 'Waar ben je nu?'

'Vroeg naar bed gegaan. Bel me als je onderweg naar huis bent.'

Dale sloot haar computer af en liep naar haar auto. Ze keek op naar de residentie en zag dat er meer lampen aan waren dan anders. Toen ze richting haar appartement reed, besloot ze dat ze niet alleen wilde zijn. Op M-Street keerde ze op een plek waar dat eigenlijk niet mocht en reed naar het huis van Craig. Bij zijn huis aangekomen, zag ze dat de lichten uit waren. Ze keek weer op haar horloge. Het was pas halfelf. Ze belde aan.

Er flitste een lamp aan in de slaapkamer en ze hoorde gestommel. 'Kom eraan,' riep hij.

'Ik ben het, sorry dat ik je wakker maak,' fluisterde ze luid.

Craig deed de deur open. 'Hoi,' zei hij. Hij had zich snel in een zwart T-shirt en een spijkerbroek gehesen.

'Ik dacht niet dat je echt naar bed was gegaan,' zei ze schaapachtig. 'Het spijt me. Ik ga wel weer.' Ze gaf hem een kus op zijn wang.

'Nee, nee, ik ben nu toch wakker. Heb je je pakje sigaretten voor noodgevallen bij je?' zei hij terwijl hij naar haar auto wees.

'Ja!' zei ze. 'Ik heb ze vorige week nog aangevuld.' Ze draaide zich om om het pakje Marlboro light te pakken dat ze in haar dashboardkastje had liggen en zag dat de slaapkamerlamp nog aan was. Ze dacht dat ze iemand uit het raam zag kijken. 'Heb je bezoek? Zal ik maar gaan dan? Ik kan maar beter gaan,' zei ze.

'Ga zitten en vertel me over je onderonsje met de president,' zei hij.

'Je mag het nooit tegen iemand zeggen, dat ik het aan jou heb verteld. Zelfs niet als je honderd jaar en seniel bent en denkt dat het verjaard is. Het blijft geheim, oké?'

'Ja,' beloofde hij.

Hij ging op het trappetje voor zijn huis zitten en stak twee sigaretten aan. Ze pakte er een van hem over, ging naast hem zitten en begon met de zaalwacht die haar aansprak in de Situation Room en haar vroeg in het Oval te wachten. Toen ze omkeek naar zijn slaapkamer, zag ze dat het licht inmiddels uit was.

42
Charlotte

'Een toost,' zei Charlotte.

'Hebben we bij het eten nog niet genoeg getoost?' klaagde Penelope.

'Nog één laatste,' pleitte Charlotte.

'Ik ga naar bed,' zei haar dochter.

'Oké, welterusten lieverd. Leuk dat je hier blijft slapen,' zei Charlotte. Penelope wierp haar een handkus toe en verdween naar haar kamer.

'Wat heeft zij?' vroeg Charlotte aan Harry.

'Loopt vast een feest mis of zo,' zei Harry.

'Sorry dat ik jullie plannen in de war heb gestuurd,' verontschuldigde Charlotte zich.

In de drieënhalve week sinds ze Youseff hadden opgepakt, hadden zijn ondervragingen veel goede informatie over de binnenlandse cellen opgeleverd, maar zijn neefjes waren nog altijd zoek en dat baarde de mensen van de inlichtingendienst nog voldoende zorgen om de terreurdreiging verhoogd te laten tijdens de herdenkingsdag van elf september en daarna. Bij verhoogde dreiging wilde de Geheime Dienst dat de kinderen van hun normale routine afweken. Charlotte had voorgesteld het weekend in de residentie door te brengen en ze hadden met tegenzin ingestemd.

'Ze draait wel weer bij. Ik ga ook naar mijn kamer. Welterusten mam, welterusten pap,' zei Harry.

Charlotte kon een glimlach niet onderdrukken. 'Hoorde je dat? Dat heb ik al lang niet meer gehoord, zeg.' Sinds haar inauguratie waren ze, behalve bij schoolevenementen, niet meer allemaal samen geweest. Peter was toen met Dale, dus ze hadden geen tijd samen als gezin doorgebracht.

'Waar denk je aan?' vroeg Peter.

'Ik probeerde te bedenken wanneer we voor het laatst allemaal samen waren.'

Hij glimlachte en streelde Emma's snuit. De honden vonden het heerlijk dat er zoveel meer mensen waren om bij te slijmen. Cammie lag aan Charlottes voeten en Mika was Harry achternagegaan naar zijn bed.

'Zullen we op het balkon wat drinken?'

Ze liepen naar buiten met de twee honden op hun hielen.

'Bedankt Peter,' zei Charlotte.

'Waarvoor?'

'Dat je opperde dat ik met Dale moest gaan praten. Dat was een goed idee.'

Peter knikte en nam nog een slok van zijn drankje.

'Ik weet niet wat er tussen jullie is gebeurd, maar ik heb altijd gewild dat je gelukkig werd,' zei Charlotte tegen hem.

Hij draaide zich om en keek haar aan. 'Charlotte, ik wil niet over Dale praten.' Zijn stem klonk niet boos of vijandig, alleen een beetje bedroefd.

'Begrepen.'

Ze zaten een paar minuten in stilte. De honden lagen tussen hen in op de bank. Charlotte wilde hem net iets over de tweeling vragen, toen hij dichter naar haar toe schoof. 'Dit is fijn, Char,' zei hij.

Ze ervoer nostalgie, en spande zich in om erachter te komen of dat álles was wat ze voelde. Nu de kinderen zich inschreven voor de universiteit, had ze het gevoel dat de hele gezinsstructuur die zo lang een deel van haar leven had uitgemaakt, compleet zou verdwijnen. Ze keek naar Peter. Hij bezat de gave om precies de emotie uit te stralen die degene bij wie hij was wilde dat hij uitstraalde. Daarom trok iedereen zo naar hem toe. Ze wist zeker dat het was wat Dale en hem samen had gebracht. Charlotte wilde zich ervan verzekeren dat hij haar niet alleen maar hielp bij haar behoefte weer een verbintenis met haar gezin te voelen. 'Peter, denk je dat we samen waren gebleven als ik niet, je weet wel, hierheen was gegaan en, je weet wel...'

'President was geworden?' Hij moest lachen.

'Lach niet. Ik ben serieus,' smeekte ze.

'Ik weet het, ik weet het. Even denken. Zouden we nog samen zijn als jij geen president was geworden? Ik weet het niet, Char.'

43
Tara

Tara lag op haar buik half onder het kingsize bed in hun slaapkamer om de laatste doos te pakken waar ze nog niet in had gezocht. Ze schrok toen Marcus vroeg: 'Wat doe je?' Ze dacht dat hij beneden aan het trainen was.

'Jezus, ik schrik me dood.' Ze kwam overeind en veegde het stof van haar buik en bovenbenen.

'Wat zoek je?'

'Onze vakantiedozen.'

'Het is september.'

'Dat weet ik. Ik heb ze niet meer gezien sinds we hier wonen.'

Hij wierp haar een wantrouwige blik toe die voor Tara wel eeuwig leek te duren. 'Doe geen domme dingen, Tara.'

Dom? dacht Tara, en ze schudde lichtjes haar hoofd. 'Daar hadden we eerder aan moeten denken,' mompelde ze zacht.

'Wat?'

'Ik zei dat we daar eerder aan hadden moeten denken,' herhaalde ze.

Marcus leek te grimassen toen hij zich omdraaide om uit hun slaapkamerraam naar buiten te kijken. Kendall speelde daar in de bladeren. Hij perste zijn lippen op elkaar en vulde zijn borstkas met lucht. Hij blies het uit voordat hij haar weer aankeek. 'Wat gaat er in dat hoofd van je om, Tara?'

'Niks,' zei ze vlug.

'Ik geloof je niet.'

Ze ging op de rand van het bed zitten en bestudeerde hem, zoals ze de laatste tijd wel vaker deed. Hij werd met rasse schreden kaler en de rimpels in zijn voorhoofd en om zijn ogen waren nog dieper geworden. Hij was zo dun dat de huid losjes om zijn jukbeenderen en kaaklijn hing. Zijn lichaamsvet moest wel op één procent zitten, dacht ze. Hij keek op, en ze wendde haar blik af. 'Ik heb volgend weekend mijn eerste officiële lichamelijke onderzoek,' zei ze.

Marcus liep naar zijn nachtkastje en haalde er een stapel papieren uit. 'Ik heb de laatste zeven of acht jaren aan lichamelijke onderzoeken van vicepresidenten doorgelezen. De media publiceren gewoonlijk een samenvatting dat je in goede gezondheid verkeert. Ik denk dat ze waarschijnlijk de uitslag van je mammografie, je cholesterol en gewicht willen publiceren. Dat zijn de dingen die Charlotte elk jaar vrijgeeft. Ik zat te denken dat je kunt vragen niet je gewicht vrij te geven totdat... je weet wel.'

'Oké,' zei ze knikkend. Elke president sinds president Ford had de resultaten van zijn jaarlijkse lichamelijke onderzoek aan de pers en het volk vrijgegeven.

'Vicepresident McMillan liet elk jaar een colonoscopie doen, maar ik denk niet dat jij er een hoeft te ondergaan,' voegde hij eraan toe.

'Gelukkig.' Ze probeerde te glimlachen.

Hij stond aan de andere kant van het bed en verplaatste zijn gewicht van het ene been naar het andere.

Tara draaide haar lichaam om hem aan te kunnen kijken. Ze zocht op zijn gezicht naar een opening om met hem te delen wat er al dagen in haar hoofd omging. 'Luister, ik zat te denken... misschien kunnen die artsen iets doen. Ik ben nooit naar een echte arts geweest. Nou ja, behalve je weet wel, in Italië. Misschien is er wel iets wat ik kan slikken,' opperde ze.

Marcus ging met zijn rug naar haar toe op het bed zitten. Hij maakte de veters van zijn hardloopschoenen los en trok ze uit, trok zijn sokken uit en deed ze in zijn schoenen. Zijn ademhaling leek iets te versnellen, maar Tara kon zijn gezicht niet zien. 'Je bedoelt iets wat kan voorkomen dat je om de andere dag in een zwart gat dondert? Of misschien een of andere remedie die ervoor zal zorgen dat je een werkdag door kunt komen zonder in te storten? Of misschien een wondermiddel dat kan garanderen dat Kendall nooit de slaapkamer binnen zal lopen terwijl jij met de gordijnen dicht op het bed ligt te janken?' Bij elke vraag die hij haar toebeet werd zijn stem schriller.

'Ik dacht gewoon...'

Hij draaide zich met een ruk om en keek haar aan. 'Dacht je dat ik niet had bedacht hoezeer een echte arts je zou kunnen helpen?' snauwde hij.

Ze staarde naar haar handen. 'Sorry. Ik heb gewoon het gevoel dat alles uit de hand loopt.'

'Denk je dat ik dat niet weet?' Hij had nauwelijks meer controle over zijn stem. 'Ik blijf elke avond laat op en probeer alles te lezen wat ik maar op internet erover kan vinden, elk witboek uit alle medische tijdschriften, tot en met het kleinste artikel dat online verschijnt over dit gedoe,' hield hij vol.

Ze keek even op en zag dat hij gebalde vuisten had.

'Zeg me wat je wilt dat ik doe wat ik nog niet doe. Begrijp je dan niet hoe zielsgraag ik je zou willen kunnen helpen?' Hij ijsbeerde nu.

Ze zorgde dat ze hem niet in de weg zat.

'Heb je er dan echt totaal geen weet van dat ik hier elke dag dat jij op het Witte Huis bent maar zit te hopen en bidden dat je het nog één dagje uithoudt zodat Kendall niet hoeft toe te zien hoe haar moeder vol schande de stad uit vlucht?' Hij schreeuwde nu tegen haar. 'Ik heb alles opgegeven, Tara. Alles. Mijn baan, mijn vrienden. Mijn hele leven, verdomme. Denk je dat er ook maar iets is wat ik leuk vind aan mijn leven van nu?' Om elk woord kracht bij te zetten, maakte hij stompbewegingen met zijn vuist.

'Het spijt me. Dat wist ik niet,' zei ze. Ze was te geschrokken om te huilen.

'Je weet helemaal niks.' Marcus ging naar de badkamer en smeet de deur achter zich dicht. Tara liep hem achterna en leunde tegen de deur. Ze vond dat ze zijn wrede behandeling verdiend had. Het was haar schuld dat ze zich in deze situatie bevonden. 'Haat je me daarom zo?' vroeg ze. Het bleef stil. Ze liet zich langs de deur naar beneden glijden en zat er een paar minuten ineengedoken tegenaan. Ze huilde niet, maar haar neus liep alsof het wel zo was. Ze veegde hem met haar mouw af.

Na een paar minuten deed hij de deur open en keek naar haar. 'Ik haat je niet,' zei hij kalm.

Ze sloeg haar ogen naar hem op.

'Ik ben ontzettend bezorgd om je, Tara, voor ons allemaal.'

Als ze niet bang was Kendall verdriet en schaamte te bezorgen, zou ze een manier hebben gevonden om te verdwijnen. Dat zou voor iedereen beter zijn. Maar de gedachte dat Marcus Kendall dan alleen zou opvoeden, was genoeg om haar overeind te krijgen. Wat ze nodig had, was een plan.

44
Dale

Dale parkeerde op haar gebruikelijke plek op West Exec en liet de motor draaien terwijl ze nog een slok koffie nam en vluchtig de koppen van *The New York Times* bekeek. Ze overwoog de krant in haar comfortabele auto te blijven lezen, maar het was al kwart voor zes en ze voelde altijd een psychologisch voordeel als ze vóór zes uur aan haar bureau zat. Ze zette de motor af en keek of ze dringende berichten op haar BlackBerry had voordat ze het toetsenbord vergrendelde en hem in haar tas smeet. Toen ze had gecontroleerd of haar lampen uit waren en ze richting het OEOB liep, wierp ze toevallig een blik op de kelder van de westvleugel en herkende twee van Peters lijfwachten. Tijdens hun drie jaar durende affaire waren ze heel aardig voor haar geweest. 'Hé jongens,' zei ze.

'Hai Dale, hoe gaat-ie?'

'Goed, goed. Gek dat ik nu hier werk, hè?' fluisterde ze met een brede glimlach. Ze had het erg gewaardeerd dat ze Peter en haar in de tijd dat ze samen waren geweest nooit leken te veroordelen. Wat hun betrof, was het hun werk om Peter in leven te houden, niet om zich te bemoeien met zijn privéleven.

Ze glimlachten terug.

'Zijn jullie aan iemand anders toegewezen?' vroeg ze.

De agenten keken elkaar aan en toen weer naar haar.

'Niet? Wat doen jullie hier dan?'

Ze leken dat een ongemakkelijke vraag te vinden.

Ze zag haar fout in. 'O jee. Ik weet dat jullie niks mogen zeggen. Sorry. Leuk jullie te zien. Hou je haaks.'

Dale wist niet hoe snel ze de trap op moest sprinten naar haar kantoor in het OEOB. Ze deed de deur dicht en op slot en ging hijgend aan haar bureau zitten. Kalmeer, zei ze tegen zichzelf, hij kan hier gewoon met de tweeling zijn. Niet om halfvijf 's morgens, idioot, ging ze tegen zichzelf in.

De mogelijkheid dat Peter en Charlotte weer bij elkaar zouden komen, had haar altijd achtervolgd. Ze was altijd bang geweest dat hun hele affaire zou worden gereduceerd tot een oneffenheid in Peter en Charlottes lange, gecompliceerde huwelijk. Ze stond op om nog eens naar de lijfwachten te kijken. Die stonden er niet meer. Ze waren vast naar de uitgang van de oostvleugel gegaan zodat Peter ongezien het complex kon verlaten.

Dale wilde hem bellen om te vragen of hij en Charlotte weer bij elkaar waren. Ze was half van plan Brian te bellen en het verhaal naar de omroep te lekken alleen maar zodat ze het voor haar konden verifiëren. Maar Brian wist het waarschijnlijk al via Melanie. O, god, dacht Dale, ze lachen zich allemaal vast rot om me. De domme verslaggeefster die Peter vermaakte terwijl Charlotte zich aan het keurslijf van het ambt aanpaste. Ze sloeg de rest van haar koffie achterover en probeerde zich op het schema van de vicepresident te concentreren. Tara zou even langsgaan bij de najaarsstagiaires, had een privélunch met een voormalig collega uit New York en 's middags een paar beleidsvergaderingen. Dale had haar lunch met Melanie in het Pentagon, die was verschoven naar vier uur. Ze wist niet eens zeker of het nog wel een lunch was. Ze opende haar setje knipsels en probeerde zich op de artikelen te concentreren. Tevergeefs. Ze moest met iemand praten. Ze mailde en sms'te Craig. 'Help!' schreef ze.

Bijna onmiddellijk ging haar telefoon. 'Wat is er aan de hand?' vroeg Craig.

'Peter is hier,' fluisterde ze.

'In je kantoor?'

'Nee, in de residentie. Volgens mij gaan Charlotte en hij weer met elkaar naar bed.'

'Waarom?'

'Waarom ze met elkaar naar bed gaan?'

'Nee, waarom denk je dat ze met elkaar naar bed gaan?'

'Ik kwam zijn lijfwachten net tegen.'

'Ik zou geen overhaaste conclusies trekken, maar het zat erin dat hij op een gegeven moment verder zou gaan met zijn leven. Dat wist je toch zeker wel toen je dat huis in Stinson Beach afwees?'

'Ja, ja. Ik dacht alleen niet dat hij me zou vervangen door iemand die nog minder beschikbaar is.'

'Het is toch niet zeker dat hij dat heeft gedaan?'

Dale ademde diep in. 'Als ze weer samen zijn, ben ik blij voor ze.'

'Niet waar. Dat zou beslist ongezond zijn.'

'Je hebt gelijk. Ik zou niet blij zijn. Maakt dat me een slecht mens?'

'Het maakt je menselijk, en daar heb ik de afgelopen maanden zo mijn twijfels over gehad.'

'Ach, lik toch me reet.' Ze lachte.

'Moet het?'

'Bij de rest van deze stad heb je daar anders geen moeite mee.'

'Touché.'

Dale lachte.

'Ik wip even langs de Starbucks,' zei hij. 'Wil je nog een kop koffie?'

'Nee. Maar bedankt.'

'Waarvoor?'

'Dat je me van de richel af hebt gepraat.'

'Ben je officieel van de richel dan?'

'Ja, je werk zit erop. Sorry voor het drama op de vroege ochtend.'

'Jouw aantrekkingsvermogen tot chaos en disfunctie kan concurreren met de mijne. Daarom hou ik ook zo van je.'

'Mijn aantrekkingsvermogen tot chaos bezorgt me kraaienpootjes. Ik zie je bij de stafvergadering,' zei ze.

Dale voelde zich gesterkt door zijn steun. Ze las de laatste paar knipsels door en bekeek Tara's uitnodigingen om te komen spreken. Ze legde een aantal van de interessantste boven op de stapel. Telkens wanneer haar gedachten afdwaalden naar beelden van Peter en Charlotte samen, duwde ze ze weg. Dale had genoeg werk om zichzelf mee af te leiden. Ze was vastbesloten te helpen de vicepresident weer op koers te krijgen. Tara was bijna een week afwezig geweest en toen ze terugkwam, was ze ongewoon evenwichtig gebleken. Maar in plaats van gerustgesteld te zijn door de stabiele periodes van de vicepresident, leefde Dale op dit soort momenten altijd met de meeste angst. Het voelde te zeer als stilte voor de storm. Voordat ze die ochtend Peters lijfwachten tegenkwam, had ze net zitten denken weer eens met Charlotte te gaan praten. Terwijl Dale haar notitieblok pakte en opstond om naar de stafvergadering in de Roosevelt Room te lopen, besloot ze dat het uiterst onwaarschijnlijk was dat de president haar ooit weer wilde spreken. Als Peter en zij het nog een kans gaven, was het laatste wat Charlotte zou willen wel een visueel geheugensteuntje van hoe ver Peter was afgedwaald.

45
Charlotte

Charlotte trok een kasjmieren badjas aan en liep op haar tenen naar de badkamer. Het verbaasde haar hoe ongedwongen Peter en zij weer waren begonnen met elkaar naar bed te gaan. De afgelopen nacht was hun tweede logeerpartij geweest. Ze stond zichzelf een klein glimlachje toe terwijl ze onder de douche stapte, maar haar gedachten gingen al snel naar de dag die ze voor de boeg had. Ze was in intensieve onderhandelingen verwikkeld met de voorzitter van de Staatscommissie voor Buitenlandse Zaken over een daling van het aantal troepen in Afghanistan die op het programma stond, en ze wist dat Melanie teleurgesteld zou zijn als ze niet al haar politieke gewicht in de schaal zou leggen om ze ervan te proberen te overtuigen de terugtrekking uit te stellen.

Melanie en zij hadden voor het ontbijt afgesproken om hun houding in de onderhandelingen te bepalen. Charlotte overwoog, maar wees al snel van de hand, om Melanie over Peter te vertellen. Ze wist nog niet zo goed waar het heen ging. Ze genoot meer van hem dan ze zich kon herinneren van voor hun scheiding. Na zich snel te hebben afgedroogd, bond ze haar haar in een hoge paardenstaart. Ze trok een eenvoudig zwart nauwsluitend jurkje van Carolina Herrera aan en stapte in een paar zwarte schoenen met hoge hak. Voordat ze zich naar de westvleugel haastte, mocht ze van zichzelf nog een laatste korte blik werpen op waar ze Peter en de honden slapend op het bed had achtergelaten.

Melanie zat al in het Oval Office toen ze aankwam.

'Goeiemorgen,' zei Charlotte vrolijk.

'Wat is er met jou?' vroeg Melanie.

'Hoezo?'

'Je bent 's morgens nooit zo vrolijk. Wat is er aan de hand? Heb je Ralph ontslagen?'

'Waar heb je het over? Ik doe altijd zo.'

Melanie nam haar eens helemaal op.

'Waarom kijk je zo naar me?' wilde Charlotte weten.

'Ik kom er wel achter,' beloofde Melanie.

'Heb je al ontbijt besteld?' vroeg Charlotte.

'Ik wist niet dat we ook echt gingen eten. Een ontbijtbespreking met jou is meestal zes koppen koffie. Ik heb een biologische energiereep in mijn tas.'

'Natuurlijk gaan we echt eten,' hield Charlotte vol.

'Oké. Wat wil jij? Dan laat ik Sam onze bestellingen doorgeven.'

'Voor mij graag roerei met geroosterd brood en een fruitsalade.'

'Ik heb het gehoord!' riep Sam van achter de deur. 'Melanie, wil jij hetzelfde?'

'Mijne van alleen eiwit, alsjeblieft,' zei Melanie.

'Doen we,' zei Sam terwijl ze de deur van het Oval Office sloot.

'Heb je *The Washington Post* gezien?' vroeg Melanie.

'Nee, waarom?'

'O, ze hadden een brij van anonieme citaten dat de regering verdeeld is over hoe het met Afghanistan verder moet. Een of andere vent die geciteerd werd, zei dat hij je leuker vond toen je nog ballen had dan nu je een hart hebt.'

Charlotte glimlachte. 'Dat klinkt als iets wat Roger zou zeggen,' zei ze.

'Dat dacht ik ook,' lachte Melanie.

'Moet ik me zorgen maken dat mensen denken dat ik een hart heb?'

'Nog niet.'

'Hoe gaat het met je lover?' Charlotte wilde niet spottend klinken maar ze kon het niet laten. Ze had een beetje het gevoel dat ze was vervangen als Melanies klankbord en daar had ze het in dit soort tijden moeilijk mee. Aan de andere kant, als Melanie nog steeds constant tijd met haar zou doorbrengen, had ze haar nieuwe omgang met Peter op geen enkele manier geheim kunnen houden.

'Dit zal je vast verbazen, maar hij vindt me nog steeds charmant,' zei Melanie. Als ze Charlottes irritatie al had bemerkt, liet ze dat niet blijken.

'Heb je nog meer nieuwtjes?' vroeg Charlotte.

'Weinig,' zei Melanie en ze haalde haar schouders op.

'Weinig? Meer heb je tegenwoordig niet voor me? Ik vond je een stuk leuker toen je nog een ouwe vrijster was.' Charlottes gezichtsuitdrukking was deels geamuseerd en deels geïrriteerd.

'En ik vond jóú leuker toen je waarderingspercentage nog op achtentwintig procent zàt,' merkte Melanie droogjes op.

Een kelner van het restaurant van het Witte Huis rolde een karretje met hun ontbijt binnen. 'Laat de deksels er maar op,' instrueerde Charlotte.

'Natuurlijk, mevrouw,' zei hij.

Melanie bleef op de bank zitten terwijl Charlotte voor haar bureau heen en weer ijsbeerde. 'Weet je wel hoe geïsoleerd ik hier ben, Melanie? Ik kan Ralph niet goed genoeg uitstaan om me door hem op de hoogte te laten houden. Zijn assistente en Sam kunnen niet met elkaar opschieten, dus Sam hoort ook nooit wat. Ik zit hier op een eiland,' kookte Charlotte.

'Mevrouw de president,' begon Melanie.

'Laat me uitpraten. Jij vertrekt naar het ministerie van Defensie en laat mij hier achter met het inferieure team tekstschrijvers, de dufste persvoorlichter die ik in mijn hele carrière heb gehad, en Ralph met al zijn militante jonge hielenlikkers. En als ik je om een kijkje in de buitenwereld vraag, kan je me helemaal niks vertellen. Je zult toch met iets beters moeten komen,' zei Charlotte. Ze liep met haar bord naar de bank tegenover Melanie, haalde het deksel eraf en ging zitten.

Melanie zat te glimlachen. 'Sam heeft een vriend.'

'Niet waar.'

'Wel waar.'

'Onmogelijk. Sam en ik spreken elkaar elke dag.'

'Práten jullie dan echt?'

'Ja, we praten de hele dag door.' Charlotte wist dat ze defensief klonk.

'Onmogelijk.' Nu was Melanie degene die geamuseerd keek.

'Waarom is het zo moeilijk te geloven dat ik met mijn medewerkers praat?'

'Omdat je dat niet doet. En als je dat al deed, had je geweten dat ze smoorverliefd is op Frank van Interne Communicatie.'

'De zoon van Winnie?'

'Nee, dat is Arnie. Frank is niemands zoon. Ik bedoel, hij is natuurlijk wel iemands zoon, maar dat is niet hoe hij aan zijn baan is gekomen. Ik heb hem twee jaar geleden als stagiair aangenomen en hij deed het zo fantastisch dat hij nu de plaatsvervangend Personeelscommunicatiesecretaris is.'

'Je hebt vandaag wel een hoge pet op van jezelf,' berispte Charlotte tussen happen fruitsalade door.

'Wat doet Peter hier?' vroeg Melanie.

Charlotte verslikte zich in een stuk meloen.

'Heb ik iets verkeerds gezegd?' vroeg Melanie.

Charlotte stootte een nerveus lachje uit. 'Waarom denk je dat Peter hier is?'

'Zijn colonne staat voor de oostvleugel.'

'O, ja?' Charlotte kon niet snel genoeg denken.

'Hoezo "o, ja"? Peter verstopt zich vast niet ergens in de residentie. Dat deed hij niet eens toen jullie, je weet wel, zogezegd nog samen waren.'

Charlotte legde haar vork neer en keek Melanie aan. 'Zou je me voor gek verslijten als ik je vertel dat we elkaar weer een beetje aan het aftasten zijn?' vroeg Charlotte.

'Ligt eraan wat je daarmee bedoelt.'

'Dat weet ik niet precies. Het loopt vast op niets uit. Vergeet maar dat ik het heb gezegd.'

'Vergeten dat je hebt gezegd dat je weer met je ex-man naar bed gaat? Ik dacht het niet. Mevrouw de president, ik zit op het ministerie van Defensie ook op een godvergeten eiland. Ik bedoel, kom ik naar jou toe voor een kijkje in het privéleven van de rijken en machtigen van de wereld en dan kan je me helemaal niks vertellen. Je zult toch echt met iets véél beters moeten komen.' Melanie leunde naar achteren en glimlachte.

46
Tara

Tara had die zomer drie keer een afspraak met Frannie afgezegd, maar nu keek ze er erg naar uit om een vertrouwd gezicht te zien. Frannie Jones was een van de weinige mensen uit haar begintijd bij de procureur-generaal met wie Tara contact had gehouden. Totdat Tara een jaar geleden naar Washington was verhuisd, spraken Frannie en zij ongeveer eens per maand af om elkaar in te lichten over de nieuwste roddels uit hun juridische kringen.

Frannie was een van de slimste aanklagers die Tara ooit had ontmoet. Ze had meerdere chique baantjes bij het ministerie van Justitie aangeboden gekregen maar had ze allemaal afgeslagen om assistent procureur-generaal van Manhattan te blijven. Tara vermoedde dat ze hoopte ooit het topbaantje als presidentieel benoemde procureur-generaal voor het zuidelijke deel van New York te krijgen. Tara hield zich voor het met Ralph over juridische benoemingen te hebben. Het zou Charlotte in politiek opzicht helpen als ze wat conservatieve Democraten op de plek van procureur-generaal zette.

Frannie was met een advocaat getrouwd met volwassen kinderen en had al snel een gemakkelijke band met hen opgebouwd. Het verbaasde Tara niet dat Frannie nu met haar stiefdochter mee reisde naar American University en Georgetown University. Tara nam net haar schema voor de rest van de week door toen Frannie in de deuropening verscheen. Ze haastte zich naar haar toe om haar te begroeten.

'Je hebt het gemaakt, meis, helemaal gemaakt,' zei Frannie. Ze keek bewonderend Tara's kantoor rond.

'Ongelooflijk, hè?'

'Helemaal niet. Je was voorbestemd voor grootse dingen, Meyers. Of moet ik je nu "vicepresident" noemen?'

'Alsjeblieft niet. Zullen we de lunch bestellen?'

'Graag. Krijg ik daarna een rondleiding?'

'Natuurlijk.'

Ze bestelden salades en cola light. Tara was zelden onder de indruk van zichzelf, maar nu ze hier zo zat met haar oude vriendin vond ze het heel fijn een deel van haar succes met iemand te delen die ze al kende toen ze nog maar aan het begin stond.

'Tara, het is echt goed om je weer te zien.'

'Jou ook. Ik zat net te denken dat het veel te lang geleden is. We zouden dit vaker moeten doen.'

'Vind ik ook, maar ik moet wel toegeven dat mijn bezoekje van vandaag bijbedoelingen heeft.'

'O?'

'Ik moet je iets vertellen.'

'Wat?'

'Kirkpatrick is gevraagd als speciale aanklager.' Brent Kirkpatrick was de procureur-generaal voor zuidelijk New York. Hij was ook Frannies baas.

'In welke zaak?'

'De jouwe.'

'Wat?'

'Nou, niet specifiek tegen jou, maar de commissies van Justitie van het Senaat en het Huis van Afgevaardigden hebben een brief aan de procureur-generaal gestuurd waarin ze vroegen of er een speciale aanklager kon worden aangesteld om het verhogen van het dreigingsniveau afgelopen augustus te onderzoeken.'

'Waarom?'

'Luister, Kirkpatrick weet dat ik in Washington ben en hij vermoedt vast dat ik je waarschuw, dus wat je ook doet, breng me niet in de problemen.'

'Dat zal ik ook niet doen, maar wat heeft het verhogen van het dreigingsniveau met mij te maken?'

Frannie stond op en werd onrustig. 'Ik zou hier eigenlijk niet moeten zijn, maar ik wilde niet dat je hierdoor overrompeld zou worden.'

'Waardoor precies?'

'Er zijn bronnen binnen het Witte Huis en de regering die in de zomer naar de Voorzitter van het Huis zijn gestapt met zorgen over jouw prestaties.'

Tara voelde haar lichaam oververhit raken. Ze dwong zichzelf kalm te blijven zodat ze zo veel mogelijk informatie van Frannie kon krijgen. 'Wat voor zorgen?'

'Ze beweerden dat je een zenuwinzinking of zoiets had gehad en dat het Witte Huis het had verdoezeld.'

'Wat?'

'Ik weet hoe gek het klinkt. Luister, het zal je geruststellen dat zelfs de gekken van de commissies voor Justitie niet hebben toegehapt. Maar toen het Witte Huis in augustus het dreigingsniveau verhoogde, kwamen die bronnen terug en zeiden dat ze voor de veiligheid van het land vreesden toen ze hoorden dat jij degene was op wie de president op dit punt vertrouwde. Ze beschuldigden het Witte Huis er ook van dat ze met die terreurdreiging de aandacht af wilden leiden.'

'De aandacht van wat?'

'Tara, het betekent dat ze denken dat de terreurdreiging alleen maar was verhoogd om de aandacht van jóú af te leiden,' zei Frannie zacht.

'Van mij?' Nu was Tara verontwaardigd. 'De president zou nooit een spel maken van de nationale veiligheid. En Youseff wás een bedreiging. De CIA heeft net nog een drie uur durende briefing gehouden over alle informatie die ze in hun ondervragingen uit hem los hebben kunnen krijgen.'

'Tara, kalmeer alsjeblieft. Ik vertel je alles wat ik weet omdat ik denk dat er een politiek, jaloers en god weet wat nog meer voor motief achter zit, maar je kunt niets met deze informatie doen want dan verlies ik mijn baan. Ik denk niet dat de president al op de hoogte is gesteld. En ik werk niet aan het onderzoek. Dat zouden ze me ook nooit vragen. Kirkpatrick weet dat we bevriend zijn.'

Tara keek uit het raam. In de verte zag ze een paar televisieverslaggevers livebeelden opnemen. Ze stelde zich de opwinding voor die zou ontstaan als een speciale aanklager onderzoek zou gaan doen naar de beslissing om het dreigingsniveau te verhogen. Ze vroeg zich af of ze Charlotte de hele ellende kon besparen door ter plekke haar ontslag in te dienen. Marcus en zij konden Kendall ophalen van school en die avond nog wegrijden. Dat was een geruststellende gedachte. Ze keek Frannie weer aan en glimlachte. 'Ontzettend bedankt voor de waarschuwing. Dat waardeer ik enorm.'

'Tara, ik vind het zo rot. Kan ik iets voor je doen?'

Ze kon niet geloven hoe alles zo uit de hand was gelopen. Had ze haar werk maar beter gedaan... 'Er is wel iets waarmee je me kunt helpen. Aangezien niemand het verder weet, kan ik niemand anders om hulp vragen.'

'Je zegt het maar.'

'Ik wil niet dat je erin meegesleept wordt, dus ik beloof je dat ik niks zal doen voordat ik het officieel te horen krijg.'

'Dat stel ik op prijs.'

'Op een gegeven moment zal ik mijn ontslag moeten indienen.'

Frannie ging hier niet tegenin.

'Wil je me helpen een ontslagbrief op te stellen zodat als het zover is, ik iets klaar heb liggen?' vroeg Tara.

47
Dale

Ze wist dat ze naar huis moest gaan, maar Dale wilde zien of hij terugkwam. Ze stond om de paar minuten op van haar bureaustoel in het OEOB om uit het raam naar de residentie te staren. Ze wist niet eens wat ze verwachtte te zien. Als Peter daar weer was, zou hij niet voor het raam gaan staan om naar haar te zwaaien. Zijn lijfwachten zouden deze keer ook omzichtiger te werk gaan. Ze zouden niet het risico willen lopen weer herkend te worden nadat ze Dale de dag daarvoor waren tegengekomen. Ze zocht naar het kleinste beetje bewijs dat hij daar was. Dan zou ze tenminste zeker weten dat hij haar uit zijn hoofd had gezet. Ze zou weten dat hij weer terug was bij zijn vrouw en hun hele affaire tot een tussendoortje was verworden. De relatie die haar jarenlang had gekarakteriseerd zou worden afgedaan als Peters roekeloze fase, een korte onderbreking in het huwelijk met zijn vrouw.

Dale wist dat ze er spijt van zou krijgen dat ze hem in Stinson

Beach had afgewezen. Hij probeerde zich alleen maar vast te klampen aan het beetje tijd dat zij beschikbaar kon maken voor hun relatie, en zij had hem gewoon weggeduwd. Ze had hem praktisch terug naar Charlotte gejaagd. Dale liep weg bij het raam en besloot zichzelf niet langer te martelen. Ze sloot haar computer af. Terwijl ze het Witte Huis-complex verliet belde ze Craig. 'Hoi, ben je druk?'

'Nooit te druk voor jou. Waar zit je?'

'Ik verlaat net het kantoor.'

'Ik zou wel willen voorstellen ergens wat te gaan drinken, maar het is na middernacht.'

'Ja. Ik denk dat ik maar naar huis ga.'

'Wil je langskomen?'

'Ik wil me niet opdringen.'

'Ik heb de werkster de lakens van het logeerbed laten openslaan vandaag.'

'Echt?'

'Ik had zo'n voorgevoel.'

'In dat geval zie je me over een paar minuten verschijnen.'

Toen ze tien minuten later Craigs gezellige herenhuis binnenstapte, was ze blij dat ze niet naar haar eigen steriele appartement hoefde. Hij schonk een glas wijn voor haar in en gaf haar een bord met crackertjes met kaas. Dale glimlachte dankbaar en zeeg op de sofa neer. Ze zag dat er twee dinerborden, twee wijnglazen en een aantal messen en vorken te drogen stonden in het afdruiprek op het aanrecht. 'Dank je,' zei ze.

'Graag gedaan.'

'Je hoeft niet voor mij op te blijven. Ga maar slapen, ik red me wel. Ik drink mijn wijn op en dan kruip ik ook in bed.'

'Ik blijf nog wel even bij je zitten,' zei hij.

'Denk je dat hij met mij was omdat hij niet bij haar kon zijn?' vroeg Dale na een paar minuten.

'Maakt het iets uit?'

'Ik denk het wel. Ik bedoel, als hij nu weer met haar is, was hij dan ooit wel echt met mij?'

'We weten allebei het antwoord daarop. Hij was met jou, en dat was fijn. Hij is nu niet meer met jou omdat jij hem niet wilde.'

'Het is niet dat ik hem niet wilde,' protesteerde Dale.

'Dale, het maakt niet uit met wie hij nu is. Jullie zijn niet meer bij elkaar en dát doet pijn. Laat je niet gek maken door met wie hij nu is. Als hij bij jou had kunnen zijn, was hij nu bij jou.'

'Maar het beeld van hen tweeën samen blijft gewoon bij me bovenkomen, en dat geeft me te denken, snap je?' vroeg ze. Ze schopte haar schoenen uit en kroop verder de sofa op.

'Zo dacht Kramer vast ook over jou,' merkte hij op.

'Touché.'

'Nou ja, ze had toch al genoeg problemen. En toen Peter en jij, ik bedoel, je bent dit haar een beetje verschuldigd, áls ze al samen zijn, wat we nog steeds niet zeker weten.'

'Wat wil je nou zeggen?'

'Kom op, lijkt het er niet een beetje op dat de kosmos de dingen weer in evenwicht brengt?'

'Vind je dat ik dit verdien?'

'Nee, ik denk alleen dat jij geweldig goed alle verantwoordelijkheidsgevoel van je af kan schuiven over de dingen die je overkomen. Je doet het ontzettend charmant en het is een van je innemendste trekjes, maar ik ben soms bang dat je jezelf wijsmaakt dat je er zelf helemaal niets aan kan doen en die vreselijke, bizarre dingen je zomaar overkomen.'

Het stond Dale niet aan wat hij wilde gaan zeggen. Ze zette haar wijnglas neer en keek hem aan.

'Schat, sorry als ik je daarmee kwets. Ik zal er nu mee ophouden. Ik zou alleen niet graag zien dat je nieuwe relatie met de president lijdt onder een overdreven emotionele reactie op het feit dat je ex-vriendje zijn leven weer oppakt. Meer wil ik er niet mee zeggen. Genoeg psychiatertje gespeeld.' Hij deed net alsof hij zijn lippen dichtritste om aan te geven dat hij niets meer zou zeggen.

'Niet ophouden. Ga vooral door. Je bent op dreef,' drong Dale aan.

'Nou, je praat over het feit dat je werd ontslagen bij de omroep alsof je het slachtoffer van bezuinigingen werd of zo. Jij was de toekomst van die omroep. Ze hebben je ontslagen omdat je het met de echtgenoot van de president deed terwijl je de correspondent voor het Witte Huis was.'

Dale voelde haar gezicht rood worden.

Craig ging verder. 'En Tara Meyers heeft geen doodvonnis over je uitgesproken door je in dienst te nemen. Ze gaf je iets waar de meeste mensen in deze stad een moord voor zouden doen; een tweede kans. Je mocht boven aan de voedselketen terugkomen in de Witte Huis-politiek. Heb je enig idee hoeveel mazzel je hebt?'

'Zo voelt het nu even niet,' klaagde Dale.

'De goede dingen overkomen je omdat je heel erg goed bent, maar de slechte dingen overkomen je niet omdat je een onschuldig slachtoffer bent dat alle shit over zich heen krijgt. Ik wil niet cru klinken, maar ik voel de behoefte je de dingen te laten zien zoals ze echt zijn,' zei hij.

'Je maakt het allemaal glashelder.'

'Dale, ik zou elke avond met je willen drinken tot je buiten westen bent, maar je moet grip krijgen op de realiteit.'

'Op de realiteit?' trok Dale zijn woorden in twijfel.

'Ja. De realiteit. Lang niet zo opwindend als de drama's waar jouw leven om draait, maar het echte leven waar de gewone stervelingen mee te kampen hebben.'

Ze had er genoeg van. 'Alsof jij in de realiteit leeft! Wat is het woord voor het soort realiteit waar jij in leeft? Een waarin je 's nachts letterlijk mensen in je slaapkamer verbergt en de helft van het Witte Huis laat denken dat je de meest begeerde hetero-vrijgezel van de stad bent?'

'Het gaat nu niet om mij.'

'Het is verdomme belachelijk surrealistisch om een preek over realiteit te krijgen van de meest hetero homo in Washington.' Dale wilde geen seconde langer in zijn huis blijven.

Terwijl ze opstond, deed hij er nog een schepje bovenop. 'Iemand hoeft niet perfect te zijn om jou erop te wijzen hoe gigantisch je door jezelf in beslag genomen bent.'

Dale smeet de deken waaronder ze had gezeten van zich af en griste haar tas van de bank. Terwijl ze de trap af rende, probeerde ze te bedenken of ze ruzie had gezocht. Ze wist zeker van niet. Hij had haar zomaar uit het niets aangevallen.

'Dale, niet doen. Je hebt net twee glazen wijn op. Ga gewoon naar bed. We praten morgen wel verder.'

Ze kon hem niet eens aankijken. Dale liep de buitendeur uit en ging zo snel mogelijk in haar auto zitten. Ze slingerde de parkeerplek af en reed richting Georgetown. Het was bijna één uur 's nachts dus de straten waren leeg. Ze zag de politieauto pas achter zich toen de zwaailichten de binnenkant van haar auto verlichtten.

De agent liep naar haar auto en bukte om naar binnen te kijken door het raam aan de bestuurderskant. 'Stapt u even uit, mevrouw.'

'Heb ik iets verkeerd gedaan, agent?'

'Hebt u gedronken, mevrouw?'

Ze sloeg haar ogen naar hem op. 'Nee. Waarom?' vroeg ze.

'U reed op de middenstreep.'

48
Charlotte

Charlotte zat aan haar bureau in het Oval Office totdat ze de stofzuigers voor de tweede keer aan hoorde gaan. Er was rond negen uur 's avonds al gezogen, en Charlotte betwijfelde of iemand in de afgelopen vier uur rotzooi had gemaakt in de westvleugel, maar dat soort details deden er niet toe in het Witte Huis. Sommige mensen vonden de tradities ouderwets en overbodig, maar Charlotte begreep wat alle presidenten voor haar ook hadden begrepen over het Witte Huis: het gebeurde op deze manier omdat de kleinste dingen, zoals erop kunnen vertrouwen dat de schoonmaakploeg zonder uitzondering elke dag op hetzelfde tijdstip zijn ronde deed, ervoor konden zorgen dat de president het gevoel had controle te hebben over de kleinste details van haar leven. Charlotte had zich niet gerealiseerd dat het moeilijkste aan het presidentschap niets te maken zou hebben met de complexheid van beleidsproblemen of de onaangenaamheid van politieke debatten. Het moeilijkste aan het presidentschap was hoe volkomen machteloos je je voelde.

Ze was die avond stoïcijns gebleven toen haar persoonlijke advocaat haar had geïnformeerd dat er door haar ministerie van Justitie een speciale aanklager was aangesteld om de aantijging te onderzoeken dat het Witte Huis zijn macht had misbruikt door het dreigingsniveau te verhogen als afleiding van de groeiende politieke problemen.

Ze had al een paar weken het gevoel dat er iets fout zou gaan. Het nieuws van het onderzoek was bijna een opluchting geweest. Ze had al een tijd geweten dat er iets broeide. Nu wist ze tenminste wat het was. Peter en zij hadden een eetafspraak, maar ze had afgezegd. Ze had Sam gevraagd geen telefoontjes door te verbinden en iedereen uit het Oval Office te houden. De honden waren door het personeel van de residentie uitgelaten en gevoerd. Charlotte wilde alleen zijn. Zodra het nieuws van het onderzoek uitkwam, zou er geen gesprek en geen interactie meer zijn die er niet van in de macht zou zijn. Charlotte wilde zich alles van haar presidentschap herinneren voordat dit hoofdstuk aanbrak. Ze wilde ook haar gedachten bijeenrapen over alles wat ze gezegd en gedaan had in de onderhavige periode. Ze had de volgende ochtend om zes uur weer met haar advocaat afgesproken om aan het voorbereidingsproces voor een mogelijk verhoor te beginnen. Hij zou proberen te voorkomen dat Charlotte moest getuigen, maar uiteindelijk zou wel een compromis bereikt worden waarin de speciale aanklager naar het Witte Huis kwam om haar te ondervragen.

Charlotte maakte een mentale inventarisatie van elk gesprek dat ze ooit met Tara had gevoerd. Ze bleef steeds bij haar discussies met Melanie hangen van de afgelopen tien maanden. De leden van de onderzoekscommissie zouden Melanies verklaring afnemen en al haar twijfels over Tara zouden openbaar worden. Charlottes gedachten verplaatsten zich naar Ralph. Ze had moeten weten dat ze aan de verkeerde kant van de Tara-kwestie stond toen ze zich op één lijn met Ralph bevond. Licht schuddend met het hoofd herinnerde ze zich wanneer Ralph was begonnen haar te manipuleren over Tara's vaardigheden. Het was vanaf het allereerste moment geweest.

Maar Ralph was hier niet de schuldige. Ze had haar politieke ambities boven haar gezonde verstand gezet toen ze voor Tara koos. De instabiliteit van de vicepresident was steeds duidelijker geworden in de weken en maanden na hun inauguratie. Het grootste probleem, dacht Charlotte, was dat de desastreuze televisie-interviews alle aanwezige twijfels over Tara's geschiktheid voor het ambt hadden bevestigd.

Charlotte sloot haar ogen en probeerde contact te leggen met de presidenten die vóór haar aan dit bureau hadden gezeten; tijdens oorlogen, onderzoeken en andere persoonlijke mislukkingen. Ze wilde zich gesterkt en opgepept voelen door hun standvastigheid. Ze wilde van dit moment in haar presidentschap getransporteerd worden naar het donkerste uur van de andere presidentschappen. Want welke fouten haar voorgangers ook hadden gemaakt, geen van hen was ooit zo roekeloos geweest als zij. Geen van hen had het land ooit zo blootgesteld aan het kwaad als zij toen ze Tara als vicepresident koos.

Ze hoorde Peter niet binnenkomen, maar toen hij om haar bureau heen liep en zijn armen om haar heen sloeg, liet ze hem begaan.

49
Tara

'Ik weet niet waarom ik ermee heb ingestemd je te helpen,' zei Frannie.

Het was de dag na hun lunchafspraak en ze zaten in de logeerkamer van de vicepresidentiële ambtswoning. Frannie had haar colbertje uitgedaan en tuurde naar het scherm van de laptop. Tara was in joggingpak. Marcus en Kendall waren beneden chocoladekoekjes aan het bakken. Ze had zich gedwongen gevoeld Marcus te vertellen dat een onderzoek naar het verhogen van het dreigingsniveau elk moment aangekondigd kon worden, zodat hij ze alleen zou laten en Kendall zou bezighouden. Tara had erop aangedrongen dat Marcus de kabel eruit trok. Ze wilde niet dat Kendall de ingelaste aankondiging van de speciale commissie zag. Hoewel ze de details niet zou begrijpen, had ze een scherp ontwikkeld instinct voor dingen die tot nog meer gevoelens van ongelukkig zijn in hun huis konden leiden. Marcus was rustig gebleven en dacht dat ze boven aan een reactie werkten. Hij had geen idee dat ze Tara's ontslagbrief aan het opstellen waren. 'Je hebt ermee ingestemd me te helpen omdat je een goed mens bent, je me al heel lang kent en weet dat ik altijd probeer te doen wat juist is,' zei Tara. Frannie rolde met haar ogen. 'En ik heb niemand anders.'

Frannie glimlachte meelevend maar keek niet op van de computer.

Tara had het vermoeden dat er achter Frannies bereidwilligheid meer zat dan een gevoel van loyaliteit en vriendschap. Zoals veel carrièremensen in de ordehandhaving, was Frannie altijd snel overtuigd van haar eigen morele plicht om te helpen een onrecht te herstellen. Ze hadden een aantal jaren samengewerkt en Tara had altijd het gevoel gehad dat Frannie haar beter begreep dan ze liet blijken. Ze was er vrij zeker van dat als Frannie het haar op de man af had gevraagd, ze haar in vertrouwen had genomen over haar slopende depressieve periodes. Tara vermoedde dat Frannie zich enigszins medeplichtig voelde omdat ze Tara van dichtbij genoeg had geobserveerd om te weten dat er iets niet in de haak was, maar er nooit naar had gevraagd. Beide vrouwen leken vanuit deze gedeelde aanname te handelen. Het was de enige verklaring voor Frannies bereidheid haar eigen carrière op het spel te zetten om Tara te helpen de hare te beëindigen. 'Bovendien heeft je land je nodig,' voegde Tara er nog aan toe.

'Mijn land kan me hierom de laan uit sturen.'

Ze hadden in de ambtswoning afgesproken na Frannies rondleiding in Georgetown en Tara's lunchafspraak met haar mensen van binnenlandse zaken en werkten op de privécomputers van Tara's werkkamer aan haar ontslagbrief. Tara wist zeker dat ze zich nu wel het minste zorgen hoefden te maken over vragen of ze op de juiste manier gebruik had gemaakt van staatseigendom, maar het gaf Frannie als regeringsadvocaat die altijd alles volgens het boekje deed en van wie Tara wist dat ze het er moeilijk mee had dat ze deze rol vervulde, een geruster gevoel. Als Frannie al geschrokken was van Tara's verzoek om haar te helpen een ontslagbrief op te stellen, verborg ze dat goed. Frannie leek onverstoorbaar, maar Tara ging ervan uit dat ze nog bezig was het nieuws te verwerken dat haar vriendin en voormalig collega van plan was ontslag te nemen als vicepresident in plaats van een onderzoek te doorstaan dat diep zou ingaan op de redenen achter haar onevenwichtige prestaties. Frannie was loyaal, maar niet alleen aan Tara. Ze was ook een trouwe dienaar van de letter en de geest van de wet. Het feit dat ze, bijna onmiddellijk, had ingestemd Tara te helpen zich te bevrijden van haar ambt, suggereerde dat ze iets over het bewijsmateriaal wist dat het aanstellen van een speciale commissie rechtvaardigde. Dit alles bleef onuitgesproken tussen hun twee, maar het stond symbool voor meer dan een decennium van wederzijdse empathie en vertrouwen.

'Tara, hoe wil je met kwesties over je gezondheid omgaan? Moeten we zeggen dat een eerder ongediagnosticeerde aandoening is verergerd? Is dat wel waar?'

'Dat het erger is geworden, ja, dat lijkt me duidelijk,' zei Tara.

'Bespaar me de details. Is er ooit een diagnose gesteld?' Ze keek Tara nu recht aan met de vasthoudende, emotieloze blik van een aanklager.

Tara stond op en deed de deur van de slaapkamer op slot. 'Het ligt nogal ingewikkeld.'

'Vanuit jouw perspectief is dat vast zo. Maar dit zijn ja-of-nee-vragen in de rechtszaal van de publieke opinie. Is er een diagnose gesteld, Tara? Heb je medische hulp gezocht?'

'Ik heb het niet gezocht.'

'Tara, wat wil je daarmee zeggen?'

'Luister, ik zal je alles vertellen wat je wilt weten,' beloofde Tara.

Frannie schudde haar hoofd. 'Ik wil dit juist allemaal niet horen. Je was verdomme mijn idool. Ik geloof mijn oren niet.'

'Ik kan het zelf vaak ook maar amper geloven. Het is goed om te weten dat ik ooit ergens goed in ben geweest.'

'Goed? Je was de beste.'

Tara kon zich amper een tijd herinneren dat ze zich competent had gevoeld. 'Soms lijkt het alsof dat allemaal nooit zo is geweest. Ik kan je niet vertellen wanneer er voor het laatst een week voorbij is gegaan waarin ik niet iets verpestte en mezelf en de president voor schut zette.'

'Er zijn heel veel mensen die zich alle goede dingen herinneren die je op ons kantoor hebt gedaan.'

'Als ik ook maar een beetje slim was geweest, was ik nooit uit dat wereldje weggegaan. Het ging allemaal prima in New York. Ik kon de dingen aan. Ik kon me terugtrekken als ik me niet goed voelde. Ik had de ruimte om mezelf bijeen te rapen en er weer helemaal in te duiken als ik daar weer toe in staat was. Hier is er geen ontsnappen aan de pers. Overal zijn camera's. Ik kan nog geen lelijke trui aantrekken zonder in *Access Hollywood* terecht te komen.'

'Tara, als je wilt dat ik je help, moet je me alles vertellen.'

Tara ging op het bed zitten en legde haar notitieblok neer. 'Ik had mijn eerste, eh, episode, zeg maar, toen ik tijdens mijn rechtenstudie een zomercursus in Italië deed. Ik heb tien dagen in het ziekenhuis gelegen.'

'Wat was er gebeurd?'

'Ik bevond me op een vreemde, nieuwe plek, ik heb te veel nachten doorgewerkt en het feit dat de cursus geen programma had en helemaal voor de vuist weg was, bracht me in een vrije val.'

'Ik weet hoe dol je bent op schema's en deadlines,' zei Frannie.

'In Italië was er nauwelijks enige structuur. Ik was er slecht aan toe. De artsen stuurden me naar huis met een boodschappentas vol antidepressiva en ander spul en adviseerden me bij terugkomst in New York onmiddellijk een psychiater of psycholoog te zoeken.'

'En dat heb je zeker niet gedaan?'

'Nee,' gaf Tara toe. 'Ik heb zo lang mogelijk gedaan met de medicijnen die ze me gaven en probeerde mezelf goed in de gaten te houden.'

'En Marcus? Je hebt het Marcus wel verteld, neem ik aan?'

'Ja. Voor we trouwden. Hij was echt heel lief voor me. Als ik down was, probeerde hij me van de buitenwereld af te schermen tot ik me weer beter voelde. Toen we Kendall kregen, werd het makkelijker. We hebben haar ontelbare keren als excuus gebruikt.'

Frannie deed haar best het ongeloof uit haar gezicht te houden, maar Tara kon zien dat ze moeite had alle informatie te verwerken.

'Toen we na de verkiezingen hierheen verhuisden, voelde ik me goed, en er was geen reden om te denken dat ons systeem niet meer zou werken.'

'Totdat het niet meer werkte,' merkte Frannie op.

'Alles is hier zo anders. Deze baan neemt je echt totaal in beslag. Ieder uur van iedere dag moet ik verantwoorden. En zelfs als ik thuisblijf om weer beter te worden, val ik dieper en verder omdat ik weet dat ik dingen misloop die ik moet weten om mijn werk te kunnen doen. Het gaat van kwaad tot erger sinds de verhuizing en ik kan niet meer opkrabbelen.'

'Heb je geprobeerd medicijnen te slikken?'

'Het rare is dat je vijf verschillende soorten slaappillen kunt krijgen, net als pepmiddelen en kalmerende middelen, en elk medicijn dat je maar kunt bedenken, maar als je naar de medische post van het Witte Huis gaat en om een antidepressivum vraagt, gaan de alarmbellen rinkelen. Frannie, je weet dat een vicepresident niet aan de antidepressiva kan zijn.'

Frannie knikte.

'Het is heel belangrijk dat je me gelooft als ik zeg dat het goed ging. Zeer lange tijd functioneerde ik volkomen normaal. Ik kon het aanvoelen als het de foute kant op ging en dan maakte ik een wandelingetje, nam wat meer rust of werkte vanuit huis.'

'Ik geloof je. Maar de verhuizing en de bijbehorende stress en verandering van omgeving veroorzaakte een nieuwe, hoe noemen we het? Episode? Aanval?'

Tara knikte.

'Als je het weet, wordt alles ineens heel duidelijk,' zei Frannie.

'De speciale aanklager zal er vast net zo over denken.'

Frannie zuchtte diep en fronste haar voorhoofd. 'Wat weet het Witte Huis?' vroeg ze.

'Het Witte Huis heeft er geen idee van, dus ze hebben ook niets verhuld, als dat is waar je heen wilt.'

'Wees daar maar niet zo zeker van. Het onderzoek zal elke e-mail, elke verklaring, elk excuus dat ooit is gemaakt door iemand die nauw met je samenwerkte, uitpluizen. Ze gaan op zoek naar het kleinste beetje bewijs dat het Witte Huis smoezen verzon voor elk van jouw optredens dat minder dan geweldig was. En de president zal onder druk worden gezet om te onthullen wat ze wist en wanneer ze dat wist.'

'Maar niemand wist iets, Frannie. Ik heb het nooit iemand verteld. En daarom neem ik ook ontslag voordat iemand in de problemen raakt.'

‘Is dit de reden waarom Marcus nog steeds met verlof is van zijn werk?’ vroeg Frannie.

Tara opende haar mond om te antwoorden maar Frannie onderbrak haar.

‘Wacht, geef maar geen antwoord. Ik kan het wel raden.’

Ze werkten een paar minuten in stilte door. Daarna liep Tara naar het bureau waar Frannie aan zat en Frannie draaide zich naar de computer en herlas de laatste paar zinnen die ze getypt had. Tara las over haar schouder mee. Frannie wees naar een paragraaf. ‘Ik schrijf het alsof je van plan bent met de speciale aanklager mee te werken, toch?’ vroeg ze.

‘Ja, dat lijkt me het meest logisch.’

Frannie knikte. ‘Het maakt het ook makkelijker, denk ik.’

‘Is iets als dit al eens eerder voorgekomen?’

‘Wat precies?’

‘Meewerken met de speciale aanklager.’

‘Ja, een paar jaar geleden spraken de president en vicepresident met een onafhankelijke commissie over het lek waardoor een FBI-agent omkwam in Michigan, weet je nog? Tijdens de regering Harlow?’

‘O ja, natuurlijk.’

Frannie typte verder. Toen ze klaar was, schraapte ze haar keel en tikte op de zijkant van de computer om Tara’s aandacht te krijgen. ‘Ik heb ervoor gekozen het kort maar krachtig te houden. Ik denk dat je het als brief én als verklaring kunt gebruiken als je van plan bent het voor de camera voor te lezen. Kom eens kijken. Kort gezegd laat ik je de verantwoordelijkheid op je nemen dat je niet eerlijk bent geweest tegen het volk en de president over je mentale problemen, waar ik bij het begin niet verder op in ga omdat men al geschokt genoeg zal zijn. Dan neem ik je dienstjaren door en de jaren als aanklager en handhaver van de wetten van het land. Hier doe ik een beetje vaag, maar ruwweg schets ik je acceptatie van de consequenties die aan je acties kleven.’

‘Het voelt erg als een bekentenis,’ zei Tara.

'Tenzij ik iets gemist heb, denk ik dat dat hier ook op z'n plaats is.'

Tara knikte. 'Marcus gaat door het lint,' zei ze.

'Tara, ik zeg dit niet als vriendin en ex-collega, maar als aanklager voor de regering. Dit is behoorlijk ernstig. Er is vast in Italië ergens een aantekening dat je de diagnose bipolaire stoornis of ernstige depressie of zo hebt gekregen en bent geadviseerd onmiddellijke medische hulp te zoeken. Wees niet verbaasd als die arts een of andere dispensatie van de zwijgplicht vindt en uit de school klapt. Het is niet waarschijnlijk, maar wél mogelijk. En het volk zal het nieuws niet licht opnemen dat de vrouw die president wordt als er iets met Kramer gebeurt geestelijk ziek is. Het zal mensen beangstigen. Het is misschien ongelooflijk oneerlijk, maar we wonen in een land waar we liever een seksverslaafde met zijn vinger op de knop van ons nucleaire arsenaal hebben dan een gek.'

'Frannie...' begon Tara.

Frannie onderbrak haar. 'Laat me uitpraten. Het zal niet aangenaam worden. Dit is de enige weg die je een greintje hoop geeft je nalatenschap te bewaren zodat als Kendall dit alles ooit googelt, ze zal kunnen zien dat zelfs je opponenten vonden dat je het er waardig van afbracht. Lees nu de brief eens helemaal door voordat je wat zegt.'

Tara ging naast Frannie zitten en trok de laptop dichter naar zich toe. Toen ze klaar was, draaide ze zich naar haar vriendin. 'Bedankt,' zei ze.

Ze vroeg haar de brief op een USB-stick te zetten die ze uit haar reistas had gepakt. Haar oude speechen stonden daarop. 'Ik meen het, enorm bedankt.'

'Graag gedaan.' Frannie gaf haar de stick met haar ontslagbrief erop.

'Wil je dat ik het document van deze laptop verwijder?'

'Graag.'

'Is gebeurd.'

'Hoe heet het document?'

'Ik heb het opgeslagen als Top Secret.'

Tara bedankte haar nogmaals en liep met Frannie mee naar haar auto. Ze wist dat het moeilijkste nog zou komen. In de keuken proefde ze een paar van Kendalls koekjes. 'Lekker, honnepon,' zei ze.

'Wil je er melk bij?' vroeg Kendall.

Marcus stond tegen het aanrecht geleund. 'Kendall, ga nu maar aan je huiswerk, ik kom over een paar minuten kijken hoe het gaat,' stelde hij voor.

'Ik wil koekjes eten met mama.'

'Neem maar een schaal met koekjes mee naar je kamer en dan eten we ze samen op als je klaar bent met je huiswerk,' opperde Tara.

Kendall legde een grote stapel koekjes op een schaal en liep de trap op naar haar kamer.

'Wat weet je over het onderzoek?' vroeg Marcus zodra Kendall weg was.

'Frannie kan grote problemen krijgen omdat ze het me heeft verteld, dus deel deze informatie alsjeblieft met niemand.'

'Jezus, wie zou ik het moeten vertellen dan?' beet Marcus haar toe.

Tara beefde even. 'Kirkpatrick wordt aangesteld als voorzitter van een speciale commissie om onderzoek te doen naar de aantijging dat het Witte Huis met opzet de terreurdreiging heeft overdreven om de aandacht van mij af te leiden,' zei ze.

Het duurde even voordat het nieuws doordrong, maar toen dat zo was, was Marcus ziedend. 'Stelletje klerelijers,' zei hij verbeten terwijl hij door de keuken stampte.

'Marcus, ik denk dat ik mijn ontslag moet indienen.'

Marcus had zijn handen aan weerszijden van de gootsteen en stond met zijn rug naar Tara. Ze kon hem zwaar horen ademen maar hij zei niet meteen iets.

'Marcus?'

Hij draaide zich heel snel om. 'Vergeet het maar. Als je ook maar een seconde denkt dat ik ga staan toekijken hoe jij hiervoor de schuld op je neemt, dan ben je niet helemaal lekker. Ik sta niet toe dat onze dochter moet toezien hoe haar moeder deze stad uit wordt gejaagd om iets wat niet haar fout was. Begrijp je me? Ik neem Kendall mee het land uit als ik haar daarmee de pijn kan besparen getuige te zijn van jouw afgang. Hoor je me, verdomme?' Hij trilde van woede.

Tara knikte. 'Ik begrijp het.'

50
Dale

Staand in de hal buiten Melanies kantoor verplaatste Dale haar gewicht naar haar andere been. Ze had bijna een halfuur op de sofa zitten wachten maar toen ze de kranten en weekbladen had gelezen en herlezen, was ze ongeduldig geworden. Ze was de hal in gelopen om te kijken of ze boodschappen op haar mobiele telefoon had, en luisterde net naar een lange voicemail van een van de tekstschrijvers toen Melanies assistente, Annie, de hal inkwam.

'Mevrouw Smith, onze excuses. De minister kan u nu ontvangen,' zei ze.

'Dank je,' antwoordde Dale.

Annie leidde Dale door de wachtruimte de officiële werkruimte van de minister van Defensie in. Melanie was de vijfentwintigste minister van Defensie van het land en de eerste vrouw aan het hoofd van het ministerie. Als chef-staf van het Witte Huis had ze op dezelfde sport van de ladder gestaan als alle andere kabinetsleden, maar sommigen zagen haar aanstelling nog altijd als een politieke beloning voor het vriendinnetje van president Kramer. Melanie had geweigerd toe te staan dat haar medestanders die aanvallen agressief afsloegen. Ze zou haar prestaties voor zich laten spreken. Tot nu toe had ze bewezen dat vijftien jaar in de westvleugel volkomen adequate voorbereiding was op het ambt.

Haar nieuwe kantoor had niet de pracht en praal van het Oval Office, maar het was indrukwekkend. Dale zag een klein fotootje van Melanie en Brian opgedirkt voor het diner van de Vereniging Verslaggevers Witte Huis.

'Hai Dale, kom binnen. Sorry dat ik je zo lang heb laten wachten,' zei Melanie. Ze was vriendelijk maar niet hartelijk.

Dale wist nog steeds niet wat ze hier deed. 'Geen probleem,' zei ze maar.

Melanie liep naar een kleine vergadertafel en nam plaats. 'Hoe gaat het?'

Dale dacht na over hoe ze de schijnbaar eenvoudige vraag moest beantwoorden. 'Wil je een eerlijk antwoord?'

'Dat moet je zelf weten,' zei Melanie. Dale dacht dat ze een kleine glinstering in haar ogen zag.

Dale verstijfde.

'Dale, laten we geen tijd verspillen door te ouwehoeren. Ik heb je hierheen laten komen om te vragen of je het allemaal wel redt.'

Dale ademde voor het eerst sinds haar binnenkomst in het kantoor uit. 'Ik weet het niet.'

Melanie bestudeerde haar grondig.

'Ik heb het idee dat er hele gekke dingen gaan gebeuren.'

Melanie knikte. Het leek alsof ze overwoog of ze iets wel of niet tegen Dale moest zeggen. Dale had het gevoel dat ze al wist wat het was.

Onderweg hiernaartoe had Michael Robbins gebeld om haar te waarschuwen. Hij hoorde gerommel over een klokkenluider die beweerde dat de vicepresident een zenuwinzinking had gehad en dat het Witte Huis dat had verdoezeld. Dale keek nu naar Melanie en wachtte tot ze iets zou zeggen. Melanie knipperde niet vaak, wat maakte dat Dale meer knipperde dan anders. Ze ging verzitten in haar stoel. Melanie werkte op haar zenuwen. Ondanks de kwalijke persoonlijke geschiedenis tussen Dale en de president, was Charlotte altijd aardig tegen haar geweest. In tegenstelling tot Melanie, die altijd op haar hoede bleef.

'Luister Dale, we kunnen misschien het beste in hypothetische termen spreken.'

'Natuurlijk.'

'Als er, hypothetisch, iets heel erg mis was met de vice, wie zou dat dan weten?'

'Ralph. Marcus, natuurlijk. Karen misschien?'

'En zou iemand in jouw positie het ook weten?'

'Iemand in mijn positie zou waarschijnlijk genoeg zien om te weten dat er iets niet in de haak was, maar ik denk niet dat degene die de pers te woord staat alles verteld zou worden.'

'En wat bedoelen we dan met "alles"?'

Dale leunde achterover in haar stoel en dacht een paar seconden na hoe ze die vraag zou beantwoorden. 'Ik denk, hypothetisch natuurlijk, dat terwijl de situatie nu misschien overduidelijk lijkt, het me nooit is uitgelegd. Ik heb gewoon het ene bizarre feit naast het andere gezet en ben er zo achter gekomen.'

Melanie schoof haar stoel naar achteren en stond op. Dale keek toe hoe ze langzaam naar haar bureau liep en eraan ging zitten. Ze wist niet of ze aan de tafel moest blijven zitten of op de stoel bij het bureau plaats moest nemen. Melanie zat met haar rug naar haar toe. Na een paar minuten draaide ze zich om en richtte zich tot Dale. 'Dale, we hebben nooit veel tijd samen doorgebracht, maar ik weet dat Brian altijd veel respect voor je heeft gehad.'

'Dat is wederzijds,' zei Dale.

Melanie glimlachte. Ze was duidelijk trots op Brian, wat Dale een verrassend kwetsbare reactie van haar vond. 'Geloof het of niet, maar Charlotte bewondert en respecteert je ook enorm. Ze vindt je een zeldzaam talent, professioneel gezien natuurlijk.'

Dale wist niet of Melanie het grapje voor zichzelf maakte of voor Dale, maar ze glimlachte maar terug. 'Dank je, goed om te horen.'

Melanie leunde naar voren. 'Dale, ik ga je een advies geven, voor wat het waard is, en je moet maar zien wat je ermee doet.'

'Advies is altijd welkom,' zei Dale.

'Het Witte Huis zal in een slangenkuil veranderen. Iedereen zal zijn eigen advocaat meebrengen. Niemand zal meer de leiding hebben. Je gaat perstelefoontjes krijgen over dingen die je nooit voor mogelijk hield. Je zult rondrennen op zoek naar antwoorden op die vragen, maar je zult er snel genoeg achter komen dat alles anders is geworden. Niemand zal je meer een eerlijk antwoord geven over iets. De kranten zullen vol staan met anonieme citaten van de persoonlijke advocaten die gaan proberen hun klanten in het beste licht af te schilderen en ze in een positie voor deals met de commissie te brengen.'

'Deals?'

'Je weet wel, immuniteit, dat soort dingen. En Ralph zal stilletjes ten onder gaan, als hij, hypothetisch gezien natuurlijk, degene is die het brein was achter de verhulling, en de bevelen heeft gegeven. Hoe is jouw relatie met Ralph?'

'Op z'n best gezegd gespannen,' antwoordde Dale.

'Heeft hij je hierin meegetrokken?'

Dale knikte terwijl elke spier en elke zenuw in haar lijf zich met vrees vulde.

Melanie schoof de bovenste la van haar bureau open en haalde er een stapeltje visitekaartjes uit dat met een elastiekje bij elkaar was gebonden. 'Ouderwets, hè?' zei ze. Ze vond het kaartje dat ze zocht en pakte de telefoon. Dale zag dat ze een nummer binnen Washington belde.

'Is hij aanwezig? Zeg alsjeblieft dat het Melanie Kingston is en dat het dringend is.' Tijdens het wachten keek ze Dale niet aan. Wie ze dan ook belde, hij of zij nam binnen drie seconden de telefoon op. 'Jimbo. Sorry dat ik je lastigval, maar ik moet je om een gunst vragen. Heb je vanavond wat te doen? Ik wil je vragen vanavond met iemand af te spreken. Ik denk dat ze je hulp zal kunnen gebruiken. Kan ze om acht uur naar je kantoor komen?' Melanie schreef iets op het notitieblok dat voor haar lag en onderstreepte het. 'Ik zal het haar zeggen. Ja, je moet snel eens komen eten. Lijkt me super. Ik zal het tegen hem zeggen. Dank je. O, het gaat om Dale. Dale Smith.'

Dale hield haar adem in en stelde zich wel duizend verschillende dingen voor die Melanies advocatenvriend aan de andere kant van de lijn gezegd kon hebben.

Wat het dan ook was, Melanie liet geen reactie blijken. Ze hing op en scheurde de bovenste bladzijde uit haar notitieblok. Er stond een adres op en instructies voor Dale hoe na kantooruren het kantoor aan K Street binnen te komen. 'Jim Moffet verwacht je vanavond om acht uur op zijn kantoor. Zeg tegen niemand waar je heen gaat. Begrepen? Neem geen auto van het Witte Huis en zorg ervoor dat niemand je het gebouw in ziet gaan. Vertel hem alles.'

Dale was te geschokt om iets anders dan dank je wel te zeggen. Ze liep Melanies kantoor uit en naar de auto die haar over de brug van het District of Columbia naar het Pentagon-gebouw in Virginia had gebracht. De avond was gevallen en het was koud voor oktober. Dale wilde dat ze een jas had meegenomen. Ze had het stukje papier dat Melanie haar had gegeven nog stevig in haar hand, maar toen ze achterin ging zitten en de chauffeur had gevraagd haar terug naar West Exec te brengen, vouwde ze het open. Melanie had voor Dale een afspraak gemaakt bij de voormalige plaatsvervangend procureur-generaal. Hij was nu een zeer vooraanstaande advocaat in de stad, het best bekend omdat hij de vorige Voorzitter van het Huis had verdedigd na verdenking van verkeerd omgaan met campagnefinanciering. Voor één keer keek Dale niet op haar BlackBerry of telefoon om te zien of ze berichten had. De hele rit terug naar het Witte Huis probeerde ze te bedenken waarom Melanie haar zou willen helpen en hoe ze zoveel kon weten over wat er komen ging.

51
Charlotte

Charlotte las de verklaring voor de tiende keer door. Ze had het grootste deel doorgestreept met haar dikke zwarte viltstift en aanpassingen in de kantlijn gezet. Daarna was ze die aanpassingen nog weer gaan aanpassen, waardoor het document nu een rommelige pagina vol zwarte hiëroglyfen was geworden. De verklaring was maar een halve pagina lang, maar zou vaker herhaald worden dan alle andere woorden die ze als president had uitgesproken. Ze zuchtte diep en probeerde haar nieuwe opzetje te ontcijferen.

Het plan was dat ze de verklaring in de rozentuin zou voorlezen voor het Witte Huis-perspeleton. Haar persoonlijke advocaat wilde dat ze zou zeggen dat ze het onderzoek 'toejuichte'. Charlotte vond het bespottelijk, maar ze had besloten naar hem te luisteren, voor nu tenminste. Dus ze liet het woord in de tekst staan. Geen enkele president wil alle geheimen van de soms weerzinwekkende realiteit van een moderne uitvoerende macht helemaal prijsgeven. Het Amerikaanse presidentschap was niet gemaakt voor non-stop verslaggeving en geïntegreerde journalisten. Het was voor een andere tijd gemaakt; een tijdperk waarin werd gedacht dat mystiek en ontzag voor de leiders van het land minstens zoveel aan het welzijn van het volk bijdroegen als transparantie en oneindige debatten. Bovendien zou de aankondiging er gegarandeerd voor zorgen dat haar Witte Huis met piepende remmen tot stilstand kwam. Elke crisis werkte afleidend voor de Witte Huis-medewerker, maar de aanstelling van een speciale commissie veroorzaakte totale verlamming.

Charlotte zuchtte diep. Bij de meeste hogere stafleden zat de angst al vlak onder de oppervlakte. Charlotte was van tevoren gewaarschuwd met niemand over de verklaring te spreken. Haar persoonlijke advocaat was de enige met wie ze over het onderzoek mocht praten zonder het risico te lopen dat het gesprek uiteindelijk in het nationale archief terecht zou komen. Ze las vluchtig een memo door met daarin de stappen die het kleine groepje adviseurs dat van de speciale commissie af wist genomen had. Er was een aparte unit opgezet op de juridische afdeling van het Witte Huis voor de logistieke coördinatie tussen de medewerkers van het Witte Huis en de speciale commissie, zoals de documentenproductie en het inroosteren van ondervragingen. Een middenkader perspersoon was aangewezen om de perstelefoontjes af te handelen. De persvoorlichter zou geen persconferentie geven of vragen van de pers beantwoorden. Ondanks de genomen stappen om het zo aangenaam mogelijk te maken, zou het alles bezoedelen.

Charlotte keek op en zag Sam in de deuropening van het Oval Office staan.

'Mevrouw?'

'Ja Sam, kom maar binnen.'

'Meneer Kramer is zojuist in de residentie gearriveerd. Zal ik tegen hem zeggen dat je eraan komt?'

'Eh, nog even. Laten we eerst Melanie nog een keer proberen te bellen.'

'Jawel.' Sam liep weg en verscheen een paar seconden later weer. 'Annie zegt dat ze bijna klaar is met een vergadering met de senatoren Dean en Kirk.'

'Hm, mm.'

'Moet ik Annie vragen of ze hen wil storen?'

'Nee, vraag maar of Melanie me wil bellen zodra ze klaar is.'

'Doe ik.' Een paar seconden later kwam Sam weer terug. 'Annie vroeg of Melanie ook onderweg naar huis langs mag komen. Zal ik zeggen dat je vanavond een etentje hebt?'

'Nee, nee. Zeg maar dat het goed is. Ik wacht hier wel op haar.'

Sam bleef ongemakkelijk in de deuropening staan.

'Ik bel Peter wel,' zei Charlotte, en Sam keek opgelucht.

Charlotte vroeg Peter of hij de honden uit wilde laten en ze verschoof het diner naar negen uur. Terwijl ze op Melanie wachtte, bladerde ze door een rapport van de directeur van de afdeling Management en Budget tot haar ogen glazig werden. Ze ondertekende een stapeltje foto's van zichzelf en wilde net het journaal aanzetten toen Sam de deur voor Melanie opendeed.

'Hai,' zei Charlotte. 'Je bent tegenwoordig nog drukker dan ik.'

Melanie schonk haar een gespannen glimlachje. 'Gaat-ie nog?' Ze ging op een van de sofa's zitten.

'Ja hoor, niks aan het handje. Ik maak me alleen zorgen om de invloed op onze mensen en onze agenda. Het eerste jaar van een tweede termijn is de enige tijd om echt iets te doen.'

Melanie knikte instemmend.

Charlotte ging tegenover haar zitten en vroeg: 'Hoe ging je vergadering?'

'Mijn vergadering?' Melanie keek haar onbegrijpend aan.

'Annie zei dat je een vergadering met Dean en Kirk had?'

'O, díé vergadering. Prima hoor. Ik heb ze gepolst over aankoophervormingen en ze leken wel geïnteresseerd.' Ze herstelde snel, maar ze had overduidelijk geen vergadering gehad met senatoren Dean en Kirk.

'Denk je dat ze een wetsvoorstel zullen steunen?' vroeg Charlotte door.

'Ik hoop het.' Melanie ontweek haar blik.

Charlotte wilde net naar Brian vragen, toen Melanie over het onderzoek begon.

'Luister, mij is geadviseerd niet te praten over Tara of de gesprekken die jij en ik over haar hebben gehad vanaf het moment dat je haar als running mate voor de campagne koos. Ik zal er natuurlijk over moeten getuigen.' Melanies stem klonk gespannen.

'Ik weet het en het spijt me. Ik weet dat je je tijd wel beter kunt besteden.'

Melanie deed Charlottes verontschuldiging niet af als onnodig. 'Hopelijk waait het snel over. Ik zat te denken dat we elkaar misschien maar niet moeten spreken buiten onze officiële interacties totdat de rust is weergekeerd.'

Het voelde als een breuk. 'Ja, je hebt gelijk.' Charlotte wist verder niets te zeggen.

'Ik zou hier eigenlijk niet eens moeten zijn. Brian is op dit moment aan het spitten in het rapport dat tijdens het laatste weekend van de campagne naar boven kwam over Tara's tijd in een afkickkliniek,' legde Melanie uit.

Charlotte keek verbaasd.

'Weet je het niet meer? Tara verzekerde ons ervan dat het niet waar was? Nu schijnt het dat ik er tijdens de campagne over heb gelogen, maar ach, wat is nou een leugentje om bestwil tussen vrienden, toch?' Melanie klonk boos.

'Melanie, jij maakte bekend wat wij op dat moment als de waarheid beschouwden.'

'Maak je geen zorgen. Dat is ook wat ik tegen de speciale commissie zal zeggen.'

Charlotte perste haar lippen op elkaar en besloot Melanie stoom te laten afblazen. Ze leunde achterover op de sofa en deed haar armen van elkaar.

'Charlotte, je moet ook weten dat de *National Enquirer* net een verhaal online heeft gezet met een citaat van de vrouw van een Italiaanse arts die beweert haar te hebben behandeld toen ze daar tijdens haar rechtenstudie studeerde. Wist jij hiervan?'

'Jeetje mina, Melanie. De *National Enquirer*? Is dat nu ook al een betrouwbare nieuwsbron?'

'Charlotte, ze hebben vaker gelijk gehad dan je je kunt voorstellen. En ze gaan achter verhalen aan waar de gewone pers niet in durft te duiken.'

'Niet te geloven dat je hier sensatieblaadjes zit te verdedigen,' protesteerde Charlotte.

Melanie staarde uit het raam naar het zuidgazon. Ze leek zichzelf te proberen tot kalmte te manen voordat ze weer wat ging zeggen. 'Denk vooral niet dat ik niet begrijp wat dit voor je presidentschap kan betekenen,' zei ze uiteindelijk.

'Ik denk dat niemand weet hoe het gaat aflopen, Melanie.'

Melanie knikte. 'Het gaat allemaal erg ingewikkeld worden voor me; Brian die de berichtgeving over het gebeuren doet en wat ik op het Pentagon allemaal heb gedaan om mezelf te distantiëren van alles wat met politiek te maken heeft.'

'Ik begrijp het. Ik vind het echt heel naar voor je.'

'Dat weet ik.' Melanie stond op en liep naar de deur. Haar gezichtsuitdrukking was er een van slecht gemaskeerde afschuw.

Charlotte vocht tegen de automatische reactie om zich beledigd te voelen. Ze begreep dat Melanie vanuit een wirwar van emoties reageerde die ze waarschijnlijk niet eens onder woorden kon brengen als ze het zou willen. Deels was ze woedend dat ze had toegestaan dat iemand als Tara het imago van Charlotte had gesloopt waar ze zo hard aan had gewerkt om het te redden. Het ging haar dan ook vooral om het feit dat iemand haar harde werk ongedaan maakte. Maar Charlotte vermoedde dat ze ook reageerde vanuit haar eigen leven van verkeerde prioriteiten. Melanie had het gevoel dat ze net zoveel terug moest krijgen als ze in de baan had gestopt, maar dat was niet hoe een leven in de politiek werkte. Een leven van goede en nobele daden kon binnen een tel worden gewist met hartverscheurende consequenties. Die les hadden ze allebei op de pijnlijke manier geleerd toen Roger stierf.

Melanie draaide zich nog een keer naar haar om toen ze bij de deur was. 'Ik wilde je nog iets vertellen. Brian en ik hebben ons vorig weekend verloofd.'

'Wat super!'

'Ik weet dat er geen slechtere timing bestaat, maar ik wilde niet dat je het van iemand anders hoorde.'

'Mel, ik ben heel erg blij voor je. Echt waar. En wil je Brian ook van me feliciteren? Hij is een geluksvogel.'

'Dank je. We vieren het nog wel een keer met z'n allen als dit achter de rug is. Ik ga nu met Brian ergens eten. Zie ik je later deze week bij de vergadering van de Nationale Veiligheidsraad?'

'Ja hoor. Bedankt voor het langskomen en nogmaals gefeliciteerd.'

'Nog een fijne avond, mevrouw de president.'

Terwijl Charlotte toekeek hoe Melanie het Oval Office ontvluchtte, wapende ze zich tegen de nare dingen die gingen komen. Het zou niet bij Melanie blijven. Idealistische medewerkers waren het loyaalst en werkten het hardst, maar ze hadden ook de neiging zich extra hard tegen je te keren wanneer ze gedesillusioneerd raakten. Charlotte wenste Sam een goede avond en liep langzaam richting de residentie waar Peter nog altijd op haar wachtte. Toen ze bij de deur kwam die de westvleugel van de oostvleugel scheidde, zag ze Melanie op een bankje achter in de rozentuin zitten. Ze liep naar het bankje toe en zag dat Melanie haar BlackBerry vasthad. Ze had een vreemde uitdrukking op haar gezicht; eentje die Charlotte niet eerder had gezien. 'Mel, wat doe je hier? Gaat het wel?'

'Hoe lang wist je het al?'

'Wat?'

'Kom óp,' smeekte Melanie.

Charlotte zuchtte diep. Melanie wilde weten hoe lang ze iemand die ongeschikt was voor het ambt op een machtspositie had laten zitten. Voor het eerst vermoedde Charlotte dat het mogelijk was dat Melanie hun gesprek opnam voor de speciale commissie, Brian of nog iemand anders. Ze bracht zichzelf onder controle en bleef nog even staan. Melanie keek haar niet aan. 'Melanie, kom naar binnen,' drong Charlotte aan.

Melanie staarde recht voor zich uit.

Charlotte kwam dichterbij en wilde naast haar gaan zitten.

'Doe alsjeblieft niet,' fluisterde Melanie.

Charlotte stond op en deed meteen een stap achteruit. Ze bleef daar nog een paar minuten staan, beide vrouwen waren zich bewust van de onomkeerbare schade die de gebeurtenissen van het afgelopen jaar aan hun vriendschap hadden toegebracht. Charlotte wist niet precies wat Melanie dan van haar had verwacht toen

Tara in begon te storten, maar volgens Melanie had ze blijkbaar niet genoeg gedaan. En Melanie zelf zag er zo gebroken uit dat Charlotte haar het liefste wilde troosten als een van haar eigen kinderen. 'Ik zal je lijfwachten laten weten dat je hier zit,' zei ze uiteindelijk.

Melanie knikte. Ze leek te huilen.

'Zal ik Brian bellen en hem zeggen dat je wat later bent?'

'Ik heb hem al gebeld.'

'Oké. Fijne avond.' Charlotte draaide zich om en vervolgde langzaam haar weg naar de residentie.

52
Tara

Tara stond perplex van het effect dat het instellen van een speciale commissie had op het officiële apparaat van Washington. Een commissie van buiten aanwijzen was de enige politiek haalbare manier van het ministerie van Justitie om met beschuldigingen van onbetamelijkheden binnen het Witte Huis om te gaan. Tara wist dat deze zet logisch en onvermijdelijk was, maar dat voorkwam niet dat de stad geheel in beslag genomen werd door het nieuws. Zoals Frannie weken geleden al had gewaarschuwd, was Brent Kirkpatrick, de procureur-generaal van het zuidelijke district van New York, gevraagd de speciale commissie te leiden.

Tara zuchtte en bestudeerde haar schema van die dag. In de nasleep van Charlottes verklaring de week ervoor, waarin ze het onderzoek toejuichte en haar vertrouwen uitsprak dat haar nationaal veiligheidsteam en hogere stafleden te allen tijde juist hadden gehandeld, was het Witte Huis vreemd op de automatische piloot gaan werken. Er waren minder besprekingen en openbare evenementen en de staf leek bedrukt. Ironisch genoeg was het het langzamere tempo dat Tara eindelijk in staat stelde zeebenen te krijgen. Elke avond na het werk las ze Dale's avondmemo's en de witboeken van de beleidsmensen door. Ze kreeg langzaam aan haar zaakjes op orde. Als ze haar plan om ontslag te nemen, doorzette, zouden ze ergens heen moeten kunnen waar Kendall haar schooljaar zonder onderbreking af kon maken. Tara had geen enkel probleem zich het leven na haar vicepresidentschap voor te stellen. Het vervulde haar juist met enorme opluchting.

Het officiële doel van de commissie was te onderzoeken of het Witte Huis met opzet de dreiging van een terreuraanslag had overdreven om de aandacht van haar politieke problemen af te leiden. Een anoniem congreslid werd de week ervoor in *The Washington Post* geciteerd met de woorden: 'het bereik van het onderzoek wordt breed genoeg om een licht te werpen op hoe het Witte Huis precies functioneert'. Een andere anonieme functionaris vertelde *The New York Times*: 'het volk zet terecht vraagtekens bij wat er zich achter gesloten deuren afspeelt, en bij de competentie van de mensen in de hoogste regeringsfuncties'. Tara realiseerde zich al snel dat het Congres de verhoging van het dreigingsniveau als lokkertje gebruikte om de visexpeditie te rechtvaardigen. Ze waren niet geïnteresseerd in een groter inzicht in de bedreiging die Youseff Bordeaux vormde. Als dat zo was, zouden ze gewoon Charlottes nationaal veiligheidsteam op het Capitool ontbieden voor gesloten sessies en net zo lang op ze inpraten totdat ze alle inlichtingen met hen zouden delen. Op die manier was hun heksenjacht snel afgelopen geweest. De info over Youseff was angstaanjagend genoeg om het dreigingsniveau hoog te houden totdat zijn ondervragingen waren afgerond en zijn bekende handlangers achter slot en grendel zaten. Er zou nog eerder een zaak van gemaakt kunnen worden dat het Witte Huis het dreigingsniveau te snel had verláágd na Youseffs gevangenneming, vooral aangezien zijn neefjes nog vrij rondliepen. Tara geloofde dat de aanslag alleen maar vertraging had opgelopen, en helemaal niet verijdeld was. Maar de geloofwaardigheid van de dreiging die Youseff vormde was niet waar de tegenstanders van het Witte Huis op uit waren.

Tara zette het volume van haar televisie harder toen CNN zijn onheilspellende aankondiging deed van breaking news. De Witte Huis-verslaggever had gehoord dat de belgegevens vanuit Air Force One waren gevorderd. Tara schudde haar hoofd naar de televisie in haar kantoor. Ze kon niet geloven dat zo'n routinezet van de speciale commissie aanleiding gaf tot een extra nieuwsuitzending. Ze snapte nu nog niet veel meer van Washington dan toen ze er bijna een jaar geleden was aangekomen. Dezelfde congresleden die hadden geëist dat een onafhankelijke commissie onderzoek zou doen naar de beschuldigingen van onregelmatigheden in het Witte Huis, hadden over het hoofd gezien dat Brent en zij in hun jongere jaren hadden samengewerkt. Nu stond Brent Kirkpatrick bekend als een meedogenloze aanklager die een aantal van de grootste fraudezaken bij de overheid van het laatste decennium had geleid. Hij werd door leden van beide partijen gerespecteerd en hoewel hij zich gedroeg alsof hij immuun was voor de genegenheid van zijn bewonderaars, wist Tara wel beter. Hij droomde er al zijn hele leven van om FBI-directeur te worden. Alleen een president kan dat doen. Niets lanceert een aanklager sneller omhoog op de carrièreladder dan de machthebbers als gewone criminele verdachten te behandelen. Het ironische was, mijmerde Tara, dat het praktisch onmogelijk was dat iemand in het Witte Huis een misdaad beging. De beschuldiging van onregelmatigheden was van puur politieke aard, en de aanstelling van de speciale commissie nog meer. Er zou bewezen moeten worden dat een functionaris van het Witte Huis een bestaand crimineel statuut had overtreden, en in Tara's jarenlange ervaring was het geen misdaad om van onderwerp te veranderen. Het onderzoek was gelast om president Kramer voor schut te zetten en Tara's incompetentie naar voren te schuiven.

Als iemand daadwerkelijk zou worden aangeklaagd, zou de misdaad, zoals altijd in Washington, een doofpotaffaire zijn. Ze hoopte dat haar ontslag een heel eind zou komen in het tevredenstellen van Kirkpatricks behoefte om koppen te laten rollen. Ze zou alles doen om de president het hartzeer te besparen van te moeten toekijken hoe de westvleugel implodeerde. Daarom was het ook zo belangrijk dat ze Marcus kon overhalen. Hij trok nog niet bepaald bij, maar ze was vastbesloten hem ervan te overtuigen dat het voor hen allemaal het beste was. Ze moest het gewoon vanuit een andere hoek brengen, waardoor haar aftreden voor iedereen de meest logische stap werd.

Ze masseerde haar slapen en staarde naar de televisie. David Gergen bulderde door over de geschiedenis van speciale commissies en Wolf Blitzer probeerde er geboeid bij te kijken. Tara zette het geluid uit en ging weer verder met haar kranten. Algauw zat ze weer met haar hoofd te schudden. Politici klaagden graag over onrechtmatig lekken naar de pers, maar geen enkele gebeurtenis in Washington zorgde voor meer lekken uit eigenbelang dan het onderzoek van een speciale commissie. Gezien de functionarissen op wie het onderzoek zich richtte, de wetgevers die verantwoordelijk waren voor het aanstellen van de commissie, de getuigen die door de commissie werden ondervraagd en de door alle betrokkenen in de hand genomen advocaten van buitenaf, waren er zoveel bronnen die hun versie van de gebeurtenissen wilden weergeven, dat er drie keer zoveel krantenpagina's konden worden gevuld als op een gewone dag in Washington. En in die verschillende versies van de gebeurtenissen kwamen een paar vaste thema's duidelijker dan ooit naar voren. Charlotte Kramer had meer politieke vijanden dan welke president dan ook in de recente geschiedenis. Veel van haar tegenstanders waren leden van haar eigen partij die diepe wrok koesterden over hoe ze haar voormalige minister van Defensie had behandeld. Tara had over zijn zelfmoord gelezen toen Charlotte haar net bij de campagne had betrokken. Ze wist niet of ze een liefdesrelatie hadden gehad, maar het was duidelijk dat ze extreem hecht waren geweest. Ze was ontzet dat een aantal van de conservatieve columnisten en presentatoren van praatprogramma's op de radio Charlottes behandeling van Roger met haar behandeling van Tara vergeleken. Rush Limbaugh had het al drie dagen achter elkaar over Charlotte Kramers gebrek aan ruggengraat. De aanvallen van links waren bijna net zo gemeen. MSNBC was de avond ervoor tijdens primetime met een speciale uitzending gekomen met de titel: *Hoe begin ik een impeachment tegen de president: een stappenplan voor nieuwe congresleden.*

Tara pakte de telefoon en belde Marcus' mobiel. 'Wat nou als er een manier was om af te treden waarbij jij en ik nu en in de toekomst immuun blijven voor aanverwante onderzoeken, beschuldigingen en vraagtekens bij ons besluit om een carrière bij de overheid te ambiëren?' vroeg ze met haar hand over haar mond zodat niemand buiten haar kantoor haar zou kunnen horen.

'Je weet net zo goed als ik dat dat onmogelijk is.' Marcus klonk treurig gestemd.

'Maar als dat níét onmogelijk was? Zou het dan genoeg zijn?'

'Ik weet het niet,' antwoordde hij.

'Dan zouden we verder kunnen met ons leven.'

'Je doet niks hoor, Tara,' waarschuwde hij.

Voordat ze ophing, beloofde ze hem dat ze niets zou doen, maar ze wist beter dan wie dan ook in de westvleugel hoe de dingen zich de komende dagen en weken zouden ontwikkelen. Ze moest haar gezin verdere vernedering besparen, dus belde ze Frannie op haar privémobiel. 'Ben je alleen?'

53
Dale

Rond kwart over zeven 's avonds liep Dale het complex van het Witte Huis af en legde de drie straten naar Jim Moffets kantoor aan K Street te voet af. De voormalig plaatsvervangend procureur-generaal had er als gunst aan Melanie bij hun eerste ontmoeting mee ingestemd haar te vertegenwoordigen. Hij legde niet uit waarom hij Melanie zo'n grote gunst verschuldigd was, en Melanie had ook geen verdere verklaring gegeven waarom ze zich voor Dale had ingespannen. Dale's beste theorie voor Melanies gedrag was dat Brian haar had overgehaald Dale te helpen in ruil voor het geluk dat hem ten deel was gevallen sinds Dale's carrière bij de omroep tot een abrupt einde was gekomen en de zijne was opgebloeid. Hij had de baan van vaste nieuwslezer in de weekends gekregen die ooit van Dale was geweest. Op het moment was ze zo gespannen door het vooruitzicht te moeten getuigen voor een kamer van inbeschuldigingstelling en het verzoek om al haar e-mails en belgegevens in te leveren, dat ze er niet te veel bij stilstond waarom ze zo'n ervaren en gerespecteerde advocaat als Jim Moffet had. Ze was gewoon dankbaar voor hoe het was gelopen. Ze had al onofficieel van een van de medewerkers van de commissie gehoord dat ze zou worden opgeroepen voor een van de eerste ondervragingen.

Tijdens een telefoongesprek eerder die dag had Jim haar gevraagd e-mails en belgegevens te zoeken die het beeld gaven dat hij van Dale wilde schetsen; dat ze herhaaldelijk haar superieuren had gewaarschuwd over de gemoedstoestand van de vicepresident. Ze had haar e-mails doorzocht naar de bewijzen waar Jim om vroeg, maar helaas had ze naar Ralphs advies geluisterd en haar Witte Huis-account niet gebruikt om haar zorgen over de vicepresident te communiceren. Ze had een paar cryptische berichten aan Ralph gevonden en ze uitgeprint, maar een grondige zoektocht zou dagen in beslag nemen.

Nu glimlachte Jim hartelijk naar Dale en pakte een geel schrijfblok waarop hij al wat aantekeningen had staan. 'Ik heb vandaag met iemand van de speciale commissie gesproken en heb nu een beter idee van wat ze van je willen,' begon hij.

Ze probeerde goed te luisteren terwijl hij dat gesprek beschreef, maar haar gedachten bleven afdwalen. Ze stelde vast dat nu, tijdens hun derde ontmoeting, hij niet meer in de luistermodus stond zoals in hun eerste twee sessies. De avond dat ze elkaar hadden ontmoet, was Dale bij het begin begonnen en had hem alles verteld. Hij had weinig aantekeningen gemaakt. Hij had vooral geluisterd en geknikt en meelevend geglimlacht. 'Heb ik een probleem?' had ze uiteindelijk gevraagd.

'Ik denk het niet. Je hebt gewoon je werk gedaan. En je hebt om hulp gevraagd toen je het gevoel had dat het de verkeerde kant op ging,' had hij geantwoord. Ze had hem toen nog niet over haar gesprek met de president verteld en wist ook niet of ze dat moest doen. Het zou toch niets uitmaken. De president zou het gesprek niet noemen, dus als zij niets zou zeggen, zou niemand ervan weten. Haar aandacht kwam weer terug bij Jims verhaal door het geluid van een klop op de deur.

'Kom binnen,' zei hij.

Een tengere brunette met drie reusachtige ringbandmappen in haar handen kwam de kamer binnen.

'Dale, ik haal mijn collega, Connie Taylor, erbij om je met je zaak te helpen. Zij en ik zullen allebei vierentwintig uur per dag, zeven dagen per week tot je beschikking staan. We zijn jouw team en je kunt ons met al je vragen bellen.'

Dale keek op naar Connie. Ze zag er net zo uit als alle vrouwelijke juridische medewerkers van het Witte Huis; knap, bleek, dun en keurig gekleed.

Connie liet haar mappen met een klap op de vergadertafel zakken. 'Heb je haar op de hoogte gebracht over je gesprek met de speciale commissie?' vroeg Connie.

Dale merkte dat ze alleen naar Jim keek als ze sprak.

Hij knikte. 'Daar was ik net mee bezig. Kom erbij zitten,' zei hij.

Connies gezicht was uitdrukkingsloos. 'Oké.'

'Dale heeft alvast wat documenten verzameld, Connie. Dat materiaal kunnen we samen wel even doornemen.'

Connie sprong op om kopieën te maken van de e-mails die Dale uit haar tas pakte. Tijdens haar afwezigheid verbond Jims assistente een telefoontje van zijn vrouw aan hem door. Terwijl hij zacht met haar sprak, keek Dale op haar BlackBerry. Craig had haar al een tiental mailtjes gestuurd sinds hun ruzie. Ze had al zijn berichten genegeerd. Zijn wreedheid die avond had haar overvallen. Dale was eraan gewend de mannen in haar leven teleur te stellen, maar om de een of andere reden had ze gedacht dat haar relatie met Craig wel goed zat. Zijn nieuwste rondje met spijtbetuigingen en smeekbedes was zo zielig dat het haar eindelijk had vermurwd. Ze zuchtte en drukte op reply bij een van de mailtjes die hij die dag had gestuurd, te moe om nog kwaad op hem te blijven. 'Als je ophoudt met die verontschuldigingen, bel ik je vanavond,' schreef ze.

'Kom je bij me eten?' schreef hij meteen terug.

'Dat wordt dan wel laat,' typte ze.

'Maakt niet uit.'

'Halftien?'

Craig stuurde een smiley terug. Dale schoof de BlackBerry weer in haar tas. Toen ze opkeek, zag ze dat Jim naar haar keek. Er was een tijd geweest dat Jim Moffet een erg knappe man was. Hij zou helemaal Dale's type zijn geweest. Ze vroeg zich even af of hij gelukkig getrouwd was en of hij haar aantrekkelijk vond. Tijdens hun besprekingen was hij ontzettend lief voor haar. Hij stelde haar continu gerust dat alles goed zou komen. Het deed haar denken aan hoe Peter altijd voor haar had willen zorgen. Dale besefte ineens dat hij haar een vraag moest hebben gesteld. 'Sorry, wat zei je?'

'Heb je plannen voor vanavond?'

'Wat? Nee. Eh, ja.'

'Geen probleem, Dale. Echt. Mijn vrouw zal dolblij zijn als dat zo is. Ik heb haar de hele week nog niet gezien. We kijken de e-mails vanavond wel apart van elkaar door en dan beginnen we morgen onder het genot van een ontbijtje met ons eerste oefenvraaggesprek. Vind jij dat ook goed, Connie?'

Connie knikte en begon haar reusachtige mappen weer op te stapelen.

'Bedankt,' zei Dale.

'Rust goed uit vannacht.'

Dale trok haar zwarte kasjmieren truitje strak om zich heen toen ze de frisse avondlucht in stapte. Ze vouwde haar armen voor haar borst en hield haar hoofd naar beneden terwijl ze door Lafayette Park begon te snelwandelen terug naar de noordwestelijke ingang. Ze smeet haar tas in haar auto en reed met één oog op de snelheidsmeter het complex af en 17th Street op richting Dupont Circle. Ze wilde niet nog een keer staande gehouden worden. De agent had haar de vorige keer dat ze bij Craig was weggereden uiteindelijk laten gaan, maar pas na een martelende reeks vragen en dreigen dat hij haar naar het bureau mee zou nemen voor een bloed- en urinetest.

Craig stond in de deuropening toen ze uit haar auto stapte. Ze verwachtte een knuffel en een verontschuldiging, maar toen ze dichterbij kwam, zag ze dat hij geagiteerd was. 'Haal de accu uit je BlackBerry,' spoorde hij haar aan terwijl hij haar naar binnen trok.

'Wat?'

Hij pakte haar BlackBerry uit haar handen en haalde de accu eruit. 'Heb je er nog meer?'

Overrompeld deed ze haar tas open en gaf hem haar iPhone. Terwijl hij haar gedemonteerde elektronica op zijn haltafeltje legde, liep Dale de keuken in. Een oud nummer van U2 schalde uit de stereo en er stonden een paar potten en pannen op het fornuis te pruttelen. 'Eh, wat dacht je van: "Hallo, leuk je weer te zien, Dale,"' grapte ze.

'Sorry. Ik ben heel blij dat je er bent, en ik zal je straks fatsoenlijk mijn verontschuldigingen aanbieden voor de lelijke dingen die ik niet had moeten zeggen, maar ik moet het eerst met je over het onderzoek hebben.'

'O... ké,' zei ze langzaam.

'Je hebt toch wel een advocaat, hè?'

Ze knikte.

'Een goeie?'

Ze knikte weer. Ze zei niet dat Melanie haar Jim Moffet praktisch in haar schoot had geworpen.

'Luister, dit speciale commissie-gebeuren gaat worden zoals altijd, en als je een goede advocaat hebt en met al je e-mails en zo, dan komt het wel goed.'

'Ik hoop het.'

'Dat beloof ik je. Die speciale commissie is maar een truc. Ze denken veel groter. Dit wordt echt gigantisch.' Hij klonk bezeten.

'Wie zijn "ze"?' vroeg Dale.

'De commissie van Justitie van het Huis van Afgevaardigden. Ze hebben het al over impeachments voor de president.'

'Wat? Waarom?'

'Omdat ze een halvegare op een haarbreedte van het Oval Office heeft aangesteld.'

Dale begon in de keuken te ijsberen. Hij maakte haar bang. 'Hoe weet je dat?'

'Dat is het langere verhaal dat ik je vanavond wilde vertellen, met heel veel flessen wijn erbij.'

'Vertel het nu maar, je maakt me doodsbang.'

Hij gebaarde dat ze moest gaan zitten. 'Zit en ontspan je.'

'Moet ik me ontspannen? Je trekt de batterijen uit mijn smartphones, vertelt me dat ze de president willen afzetten en dan moet ik gaan zitten en me ontspannen? Leuk geprobeerd.'

'Sorry. Oké, het kantoor van de Voorzitter van het Huis van Afgevaardigden heeft de leiding,' legde hij uit.

'Ja. Zij hebben ervoor gezorgd dat het ministerie van Justitie de speciale commissie aanstelde. Dat heeft in de krant gestaan. De Voorzitter leidt de telastlegging voor de Democraten. Ze noemde het Kramers Watergate.'

Craig knikte. 'Ja. De Democraten zijn nog steeds boos dat Charlotte een van hun rijzende sterren heeft ingepikt, maar nu lijkt een aantal van hen te denken dat ze het laatste zullen lachen als blijkt dat ze schizofreen of psychotisch of zo is.'

'Ik denk niet dat ze schizofreen is.'

‘Tjee, da’s een opluchting.’

‘Hou op. Dat we überhaupt dit gesprek hebben,’ protesteerde Dale.

‘Dit is nog niet eens het ergste.’

‘Hoe kom je erbij dat ze een impeachment willen instellen?’

‘Ik ken de chef-staf van de Voorzitter van het Huis heel erg goed.’

Dale deed haar mond open om iets te zeggen maar de mengeling van pijn en schaamte op Craigs gezicht hield haar tegen. Hij liep de keuken weer in. ‘Langston Philips?’ vroeg ze.

Hij knikte.

Langston Philips was bijna een decennium lang een van Washingtons meest felbegeerde vrijgezellen geweest. Een jaar geleden was hij met een tweeëntwintigjarige Capitool-verslaggeefster van CNN getrouwd, die nu zwanger was van een tweeling. Dale’s gedachten wrongen zich in allerlei bochten voordat het muntje viel. ‘Jij bent met Langston.’ Het was geen vraag.

Craig knikte.

‘Hoe lang al?’

‘We zijn al negen jaar samen.’

Dale liep naar de bank en ging met haar benen onder zich gevouwen zitten. Craig stond nog steeds in de keuken. Hij zette de muziek zachter en vulde twee wijnglazen.

‘Voor mij graag wodka,’ zei ze.

Hij liet de glazen met rode wijn op het aanrecht staan en pakte een fles wodka uit de koelkast. Ze nipten ervan terwijl Craig haar vertelde over zijn al bijna decennium lange relatie met de chef-staf van de Voorzitter van het Huis van Afgevaardigden.

54
Charlotte

'Hoezo belt ze je niet terug?' vroeg Peter.

'Als ik haar bel en een boodschap achterlaat, belt ze me niet terug,' antwoordde Charlotte.

'Geef me de telefoon eens.'

'Wat? Nee. Waarom? Wat wil je doen dan? Het heeft geen zin. Melanie is idealistischer dan goed voor haar is. Dat moet je ook wel zijn als je voor drie presidenten hebt gewerkt, toch?'

Peter knikte. 'Ralph kan tenminste niet van idealisme beschuldigd worden.'

Charlotte lachte.

'Denk je dat een van hen verantwoordelijk is voor dat voorpaginaverhaal in *The Times* vandaag?'

Ze zuchtte diep. 'Ik weet het niet.'

The New York Times citeerde anonieme bronnen die 'bittere verdeeldheid' beschreven binnen Charlottes hogere adviseurs tijdens de terreurvrees in augustus. Eén bron onthulde dat Ralph woedend was op de vicepresident over wat hij een 'overdreven reactie' vond en een andere bron zei dat het ministerie van Defensie 'uiterst sceptisch' was over de inlichtingen die tot het verhoogde dreigingsniveau hadden geleid.

'Krijg je dingen te horen van de speciale commissie?' vroeg Peter.

'Nee. Onze mensen hebben beloofd een seintje te geven als iemand van mijn medewerkers in het onderzoek een doelwit of het onderwerp wordt in plaats van een getuige, maar ik verwacht niet dat ze veel meer dan dat zullen delen. Onwerkelijk, hè?'

'Ja,' antwoordde hij.

Ze zaten op het Truman-balkon onder een blauwe wollen deken waarop in een hoek met gouddraad Air Force One was geborduurd. Een vroege herfststorm trok de bladeren van de bomen op het zuidgazon. Cammie lag met haar kop op Charlottes schoot en de andere twee honden waren tegen Peter aan gekropen. Charlotte aaide Cammies snuit en de hond kreunde zacht van genot. Charlotte had haar gewoonte na het avondeten een sigaret op te steken opgegeven, maar ze dronk nog steeds graag haar kopje koffie op het balkon. Het was het enige moment, naast de wandeling van de residentie naar het Oval Office, dat ze frisse lucht inademde. Ze keek naar Peter en tot haar verrassing zat hij naar haar te kijken. Hij boog zich naar haar toe en kuste haar teder.

'Volgens mij heb je het nieuwtje nog niet gehoord,' zei ze.

'Welk nieuwtje?'

'Dat ik vanbinnen dood ben.'

'Nee, dat heb ik inderdaad gemist.'

'Rush Limbaugh kondigde aan dat hij eindelijk snapte wat voor vrouw haar meest gewaardeerde veiligheidsadviseur in het eigen zwaard zou laten vallen zodat ze herkozen kon worden om vervolgens nog geen jaar later haar vicepresident bloedend op het slagveld achter te laten.'

'Zei Rush Limbaugh dat je dood bent vanbinnen?'

'Ja, en dat ik een van de angstaanjagendste politici van het land en mogelijk van de wereld ben, en dat Tara Meyers mij en iedereen die voor mij werkt in de stront moet laten zakken voordat ze de tweede hogere functionaris wordt die in de steek wordt gelaten.'

'Char, je moet niet naar Rush Limbaugh luisteren.'

'Dat doe ik ook niet. Maar mijn vader wel. En de jouwe. En achtendertig miljoen anderen.'

Peter glimlachte meelevend en nam haar in zich op.

'Waar denk je aan?' vroeg Charlotte.

'Niets.'

'Dat is niet je niets-blik. Het is een iets-blik. Waar dacht je aan?'

'Ik zat me af te vragen of het ons echt weer kan lukken of dat we de eerste keer te veel schade hebben aangericht om het meer te laten worden dan het nu is. Wat, en dat meen ik, ook heel fijn is,' zei hij.

Charlotte was stil. Ze had zich hetzelfde afgevraagd, maar haar gecompartimenteerde brein had die vragen opzijgezet voor een moment in de toekomst waarop ze zich geen zorgen maakte te worden afgezet. Ze staarde even naar het Washington Monument voordat ze sprak. 'Ik denk dat mensen tot uitzonderlijk dappere dingen in staat zijn. Dat zie ik elke keer weer bij bezoeken aan Irak en Afghanistan. En ik vraag me af waarom we niet meer uitzonderlijk dappere dingen in ons privéleven doen. Of, beter gezegd, waarom ík niet meer uitzonderlijk dappere dingen doe in mijn privéleven, wat natuurlijk veronderstelt dat ik daadwerkelijk een privéleven heb, en jij weet beter dan ieder ander dat dat niet zo is en dat ik dat al tientallen jaren niet heb gehad.'

Peter leek licht geamuseerd.

'Ik zat te denken dat als die achttienjarige en negentienjarige jongens en meisjes – en je weet dat Will er daar een van is – als zij dat soort dappere dingen kunnen doen, die mijn begrip te boven gaan, waarom kan ik dan niet de moed vinden om een aantal van de dingen te doen waar ik bang voor ben?'

'Grappig om dat uit de mond van de machtigste persoon op aarde te horen,' merkte Peter op.

Charlotte liet haar hand in de zijne glijden. Hij glimlachte naar haar en ze keken samen naar de in de wind dwarrelende bladeren. Ook al was hij degene geweest die een affaire had gehad, ze had het gevoel dat zij degene was die harder haar best moest doen om hem ervan te overtuigen dat ze een echte relatie aan kon gaan. Ze moest bewijzen dat ze deze keer in staat was hem van haar te laten houden. Hun probleem was nooit geweest dat Charlotte niet van hem hield. Ze had altijd van hem gehouden. Hun probleem was dat hij nooit van haar mocht houden, en als ze het deze keer echt wilden laten slagen, moest dat veranderen. Ze keek op toen een van de stafleden van de residentie ineens verscheen.

'Sorry, mevrouw. Ik heb een dringend telefoontje voor u van Craig Thompson,' zei hij.

'Bedankt.' Ze liep naar binnen om de telefoon op te nemen in het Yellow Oval. 'Goeienavond, Craig,' zei ze.

'Mevrouw, het kantoor van de Voorzitter van het Huis kreeg zojuist een tip van een hoge bron binnen het ministerie van Justitie die beweert dat de vicepresident morgen in het geheim met de speciale commissie spreekt.'

Charlotte slikte. Peter keek naar haar door het raam. 'Bedankt, Craig. Hou me op de hoogte.'

'Natuurlijk.'

55

Tara

Tara besteedde speciale zorg aan haar uiterlijk. Ze trok de zwarte jurk met het bijpassende jasje aan dat ze eens voor Dale had geshowd, bracht make-up aan en borstelde haar haar mooi glad met een ronde borstel en de föhn voordat ze naar beneden ging. Marcus was na hun laatste ruzie van de vorige avond niet terug naar bed gekomen. Hij was bijgedraaid wat betrof het gesprek met de speciale commissie dat ze voor later vandaag had geregeld, maar hij maakte zich nog steeds zorgen dat ze zouden nemen wat ze wilden en haar eisen zouden negeren. Hij wilde met haar meegaan, maar ze had erop aangedrongen dat ze alleen wilde. Dat was waar hun laatste ruzie over was gegaan. Marcus was er zo aan gewend geraakt haar te beschermen. Haar behoefte om te worden afgeschermd, en zijn behoefte om belangrijk te zijn, waren de dingen die hen al die jaren bij elkaar hadden gehouden. Als ze haar plan om af te treden doorzette, zou hij haar nooit meer ergens voor hoeven te beschermen. Hun hele partnerschap zou overbodig worden. Het verbaasde haar hoe droevig die gedachte haar stemde. Het was een opluchting hem met Kendall aan de ontbijttafel te zien zitten alsof er die dag niets bijzonders aan de hand was.

'Goeiemorgen jongens,' zei ze.

Kendall was blij haar te zien. 'Hai mam.' Ze liep naar haar toe om haar een kus te geven. 'Je ziet er mooi uit.'

Tara veegde druivenjam van Kendalls onderlip en gaf haar een kus op haar voorhoofd. Marcus keek naar hen. Ze vermeed oogcontact met hem terwijl ze een half kopje All-Bran met rozijnen afmat en er halfvolle melk overheen goot.

'Banaan?' bood Marcus aan.

'Hm?'

'Wil je een halve banaan?'

'O, nee. Dank je,' zei ze. Ze dwong zichzelf een hap ontbijtgraan te eten, maar ze hield het maar met moeite binnen.

'Mama, eten we vanavond gehaktballen?' vroeg Kendall.

'Als jij dat graag wilt.'

Een van Tara's lijfwachten klopte op de deur. 'Mevrouw, we hebben het verkeer stilgezet op Mass Ave. Een van de jongens dacht dat u om kwart voor negen een bespreking had dus we moesten de route vroeg vrijmaken.'

'Maakt niet uit, ik ben toch klaar!' Tara sprong op van tafel zonder haar ontbijt op te eten en gaf Kendall nog een kus voordat ze wegging.

'Bel me,' riep Marcus haar na.

'Zal ik doen,' zei ze zonder zich om te draaien.

Terwijl de colonne wegreed bij het Naval Observatory, keek Tara aandachtig naar de eenzame demonstrant die sinds ze er was komen wonen elke dag op Massachusetts Avenue tegenover de ambtswoning postte. Een van haar agenten had haar verteld dat hij er tijdens de vorige twee regeringen ook had gestaan. Hij hield een bord vast waarop op de ene kant STOP HET MISBRUIK en op de andere kant DE KATHOLIEKE KERK MOET ZICH SCHAMEN stond. Tara zag een vrouw in een Prius met stickers met GEEN BLOEDVERSPIL-

LING VOOR OLIE op haar voorbumper toeteren en haar duim opsteken naar de demonstrant. De man hield zijn bord omhoog en grijnsde breed. Washington was vol mensen die iets te zeggen hadden en vonden dat het de verantwoordelijkheid van de machthebbers was om naar hen te luisteren. Tara hoorde de agenten hun locatie doorgeven over de radio. Ze wist eindelijk grotendeels wat hun codetaal betekende. 'Aan alle wagens en alle posten, Albany op route zestienhonderd.'

Albany was haar codenaam bij de Geheime Dienst. Marcus was Amsterdam en Kendall was Andover. Het was mogelijk dat ze allemaal al voor het laatst bij die naam waren genoemd. Als haar afspraak met de speciale commissie verliep zoals ze hoopte, zou ze aan het einde van de dag geen vicepresident meer zijn. Haar plan was om haar aftreden aan te bieden in ruil voor immuniteit voor alle gerelateerde strafrechtelijke en civiele telastleggingen tegen Marcus en haar, met een belofte van het ministerie van Justitie dat er geen verder onderzoek of navraag zou worden gedaan naar haar mentale gezondheid, eerdere behandelingen of diagnoses, of verklaringen die Marcus of zij hadden gedaan omtrent haar bekwaamheid. Met die deal zouden ze met een schone lei uit Washington kunnen vertrekken.

Ze keek uit het raampje naar de lege weg die tot aan het Witte Huis voor haar lag. Het was zo opwindend geweest om in colonne te rijden de eerste paar keer dat ze had toegekeken hoe politieagenten het verkeer tegenhielden en haar limo of SUV door stoplichten zoefde en meerdere banen over zwenkte, soms zelfs op de baan die normaal gesproken voor het tegemoetkomende verkeer was bestemd. Nu voelde het als de zoveelste onnodige last die ze de mensen bezorgde die gewoon naar hun werk wilden. Ze leunde naar achteren en sloot haar ogen gedurende de resterende minuten van de rit. Het zou nu allemaal snel genoeg achter de rug zijn.

56

Dale

Connie speelde de speciale commissie en Jim coachte Dale's antwoorden. Dale vond wel dat Connie het rollenspel iets té serieus nam. Ze stapte tijdens plaspauzen niet eens uit haar rol.

'Mevrouw Smith, kunt u me vertellen wanneer u zich voor het eerst realiseerde dat er iets aan de hand was met de vicepresident?'

Dale keek naar Connie en daarna naar Jim. 'Hoe moet ik daar nou op antwoorden? Ik bedoel, ze begon eigenlijk al vanaf het begin met wegblijven bij vergaderingen en dagen achter elkaar thuiswerken, maar ik had niet aan de campagne meegewerkt dus ik wist niet of dat normaal was voor haar of dat er iets aan de hand was,' legde Dale uit.

'Als je nu gewoon zegt dat je nieuw was in het Witte Huis, maar dat het je al vrij snel nadat je voor haar was komen werken, opviel dat haar gedrag een beetje inconsequent was,' stelde Jim voor.

Dale knikte en richtte zich tot Connie. 'Ik vond haar gedrag van het begin af aan een beetje grillig.'

'O, nu was ze al grillig?' vroeg Connie.

'Wat bedoel je, Connie?'

'Ik weet niet wie Connie is, mevrouw Smith, maar ik wil nu graag weten in welk opzicht vicepresident Meyers zich volgens u grillig gedroeg.'

'Ik vraag je of ik specifieke incidenten moet opnoemen of gewoon een algemene indruk moet geven.'

'Mevrouw Smith, deelt u alstublieft de specifieke incidenten én uw algemene indruk met de rechtbank,' verzocht Connie zonder op te kijken uit haar belachelijk grote map.

Het irriteerde Dale dat Jim niets aan Connies gesar deed. Dit was toch maar een oefensessie? 'Nou meneer Kirkpatrick, de vicepresident begon vlak na mijn aanstelling in januari met het afzeggen van besprekingen en het uitstellen van briefings en interne vergaderingen met stafleden. Ik hoopte op dat moment dat het slechts om een aanpassingsperiode ging.'

'Dank u wel. Kunt u ons vertellen wat u deed toen ze besprekingen afzegde en briefings uitstelde?'

Dale keek weer naar Jim. 'Wat ik deed? Ik deed helemaal niets. Ik was maar een medewerker. En ik had nog nooit voor een regering gewerkt. Ik probeerde de boel gewoon bij elkaar te houden,' zei Dale tegen Jim.

'Sorry, ik kon u niet verstaan.'

'Laten we even pauzeren,' stelde Jim voor aan een verveeld kijkende Connie. 'Dale, Kirkpatrick zal je bestoken met tientallen formuleringen zoals Connie nu aan je voorlegde. Hij zal je vragen wat je indruk was van haar gedrag en daarna wil hij van je weten welke actie je hebt ondernomen. Zijn vooronderstelling is in wezen dat het Witte Huis fraude heeft gepleegd jegens het volk door de problemen van de vicepresident buiten de publiciteit te houden.'

Dale kreeg pijn in haar buik.

Jim legde een hand op haar schouder. 'Je kunt het. Laten we weer verdergaan.'

'Mevrouw Smith, op achttien mei jongstleden stuurde u Ralph Giacamo een e-mail waarin u schreef dat u hem over de vicepresident moest spreken. Wat was het doel van die e-mail?'

'Ik kreeg telefoontjes van de pers over haar gemiste evenementen en het afzeggen van haar eerste buitenlandse reis, en ik wist niet hoe ik die moest afhandelen.'

'En wat zei Ralph dat u moest doen?'

'Dat ik er maar mee moest dealen.'

'Ermee dealen?'

'Hij zei dat ik de pers moest afwimpelen. Ze wijsmaken dat het niets ongewoons was dat ze die evenementen had gemist.'

'Waren dat de woorden die hij gebruikte?'

'Ik weet niet meer welke woorden hij gebruikte, maar hij maakte het vrij duidelijk dat ik ervoor moest zorgen dat de pers niet meer zo op de vicepresident gericht was.'

'Aha. Bedankt, mevrouw Smith.' Connie liep naar de tafel en opende een van haar andere gigantische mappen. 'Moeten we alles chronologisch doornemen of alleen de e-mails doen?' vroeg ze aan Jim. Dale begon het vermakelijk te vinden dat ze altijd tegen Jim sprak alsof Dale er niet bij was. Samen besloten ze met Dale's e-mails verder te gaan, en toen Connie de stapel van rond de twintig e-mails doorlas die ze had uitgekozen als de beste voorbeelden voor Dale's toenemende bezorgdheid over de toestand van de vicepresident, dwong ze zichzelf zo direct en kort mogelijk te antwoorden. Ze begon net door te krijgen dat de beste strategie was de vragen op zo'n manier te beantwoorden dat ze doorvragen ontmoedigde. Terwijl de vragen maar bleven komen, kreeg ze het steeds moeilijker met het onderdrukken van haar eigen stijgende paniek. Dale zag meerdere gemiste oproepen van haar vader en voelde zich schuldig dat ze hem de laatste drie keer dat hij had gebeld niet had teruggebeld. Ze was expres heel vaag geweest tegen haar ouders over het strafrechtelijke gevaar dat ze liep. Het had geen zin ze bezorgd te maken. Hoe kon ze hen uitleggen dat ze, alweer, een prominente rol zou gaan spelen in een publiek schandaal omtrent de president van de Verenigde Staten? Ze zouden zich waarschijnlijk gaan afvragen of hun dochter niet gewoon het probleem was. Dale begon zich hetzelfde af te vragen.

57
Charlotte

Charlotte keek op haar horloge. Ze had Craig gevraagd nog een keer langs te komen. Vóór het onderzoek zou het bijna onmogelijk zijn geweest dat een van de stafleden van het Witte Huis zoveel tijd een op een met haar doorbracht zonder dat de andere stafleden zich zouden gaan afvragen wat er gaande was. Maar het onderzoek had de normale gevoeligheden van de van hiërarchie bewuste stafleden van het Witte Huis veranderd. Bovendien had Craig als hoofd van de afdeling Wetgeving en haar belangrijkste contact op het Capitool informatie die Charlotte nergens anders kon krijgen.

'Mevrouw de president, sorry dat ik je heb laten wachten. Ik was op het Capitool toen Sam belde.'

'Maakt niet uit. Ik heb een kruiswoordpuzzel zitten doen.'

Hij lachte. Ze hadden een makkelijke verstandhouding. Hij was nooit het type geweest dat per se bij haar rond wilde hangen, wat hem alleen maar aantrekkelijker maakte. En hoewel ze altijd op zijn vaardige omgang met congresleden vertrouwde, waren ze nooit in hun vrije tijd met elkaar omgegaan of hadden een persoonlijke band opgebouwd. Op een bepaalde manier maakte dat het nu makkelijker om met hem te werken. 'Ze zijn van plan na uw State of the Union te stemmen over een impeachment.'

Wat haar nog het meest aan hem beviel, was dat hij meteen ter zake kwam. Ze had zich altijd meer zorgen gemaakt om impeachment dan om het onderzoek. Zolang iedereen eerlijk getuigde, had ze het volste vertrouwen dat een zoektocht van de speciale commissie naar overtredingen niets zou opleveren. Een impeachmentstemming was iets totaal anders. Craig leek kalm. 'Waarom na de State of the Union? Wil het Congres me een soort pervers gevoel van fatsoen tonen?' vroeg ze hem.

'Het lijkt me waarschijnlijker dat ze de tijd van de feestdagen nodig hebben om zich te organiseren. En vanuit hun standpunt heeft het geen zin om vooruit te lopen op het onderzoek. Je weet hoe het werkt.'

'Dat zal wel, maar een opfriscursus maatschappijleer zou wel fijn zijn.'

'Zelfs het gekste lid kan een impeachmentstemming voorstellen. Volgens mij maakten een paar Democraten ook stampij over een impeachment na het helikopterongeluk in Afghanistan tijdens je eerste termijn.'

'Ja, dat weet ik nog.'

Het Huis heeft alleen maar een meerderheid nodig om een impeachmentonderzoek goed te keuren. Als ze genoeg stemmen krijgen, zal de commissie van Justitie van het Huis een onderzoek instellen. Als ze denken een overtreding te hebben gevonden die een impeachment waardig is, zetten ze de impeachment in werking.'

'En dan stemt het Huis erover, en als ze een meerderheid hebben, moet ik terechtstaan bij de Senaat.'

'Precies. De commissie van Justitie zal willen wachten om te zien wat er uit het kantoor van de speciale commissie zal lekken, want ze zullen dezelfde getuigen willen oproepen en hetzelfde bewijs bekijken.'

'En jouw intuïtie zegt je dat ze de impeachment door gaan zetten?'

'Er is mij verteld dat ze de stemmen in het Huis bij elkaar hebben om met het onderzoek van de commissie te beginnen.'

'Jezus christus,' mompelde ze. De wereldvreemde eigenaardigheden van het Capitool hadden Charlotte nooit aangestaan en ze had ze ook nooit begrepen. Daarom liet ze het altijd aan Craig en zijn medewerkers over als het op het onderhandelen over wetsvoorstellen aankwam. Nu zouden ze onderhandelen over de voorwaarden van een impeachment. Ze was sprakeloos.

Craig stond midden in het Oval Office. Het leek er niet op dat hij haar stilte ongemakkelijk vond of dat hij zich zorgen maakte om hoe ze zou reageren op zijn slechte nieuws. Hoe onrustbarend het onderwerp ook, Craig kwam nooit met een overhaaste reactie op de dingen die ze zei. Wanneer hij sprak, was het altijd om een belangrijke vraag te stellen of een inzicht te delen waar ze zelf niet aan gedacht zou hebben.

'Stel dat ik zou getuigen voor de commissie van Justitie of bij mijn proces in de Senaat?' vroeg Charlotte uiteindelijk.

'Geen enkele president die dreigde te worden afgezet heeft ooit getuigd.'

'Dat weet ik.'

Hij zweeg bijna een minuut lang. 'Ik kan de Voorzitter polsen,' bood hij aan.

'Als het uitlekt naar de pers is het aanbod van tafel.'

'Je denkt dat het idee jou, de president van de Verenigde Staten, voor het Huis te slepen om te getuigen in je impeachment zo historisch zal zijn dat het hen zal vergemakkelijken níét voor afzetting te stemmen.'

'Heb jij een beter idee?'

'We kunnen onmogelijk op dit punt al weten of ze genoeg stemmen hebben.'

'Wil je voorstellen dat ik het op z'n beloop ga laten met een Congres dat het over niets met elkaar eens is behalve de overtuiging dat ik de duivel ben?'

'Nee, mevrouw.'

'Laten we ze polsen.'

'Zal ik doen.'

'Craig,' begon ze.

'Ja?'

'Bedankt voor je hulp.'

Hij knikte plichtsgetrouw. 'Ik vind dat ik je moet zeggen dat er altijd een kans is dat zelfs áls je getuigt...'

'Ze me evengoed zullen wegstemmen. Ik weet het.'

'Oké.'

'Het is een risico, maar slechts twee Amerikaanse presidenten zijn ooit onderworpen aan een impeachment en ze zijn allebei met de schrik vrijgekomen.'

'En een derde trad zelf af,' zeiden ze praktisch in koor.

Charlotte leunde tegen haar bureau met haar benen over elkaar. Craig stond voor een van de banken. Hij ging nooit zitten, en stond zelfs zelden stil. 'Mag ik nog wat zeggen?'

'Ga vooral je gang.'

'Ik denk dat je berekening van de symboliek wel klopt. Het volk snapt niets van deze hele bende. Op dit moment denken ze dat er allerlei politieke motieven achter zitten, en ook al hebben ze het gevoel dat er iets mis is met de vicepresident, ze geven jou niet de schuld. Nog niet, tenminste. Je zou met een gezond waarderingspercentage voor het Congres komen. Daardoor zal het voor hen moeilijker zijn je uit het ambt te zetten.'

Ze dacht hier even over na en knikte, meer tegen zichzelf dan tegen Craig. 'Bel de Voorzitter onmiddellijk,' zei ze.

'Je bedoelt toch na het ondertekenen van het wetsontwerp?'

'Wat? O, ja. Dat was ik bijna vergeten. Jezus, wat gek dat alles gewoon doorgaat, hè?' Ze lachte.

'Daar zou je troost uit moeten putten. Het betekent dat het Witte Huis veerkrachtig is. Net als jij.'

Ze glimlachte. 'Dank je, Craig. Het gaat toch over de subsidie voor kankeronderzoek?'

'Ja, we steunden een verdubbeling van de subsidie voor de National Institutes of Health. Senatoren Lucky en Messina zijn hier met een groep overlevenden van kanker die hebben geholpen met lobbyen. Er zijn nog wel fotografen, maar geen correspondenten.'

Charlotte knikte. 'Laat ze maar binnenkomen.'

58
Tara

Ze had gevraagd of de Geheime Dienst haar in een drastisch afgeslankte colonne de zes straten van het Witte Huis naar het kantoor van de procureur-generaal wilde brengen. Zo kon ze makkelijk worden aangezien voor een minister of een bezoekende hoogwaardigheidsbekleder. Ze nam de privélift naar de vergaderruimte en werd begroet door een van haar eigen bewakers die hen vooruit was gegaan. Ze stond op toen Brent Kirkpatrick de kamer binnenkwam.

Hij knikte naar de bewakers en glimlachte naar Tara. 'Dat is lang geleden,' zei hij.

Ze schudden elkaar de hand.

'Bedankt dat ik mocht komen,' zei ze.

'Voor een oude vriendin doe ik alles. Ik heb bewondering voor de vlucht die je carrière heeft genomen, Tara.'

'En ik voor jouw werk in New York. Ik weet dat het de baan is die je altijd hebt willen hebben en ik ben blij voor je dat je hem eindelijk hebt. Je ervaart vast een enorm gevoel van vervulling, Brent.'

Hij probeerde te peilen of ze hem een oprecht compliment had gegeven of refereerde aan zijn grotere ambities. 'Dank je, Tara. Ik weet dat je het druk hebt dus ik hoop dat je me niet onhoffelijk of bot vindt als ik meteen ter zake kom?'

'Nee, natuurlijk niet.'

'Frannie zei dat je een voorstel voor me had?'

'Dat klopt.'

'Ik ben een en al oor.'

'Ik was in de veronderstelling dat je al op de hoogte was van de details.'

'Ik wil er gewoon zeker van zijn dat mijn mensen niets over het hoofd hebben gezien.' Hij wist net zo goed als zij dat Frannie niets zou zijn vergeten. Hij wilde dat ze het hem op de man af vroeg. Het was een klassieke onderhandelingstactiek, en niet een erg elegante.

'Wil je nou echt dat ik het je vraag?'

'Ik wil gewoon zeker weten dat ik precies begrijp wat je wilt dat we voor je doen, Tara.' Hij zou eigenlijk haar officiële titel moeten gebruiken. Dat hij dat niet deed, was een onderdeel van zijn strategie om haar te reduceren zodat de regeling zo veel mogelijk in zijn voordeel zou uitpakken.

Ze moest heel snel verandering brengen in de dynamiek in de ruimte. Ze gebaarde naar haar bewaker dat ze klaar was om te vertrekken en stond op. 'Ik had hier niet moeten komen. Het was ook een kans voor jou, Brent.'

Ze was al bij de deur toen hij haar nariep. 'Tara, dat was geen goed begin. Kom terug. Ik heb de hele week nog niet geslapen en het Witte Huis werkt niet mee met documenten en getuigen. Het is één grote nachtmerrie,' vertrouwde hij haar toe.

Ze bleef staan.

'Kom alsjeblieft weer zitten. We komen er vast wel uit.'

'Mevrouw de vicepresident,' zei ze.

'Sorry?'

'We komen er vast wel uit, mevrouw de vicepresident.'

'We komen er vast samen wel uit, mevrouw de vicepresident,' zei hij.

Ze ging weer zitten en legde haar voorwaarden voor. 'Je verzekert me dat mijn gezin immuun zal zijn voor alle gerelateerde gerechtelijke vervolging, onderzoeken, beschuldigingen en insinuaties?' vroeg ze.

'Dat kan ik niet doen, Tara.'

'Jawel.'

'Wat bedoel je met gerelateerde?'

'Het maakt niet uit wat ik bedoel. Ik wil het zwart op wit.'

Kirkpatrick zuchtte en wreef over zijn kin terwijl hij over haar verzoek nadacht. Ze wisten allebei wat ze precies vroeg. Ze wilde zeker weten dat Marcus weer bij de ordehandhaving kon werken en zij in de rechtszaal. Als hen ooit een misdaad ten laste werd gelegd, zou dat onmogelijk zijn. 'Prima.'

'Hoe wordt de president hiervan op de hoogte gesteld?'

'Zodra jij de deur uit loopt, bel ik haar persoonlijk op. Daar zorgt Frannie wel voor.'

Dat was het deel van het plan waar Tara zich de meeste zorgen over maakte. Ze had het gevoel dat ze het de president verschuldigd was haar aftreden persoonlijk aan te kondigen, maar Frannie had haar ervan overtuigd dat het nooit een onbezoedeld vertrek kon worden als het erop leek dat ze een soort politieke regeling hadden getroffen. Tara moest aan haar gezin denken en ze kon niets doen wat haar enige kans om hen te beschermen in gevaar zou brengen. Ze schudden elkaar weer de hand. Brent kon zijn blijdschap over het behalen van zo'n dramatisch resultaat bijna niet verbergen. In theorie moest de president haar ontslag nog goedkeuren, maar toen ze in de SUV terug werd gereden naar het Naval Observatory, wist Tara dat dat slechts een formaliteit was.

Brent had beloofd de formele ontslagbrief die ze met Frannie had opgesteld persoonlijk naar de president te brengen. Charlotte zou hem al ontvangen voordat Tara thuis was. Terwijl Tara in bespreking was met Kirkpatrick, had Frannie vertrouwelijk en snel met de servicedienst van de regering geregeld dat er die middag nog verhuizers zouden arriveren in de ambtswoning.

Ze stopten voor een verkeerslicht en Tara keek naar een groepje jonge vrouwen dat op de straathoek op hun BlackBerry typte terwijl ze met elkaar praatten zonder oogcontact te maken. Haar lijfwachten zwegen. Tara keek naar de klok in de auto. Kendalls school zou zo uitgaan en als Marcus haar ophaalde zou ze niet weten dat het de laatste keer was dat ze haar docenten en vriendinnen op Sidwell zou zien. Tara voelde een brok in haar keel komen. Ze herinnerde zichzelf eraan dat ze ontslag had genomen om hun de onaangenaamheden te besparen die zouden volgen als het onderzoek zich weken- en maandenlang op haar prestaties als vicepresident zou richten.

59

Dale

'Weet je zeker dat ik niet met je mee hoef?' vroeg Craig voor de derde keer.

'Ja, echt. Jim en Connie zijn professionals. Bovendien ben je hier vast nodig.'

Ze stonden dicht tegen elkaar op het balkon van Dale's kantoor in het Old Executive Office Building te kijken hoe de stafleden van en naar de westvleugel liepen. Een kraan die was gebruikt om de dag ervoor de kerstboom van het Witte Huis neer te zetten, stond op het noordgazon geparkeerd en de rij auto's van gechauffeerde congresleden die bij een briefing over Pakistan aanwezig waren, reikte van de ingang van de lobby van de westvleugel tot de noordwestpoort.

'Is de vice er vandaag?'

'Ik weet het niet. Haar colonne staat hier volgens mij nog,' antwoordde Dale.

'Arme vrouw,' mompelde Craig.

'Ja, hè.'

Het was ietwat onlogisch, maar Dale had alleen maar medelijden met de vicepresident. De beslissing om running mate van Charlotte te worden had dingen in werking gesteld die ze niet had kunnen voorzien. Dale moest die middag voor de grand jury verschijnen. Ze had de hele voorgaande dag met Connie en Jim geoefend. 'Wat is de maximumstraf voor meineed?'

'Doe niet zo raar. Je pleegt geen meineed.'

'Dat denkt iedere Witte Huis-functionaris voordat hij of zij aan zoiets begint.'

'Dale, luister gewoon naar je advocaten. Je kan het wel,' verzekerde hij haar.

'Vanavond een hapje eten?' vroeg ze.

'Ja. Ik wil je aan iemand voorstellen.'

'Aan wie?'

Hij glimlachte gemaakt schuchter.

'Toch niet Langston?'

'Jawel,' zei hij.

'Heb je hem verteld dat ik het weet?'

'Ja.'

'En ging hij flippen?'

'Ja. Maar hij kalmeerde toen ik hem zei dat iemand die het drie jaar lang in het geheim met de echtgenoot van de president heeft gedaan, een dinertje wel stil kan houden.'

Dale was evengoed verbaasd. 'Lijkt me leuk.'

'Mij ook. Succes vandaag, scheet. Het komt allemaal goed.' Hij kuste haar op de wang.

'Ik ben bang.'

'Dat weet ik. Maar nog even en het is voorbij. Dat beloof ik.'

Ze keek toe hoe Craig terugliep naar de oostvleugel. Toen pakte ze haar jas en tas en vertrok om Jim en Connie bij hun kantoor te ontmoeten. Ze waren van plan samen de weg af te leggen naar waar de grand jury elke dag bij elkaar kwam. Connie was vriendelijker dan anders, wat Dale verontrustte. Jim gaf haar een beschermend kneepje in haar schouder. 'Beneden wacht een auto op ons,' zei hij.

Dale knikte en liep hen achterna. Ze besefte niet hoe kort de rit was naar het kantoor van de procureur-generaal van D.C. aan 4th Street. Ze volgde hen het onopvallende regeringsgebouw in en ontweek de troep fotografen en camera's voor de deur. Een paar verslaggevers riepen vragen naar haar. Dale hield haar blik op de grond gericht. Eenmaal binnen verdween Connie. Dale en Jim werden naar een wachtruimte gebracht.

'Dale, het is heel belangrijk dat je de grand jury laat zien hoe verscheurd je was tussen het doen van je werk voor de vicepresident en buiten de hiërarchische structuur om gaan om anderen ervan op de hoogte te stellen dat je je zorgen maakte over de vice, oké?'

'Ja, ik begrijp het.'

'Zoals ik het zie, ben jij de enige die juist heeft gehandeld. Zorg dat de jury daar ook zo over denkt. Dat is wat je te doen staat daarbinnen.'

'Begrepen.'

'Onthoud dat je op elk moment de zaal uit kunt stappen om met mij te overleggen.'

'Bedankt, Jim. Voor alles.'

'Succes.'

60

Charlotte

'Wat is het laatste nieuws?' vroeg Charlotte.

'Dale getuigt vandaag voor de grand jury,' antwoordde Craig.

'Dat weet ik. Hoe voelt ze zich?'

'Ze redt zich wel.'

Charlotte knikte. Zij en Craig zaten te lunchen in de privé-eetkamer naast het Oval Office.

'De commissie van Justitie heeft een getuige die bevestigt dat je je al vóór de inauguratie zorgen maakte om Tara.

'Dat is niet waar.'

'Misschien liegt die getuige. De commissie beweert dat ze aantekeningen hebben van gesprekken die íémand gedurende de winter en lente met je heeft gevoerd over de aftakeling van de vicepresident.'

Charlotte was stil.

'Weet je wie het is?'

Charlotte staarde naar een plek op het tapijt achter Craigs stoel.

'Mevrouw de president?'

'Ik weet dat je denkt dat het Melanie is, maar ik kan niet geloven dat ze dat zou doen.'

‘Hoeveel weet ze?’

‘Ze weet dat ik me al een hele tijd zorgen om Tara maak.’

‘Waarover?’

‘Ik maakte me zorgen dat ze het werk niet aankon. Dat de schijnwerpers hun tol eisten. Dat het haar niet lukte de poespas te negeren.’

‘Weet Melanie dat je vermoedde dat Tara psychische problemen had?’

‘Ik weet niet of ik ooit tegen haar de term “psychische problemen” heb gebezigd, maar ze weet dat ik me ernstig zorgen maakte.’

‘Sorry dat ik zo doorzeur, maar gewoon bezorgd zijn over je vicepresident is iets heel anders dan er kennis van hebben, of vermoeden, dat je vicepresident onbekwaam is. Kun je geen enkel geval bedenken waarin je tegen Melanie kan hebben gezegd dat je dacht dat Tara incompetent was?’

Charlotte deed enorm haar best een vlaag van woede die opkwam niet op haar gezicht te laten zien. ‘Nee.’

‘Mag ik vragen waarom je denkt dat het Melanie níét is?’

‘Omdat ze nooit het ambt van het presidentschap zou saboteren.’

‘Ze heeft een hekel aan Tara.’

‘En aan Ralph, en ze is boos op mij omdat ik Tara heb gekozen, en ze voelt zich erg machtig op het ministerie van Defensie, maar ze zou het nooit doen,’ hield Charlotte vol.

‘Mensen doen irrationele dingen als ze bang zijn.’

‘Melanie is nooit bang.’

Hij liet het rusten. ‘Wil je mijn advies horen?’

‘Daarvoor ben je hier toch?’

‘Laat ze niet wachten tot na de State of the Union.’

‘Wat stel je voor?’

‘Ik denk dat als je aanbiedt onmiddellijk voor de commissie van Justitie te getuigen, je heel wat meer gewicht in de schaal zult leggen. Het zou ook meteen een einde maken aan de dagelijkse doorlopende lekken en verhalen die iedereen in dit gebouw de levenslust dreigen te ontnemen.'

'Je stelt voor dat ik getuig voordat ze over een impeachment kunnen stemmen, om een proces te voorkomen en het hele gebeuren overbodig te maken?'

'Jazeker.'

'Zoek de eerst mogelijke datum dat ik bij onze vrienden van het Congres langs kan gaan.'

'Doe ik.'

Toen Craig het Oval Office verliet, haastte Sam zich naar binnen. 'Ik heb de procureur-generaal aan de telefoon. Hij zegt dat hij je onmiddellijk wil spreken.'

61

Tara

Tara kwam de zolder af en liep rechtstreeks naar de begane grond van de ambtswoning. Als een zwerm bijen namen verhuizers elke centimeter van de keuken, woonkamer en werkkamer in beslag. Marcus had ze gevraagd beneden te blijven totdat Kendall haar spullen had ingepakt. Tara zocht Walter, haar favoriete lijfwacht. Hij hield vanaf de oprit toezicht op de bedrijvigheid en glimlachte hartelijk toen Tara op hem afkwam. 'Hoe gaat het met u, mevrouw de vicepresident?'

'Prima, Walter. Ik denk alleen niet dat je me nog zo hoeft te noemen.'

Hij glimlachte meelevend.

'Walter, wil je iets voor me doen?'

'Natuurlijk.'

'Kun je ervoor zorgen dat de president dit krijgt?' Tara drukte hem de brief in handen en voelde meteen een gewicht van haar schouders glijden.

'Natuurlijk mevrouw, komt voor elkaar.'

Ze glimlachte naar hem. 'Bedankt Walter, voor alles wat je voor mij en mijn gezin hebt gedaan.'

'Graag gedaan.'

Ze draaide zich om en liep terug naar de keuken. 'Laat die maar staan,' opperde ze tegen een verhuizer die met een doos rondliep waar 'keuken' op stond. Frannie had geregeld dat ze in Katonah een huis konden huren dat al meer dan drie jaar te koop stond. De eigenaren waren blijkbaar dolblij geweest met het vooruitzicht van huurinkomen, dus mocht Tara er met onmiddellijke ingang intrekken.

Behalve het geluid van de verhuizers die hun enorme dozen dicht tapeten, optilden en verplaatsten, was het stil in huis. Tara had de stekkers van alle televisies eruit getrokken. Ze had geen idee hoe het nieuws van haar abrupte aftreden zich zou verspreiden, maar ze wist zeker dat het nu openbaar was en putte troost uit de wetenschap dat Kendall er niet naar keek. Marcus had amper een woord met haar gewisseld. Als hij kwaad was, hield hij zich in vanwege Kendall. Tara ging naar boven waar Marcus en Kendall behoedzaam Kendalls kleren in de ene koffer deden en haar speelgoed en boeken in de andere.

'Hai mam. Heb jij alles al gepakt?' Kendall deed zo haar best zich groot te houden dat Tara's hart bijna brak.

'Nee. Zullen we dit even afmaken en daarna met mijn kast verdergaan? Dan kunnen we al onze spullen bij elkaar in één koffer doen. Vind je dat wat?'

'Ja. Papa, ga jij je eigen koffer maar pakken. Mama helpt me verder wel.'

Met tegenzin verliet Marcus de kamer.

'Mama, waar gaan we eigenlijk heen?'

'We gaan terug naar New York. Lijkt je dat wat?'

'Kan ik nog wel naar mijn school?'

'Daar wilde ik het met je over hebben. We blijven in New York wonen, dus je gaat daar naar een nieuwe school. Is dat goed?'

'Zie ik mijn vriendinnen dan nog wel?'

'Als we eenmaal weer op orde zijn in New York, mogen ze op bezoek komen.'

Kendall keek bedachtzaam. 'Waarom gaan we weg?'

'Weet je nog dat je vorig jaar ook van school moest veranderen omdat we hierheen gingen?'

'Ja.'

'Nou, dat was vanwege mama's werk. En nu heb ik die baan niet meer, dus is er ook geen reden om te blijven.'

Kendall begreep veel meer van de situatie, maar Tara wilde het er niet verder over hebben met Marcus in de kamer ernaast. Zeer binnenkort zou ze haar alles vertellen.

'In New York wordt alles beter, lieverd. Dat beloof ik.'

62

Dale

'Mevrouw Smith, wat ik maar moeilijk kan begrijpen is hoe het kan dat u aan de ene kant de noodklok luidde dat de vicepresident overbelast raakte, zoals u in de sessie van vanmorgen getuigde, terwijl u aan de andere kant in uw officiële verklaringen journalisten en anonieme bronnen binnen het Witte Huis aanviel die soortgelijke zorgen uitten.'

Dale ademde diep in en zorgde voor een sympathieke uitdrukking op haar gezicht. Connie had haar verteld dat glimlachen arrogant overkwam en fronzen onbehulpzaam. Maar de ondervraging was nu al vier uur aan de gang zonder een enkele pauze en ze begon vermoeid te raken. 'Ik wist niet of ik misschien spoken zag, dus deelde ik mijn bezorgdheid mee aan de chef-staf van het Witte Huis.'

'Ralph Giacamo?'

'Ja.'

'Hij verklaarde dat je tegen hem nooit zorgen hebt geuit over de geestelijke gezondheid van de vicepresident.'

'Nou, ik heb misschien niet precies die woorden gebruikt, maar ik heb hem gebeld en gezegd dat ik me zorgen om haar maakte.'

'En toen zei hij dat u er maar mee, ik citeer "moest dealen".'

'Juist.'

'En dat is ook wat u deed, nietwaar, mevrouw Smith?'

'Een tijd lang wel, ja.'

'Wanneer was de volgende keer dat u zich herinnert tegen iemand uw zorgen over de vicepresident te hebben geuit?'

'In augustus deed de vicepresident een aantal interviews met de ochtendshows en dat ging niet zo goed.'

'Dat herinner ik me.'

'Na de interviews begonnen stafleden van het Witte Huis op een andere manier over de vicepresident te praten.'

'En vóór die interviews, met hoeveel stafleden van het Witte Huis heeft u toen over uw zorgen om vicepresident Meyers gepraat?'

'Alleen met Ralph.'

'En erna?'

'Erna kwam alles in een stroomversnelling.'

'In augustus hebt u de vicepresident vergezeld bij een aantal briefings over de vermeende terreurdreiging, is dat juist?'

'Ja.'

'En vond u dat een goed idee?'

'Om haar te vergezellen?'

'Nee, dat was vast een goed idee. Vond u het een goed idee dat zij de leiding kreeg bij die vermeende terreurdreiging?'

Dale ademde iets te geschrokken in en vestigde daarmee de aandacht van de grand jury op zich.

'Mevrouw Smith?'

'Nee, ik vond dat geen goed idee.'

'Hebt u dat tegen iemand gezegd?'

'Ja. Ik heb tegen Ralph gezegd dat het eruit zou zien als een overdreven reactie op haar rampzalige interviews.'

'Dus u was bezorgd over hoe het eruit zou zien?'

'Ja, nee, ik bedoel... ik was bezorgd over hoe het eruit zou zien en ook of ze het wel aankon. Ik heb tegen Ralph gezegd dat ik haar te fragiel vond.'

'En wat zei hij toen?'

'Hij zei dat mijn cynisme eerder die week beter op z'n plaats was geweest, of iets in die trant.'

'Ralph lijkt me een lieverdje.'

'Hij heeft een zware baan.'

'Hoe was uw relatie met Ralph?'

'Prima.'

'Laat ik het anders zeggen. Hoe is uw relatie met Ralph Giacamo nu?'

'Ik denk niet dat hij een hoge pet van me opheeft.'

'En wat vindt u van hem?'

'Hij doet de dingen anders dan ik.'

'Mevrouw Smith, bent u van mening dat er deze zomer een werkelijke terreurdreiging was?'

'Ik ben geen expert, maar volgens mij is er altijd een verhoogde dreiging rond elf september.'

'En u vond het niet vreemd dat in dezelfde week dat de vicepresident een rampzalig optreden op de ochtendtelevisie gaf, ze werd gevraagd de belangrijkste adviseur van de president te zijn bij een terreurdreiging?'

'Ik zou niet meteen het woord "vreemd" gebruiken. En als je Ralph een beetje kent, was het dat juist absoluut niet.' Dale dacht dat ze een lichte grijns op het gezicht van Kirkpatricks collega-advocaat zag.

'Laat ik het anders zeggen, mevrouw Smith. Vond u het een goed idee dat mevrouw Meyers de leiding kreeg over de reactie van de regering op de terreurdreiging?'

'Ze heeft het uitstekend gedaan. En u moet begrijpen dat dit soort dingen altijd gezamenlijk wordt afgehandeld. Geen enkele persoon kan controle uitoefenen over een nationale veiligheidssituatie. Het hele nationaal veiligheidsteam was aanwezig bij elke bespreking.'

'Geen enkele persoon kan de koers van de nationale veiligheid van ons land beïnvloeden? U bent echt nieuw in dit wereldje.'

Voordat de rechter iets kon zeggen, verontschuldigde Kirkpatrick zich en keerde terug bij zijn opnieuw geformuleerde vraag. 'Vertel ons alstublieft of u vicepresident Meyers er afgelopen zomer toe in staat achtte de leiding over de terreurdreiging op zich te nemen.'

'Volgens mij heb ik die vraag al beantwoord. Tijdens de vergaderingen waarbij ik aanwezig ben geweest was ze behoorlijk indrukwekkend.'

Kirkpatrick raakte gefrustreerd. 'Voelde u als burger enige bezorgdheid toen u hoorde dat mevrouw Meyers de leiding kreeg?'

Dale was enorm geschokt geweest door het vooruitzicht dat Tara Meyers de touwtjes in handen zou hebben. Ze dacht erover na de rechter te vragen of ze mocht worden geëxcuseerd zodat ze met Jim kon overleggen, maar dat zou het onvermijdelijke alleen maar uitstellen. 'Ja,' zei ze uiteindelijk.

'Ja wat, mevrouw Smith?'

'Ja, ik voelde bezorgdheid toen ik hoorde dat mevrouw Meyers de leiding zou hebben wat de terreurdreiging betrof.'

Kirkpatrick keek zeer zelfvoldaan toen hij terugliep naar zijn tafel en ging zitten. 'Hartelijk dank voor uw verklaring, mevrouw Smith.'

'Ben ik klaar?'

'Voor vandaag. We gaan morgen verder. U kunt erop rekenen dat u de rest van de week hier bij ons doorbrengt, als u dat goedvindt.'

'Jawel.'

Jim en Connie zaten op haar te wachten toen ze de zaal uit kwam. 'Hoe ging het?' vroegen ze.

'Weet ik niet. Ze zeiden dat ik er rekening mee moest houden dat ik hier nog de hele week zit.'

Jim en Connie hadden een vreemde uitdrukking op hun gezicht.

'Wat is er? Heb ik het verknald?'

'Nee, nee. Je hebt het prima gedaan, Dale.'

'Wat is er dan? Denken ze dat ik ergens over heb gelogen? Moet ik daarom terugkomen?'

'Nee, toen Kirkpatricks hulpjes naar buiten kwamen, zeiden ze dat je zelfs nog nuttiger was gebleken dan ze hadden verwacht.'

'Wat is er dan?'

'Terwijl jij aan het getuigen was, heeft het Witte Huis aangekondigd dat de vicepresident haar ontslag heeft ingediend en dat de president het heeft geaccepteerd.'

63
Charlotte

Het was nog donker buiten, maar Charlotte kon niet slapen. Aan Peters ademhaling hoorde ze dat hij ook wakker was.

'Zal ik ontbijt voor je maken?' vroeg hij.

'Ik heb geen trek. Mag ik je iets vragen?'

'Natuurlijk.'

'Waarom denk je dat ze het gedaan heeft?'

'Tara?'

'Nee. Ik weet waarom Tara ontslag heeft genomen. Omdat ze haar gezin wil beschermen.'

'Melanie?' vroeg hij.

'Ja.'

'Ik weet het niet, Char.'

Zelfs Peter was gestopt met haar te verdedigen. Men dacht dat

Melanie zowel de speciale commissie als de commissie van Justitie van het Huis het anekdotische bewijs had geleverd dat hun onderzoek rechtvaardigde. Hoewel niemand dacht dat ze uit zichzelf met het bewijs op de proppen was gekomen, werd over het algemeen aangenomen dat Melanie de klokkenluider was geweest die had onthuld dat Charlotte al sinds vlak na de inauguratie haar twijfels had over Tara's geschiktheid voor het ambt.

Het kon Charlotte op dit punt niet schelen wat voor impact het op haar politieke positie had, maar de schade die het aan haar regering had toegebracht was onvergeeflijk. Ze deed haar bedlampje aan en trok haar notitieboeken op schoot. Het grootste deel van de vorige dag had ze zich met haar advocaten voorbereid. Ze hadden precies te horen gekregen hoe de volgorde van de vragen van de commissie van Justitie van het Huis zou zijn. Het kantoor van de Voorzitter had aan Craig beloofd dat iedereen respectvol zou blijven.

Brooke en Mark hadden aangeboden naar Washington te vliegen zodat ze in de residentie zouden zijn als Charlotte thuiskwam. Ze had tegen hen gezegd dat dat niet hoefde, maar Peter dacht dat ze haar zouden opvrolijken, dus ze waren onderweg. Ze had tegen de tweeling gezegd dat ze niet weer vrij van school moesten nemen, maar Peter liet ook hen overvliegen.

'Bedankt,' zei ze zacht.

'Waarvoor?'

'Dat je vandaag bij me bent.'

Ze was al aangekleed voordat de zon opkwam en kreeg in de residentie haar inlichtingenbriefing. Haar privéadvocaat ontmoette haar in de Diplomatic Room en ze gingen voor acht uur 's morgens de colonne in.

Craig was voor haar uit naar het Capitool gegaan om mogelijke laatste logistieke dingen af te handelen. Haar hele voorbereidingsteam was die week in het Capitool bezig geweest camerahoeken en fotoplekken door te spreken met het perskantoor van de Voorzitter. Charlotte had het gevoel dat ze betrokken was bij de enscenering van haar eigen executie.

Eenmaal in het Capitool ging ze rechtstreeks naar het kantoor van de minderheidsleider van het Huis, waar ze zou wachten totdat ze haar verklaring zou afleggen. Ze had geen stafleden van het Witte Huis meegebracht. In plaats daarvan werd ze vergezeld door een tiental advocaten, van wie de meesten voor particuliere praktijken in Washington werkten, en die ze allemaal drie weken eerder voor het eerst had ontmoet. Ze leunde tegen het raam. Het was een stormachtige dag, maar de journalisten voor de ingang van het Capitool leek het niet de deren; honderden omroepbusjes stonden rond het terrein van het Capitool. Charlotte stond alleen en nam in gedachten de antwoorden door die ze hadden geoefend. De commissie had ingestemd met één dag van ondervragingen. Tegen etenstijd zou het allemaal achter de rug zijn. Een van de advocaten zette het volume van de televisie harder en ging ervoor staan alsof de verslaggever iets zou weten wat hij niet wist. Charlotte schudde haar hoofd en lachte bij zichzelf.

Craig was al de hele week stemmen van de commissie aan het tellen. Hij had er vertrouwen in dat als de Voorzitter voor de camera's zou zeggen dat hij tevreden was met de antwoorden van de president, de commissie zou stemmen dat de procedure werd stopgezet. Hoezeer ze er ook tegen opzag, voor de commissie verschijnen was een briljant idee. Ralph zou het haar hebben afgeraden. Hij zou hebben genoten van de roekeloosheid ze uit te dagen te stemmen over het beginnen van een impeachment, gevolgd door een berechting in de Senaat. Charlotte was opgelucht dat hij verlof had aangevraagd totdat de speciale commissie hem zou vrijpleiten. Charlotte kwam er steeds vaker achter dat ze geen zin meer had in politieke roekeloosheid. Ze wilde dat er een einde kwam aan het drama dat tot nu toe om haar presidentschap heen had gehangen. Als ze de kans kreeg aan te blijven als de vijfenveertigste president van het land, was ze van plan meer tijd te besteden aan echt dingen voor elkaar krijgen.

Een van haar voorbereidingsmensen verscheen in het kantoor

en fluisterde een lijfwacht iets in het oor. Cliff verscheen aan haar zij en ze liepen de hal door naar de commissiezaal. Vlak voordat ze naar binnen ging, sloot Charlotte haar ogen en deed iets wat ze sinds het helikopterongeluk in Afghanistan niet meer had gedaan. Ze boog haar hoofd in gebed.

Epiloog

Tara

De eerste zin in de aanbiedingsbrief vroeg haar de hoofdrol te spelen in een verhaal over haar eigen comeback. Tara grinnikte en typte een vlugge e-mail naar haar agent met de woorden: 'Nee, dank je.' Ze schudde haar hoofd en legde de fax bij het vuilnis. Tara kon zich niks onwaardigers indenken dan in een realityprogramma verschijnen, zelfs niet op Oprahs netwerk.

Ze keek naar Kendall die in de voortuin speelde met een van haar nieuwe klasgenootjes. Kendall had een soepele overgang naar haar nieuwe leven gemaakt. Ze waren in een klein, schattig boerderijachtig huisje gaan wonen in een van de betere schooldistricten van Westchester County en waren algauw gewend. Tara bracht Kendall elke ochtend naar school op weg naar de sportschool. Na drie kwartier op de loopband of crosstrainer, stopte ze ergens voor een latte, ging langs de supermarkt en haalde andere boodschappen. Daarna ging ze naar huis om te schrijven. Tara was blij verrast met het voorschot dat ze had ontvangen om over haar korte tijd als vicepresident te schrijven. Bij gebrek aan andere aantrekkelijke aanbiedingen, was er niet veel voor nodig geweest haar over te halen haar verhaal te vertellen.

Een van de voorwaarden van haar gedeelde voogdij met Marcus was dat ze langdurige medische hulp zou zoeken bij een psychiater. Ze zou wekelijks naar therapie gaan en haar nieuwe voorgeschreven medicijnen slikken. De medicijnen hadden geen gigantisch groot effect gehad, maar ze voelde zich met de dag evenwichtiger.

Marcus had een baan gevonden bij een particulier beveiligingsbedrijf in de stad. Hij had een appartementje op de hoek van 2nd

Avenue en 58th Street gehuurd en reisde in de weekenden naar Katonah om tijd met Kendall door te brengen. Twee keer per maand bracht Tara haar dochtertje naar de stad zodat Kendall het weekend bij hem door kon brengen.

Tara riep naar buiten dat Kendall nog tien minuten buiten mocht spelen en ging naar de keuken om aan het avondeten te beginnen. Ze zette het journaal aan en keek naar beelden van eerder die dag van de president die met Harry en Penelope in San Francisco landde. Ze dacht dat ze Dale de trap van Air Force One af zag komen met de plaatsvervangend chef-staf en de andere medewerkers van het Witte Huis die waren meegereisd. Tara pakte sla, komkommer en een zak wortelen uit de koelkast voor een salade. Terwijl ze olijfolie en balsamicoazijn uit een keukenkastje pakte om de dressing te maken, dacht ze aan hoe snel het drama rond haar vertrek was overgewaaid. Dezelfde vierentwintig-uur-per-dag-nieuws-cultuur die haar vertrek had versneld, had het ook mogelijk gemaakt nog een toekomst te hebben. Tegen de tijd dat Tara's memoires volgend jaar zouden verschijnen, zou het onderzoek dat bijna het einde van Charlottes presidentschap had betekend bijna helemaal in de vergetelheid zijn geraakt. Het geluid van Kendall en haar klasgenootje die door de deur naar binnen stormden, bracht Tara terug in het heden.

'Mag Tamara blijven eten?'

'Ik vind het prima, meiden, maar alleen als je moeder het ook goedvindt. Bel haar maar even in de kamer.'

Kendall pakte de draadloze telefoon en rende naar de kamer.

Dale

Vanuit de personeelskeet kon Dale het huis amper zien, maar ze herinnerde zich elke centimeter. Charlotte zou niet weten dat Peter het huis aan het strand voor Dale had gekocht, en Peter zou er geen idee van hebben dat ze dat weekend met de president was meegereisd naar Noord Californië. Dale pakte haar BlackBerry om Craig een e-mail te sturen, maar herinnerde zich toen van die ene dag een jaar geleden dat de dekking er armzalig was. Ze smeet haar BlackBerry in haar tas en liep de staftrailer uit voor wat frisse lucht. De trailer was een commandopost vanwaaruit de stafleden van het Witte Huis konden werken tijdens het weekenduitje van de president naar Stinson Beach. Terwijl Dale naar het water liep, ademde ze diep in, met haar hoofd in haar nek. Het dikke gordijn van mist boven de kust reikte zo ver ze kon kijken.

Iets verderop op het strand ontwaarde Dale met moeite de plaatsvervangend chef-staf en een economisch beleidsadviseur die dicht tegen elkaar aan onder een paraplu waren gekropen. Paraplu's waren nutteloos in de mist. De vochtigheid kwam uit alle richtingen. Dale dwong zichzelf niet naar het huis te kijken. Ze was grotendeels over Peter heen. In plaats van de allesverslindende eenzaamheid die ze had gevoeld toen ze pas uit elkaar waren, was het tegenwoordig meer een soort doffe pijn. Craig had haar het beste advies van de eeuw gegeven door te opperen dat ze moest ophouden met proberen over Peter heen te komen en gewoon aan het idee moest wennen van een leven zonder hem. Op aandringen van Craig had ze zelfs een paar afspraakjes gehad, maar het grootste deel van haar tijd besteedde ze aan studeren voor haar nieuwe baan. Als kersverse persvoorlichter van het Witte Huis had Dale jaren van voor-de-cameravaardigheden om op terug te vallen, maar ze bezat niet de institutionele kennis over de westvleugel die haar voorgangers hadden gehad. Ze had de intuïtieve gave ontwikkeld om de reacties van de president op de meeste vragen te voorspellen, maar Dale's relatie met de president was meer gestoeld op professioneel respect dan op vriendschap of camaraderie. Met Craig als de nieuwe chef-staf van de president, wist ze dat ze alle toegang had die ze nodig had om haar baan goed te kunnen doen, en een puur professionele relatie vond Dale prima. Meer kon ze ook eigenlijk niet aan nu Charlotte en Peter publiekelijk hadden aangekondigd dat ze weer bij elkaar waren.

Op de dag van Charlottes getuigenis voor de commissie van Justitie van het Huis, hadden ze hun opnieuw ontbrande liefde bekendgemaakt op een manier die zowel de voorstanders als de tegenstanders had verbaasd. Toen de deuren van de commissiezaal die dag opengingen, was het eerste beeld van de president er een met een gebogen hoofd dat aan bidden deed denken, en hand in hand met Peter. Ze had ietwat verbaasd gekeken dus iedereen had aangenomen dat iemand van haar team haar was vergeten te waarschuwen dat de deuren opengingen en dat elke camera ter wereld op haar was gericht. Het was een zeldzaam vertoon van emotie door de president; een moment dat eruitzag alsof het niet voor anderen bedoeld was. Analisten dachten dat het hielp sympathie op te wekken bij het volk. Sommigen schreven het stopzetten van de impeachment zelfs aan dit moment toe.

Dale wandelde naar de lege colonne die hen van het vliegveld naar het strand had gebracht. Ze stak bij een van de wagens haar hoofd naar binnen en vroeg de vrijwilliger achter het stuur of hij haar naar het centrum wilde brengen zodat ze een kop koffie kon drinken. Hij nam de opdracht met plezier aan. Uit het raam kijkend tijdens het korte ritje naar het centrum, glimlachte ze bij zichzelf om de biologische boerderijen en yogaretraites overal langs de weg. Dit deel van Noord-Californië was een totaal ander universum. Dale bestelde een cappuccino en liep naar buiten om haar voicemail te checken terwijl ze wachtte tot ze volle melk zouden hebben gevonden. Ze had dertien nieuwe berichten. De meeste telefoontjes waren van journalisten die het weekend met hen meereisden, maar Michael Robbins had ook drie boodschappen ingesproken. Ze belde hem terug.

Hij nam meteen op. 'Gefeliciteerd met je nieuwe baan.'

'Dank je.'

'Luister, ik wil de pret niet drukken, maar er is iets waar ik met je over moet praten zodra je terug bent.'

'Wat dan? Ik zit nog tot dinsdag hier.'

'Dat bespreek ik liever niet over de telefoon.'

'Ik kan hier niet weg. Kan dit niet volgende week?'

Ze hoorde hem een haal van een sigaret nemen. 'Dale, Melanie heeft geen dealtje gesloten.'

Ze zuchtte. Michael was geobsedeerd door het zuiveren van Melanies naam. 'Dat heeft de president ook niet gezegd. En voor zover ik weet is ze ook nog steeds de minister van Defensie.'

'Maar iedereen denkt dat zij de bron was voor de grand jury en de commissie van Justitie van het Huis,' zei Michael.

'Wat wil je dat ik eraan doe?'

'Jij bent nu de persvoorlichter. Je spreekt voor de president en ik weet vrij zeker dat ze graag wil weten wie de echte klokkenluider was, helemaal als het betekent dat haar beste vriendin en vertrouwelinge onschuldig is.'

Dale zuchtte ongeduldig. Ze werd gek van Michael. 'Ik weet nog steeds niet wat je wilt dat ik doe.'

'Neem het gewoon eens met me door. Volgens een aantal zeer hoge bronnen binnen de ordehandhaving en het Congres was de echte bron iemand die nog steeds op het Witte Huis werkt. En het moet iemand zijn met een heel hoge functie. Misschien is het iemand die veel baat heeft gehad bij de ondergang van Melanie en Ralph?'

'Ik was het niet.'

'Dat is een makkie. Ik weet dat jij het niet was.' Hij schraapte zijn keel. 'Dale, ben je erg close met Craig Thompson?'

'Ja, hoezo?'

'Heb je hem afgelopen zomer dingen over de vicepresident verteld?'

'Dat gaat je niks aan.'

'Hebben jullie al jullie diepste geheimen met elkaar gedeeld?'

'Je bent een enorme klootzak, Michael.'

'Is het mogelijk dat hij je erin heeft geluisd, Dale?'

Nu was ze woedend. 'Michael, ik weet niet hoe het tussen jou en Melanie ging, maar het is niet mijn werk om al jouw onzin uit te zoeken. Je bent niet helemaal lekker.'

'Luister naar me, Dale. Denk er eens over na. Hij had de informatie, hij heeft een goede band met de Voorzitter, hij ontwikkelde de relatie met de president toen het haar duidelijk werd dat ze de Voorzitter aan haar kant moest hebben, en Melanie was de perfecte zondebok. Het was de perfecte misdaad.'

'Je weet niet wat je zegt. Ik ga nu ophangen.'

'Niet?'

'Nee.'

'Nog één ding: hebben Craig en jij het ooit over Tara's rampzalige televisieoptreden gehad?'

'Wat heeft dat ermee te maken?'

'Laat me raden: hij nam je in vertrouwen over zijn geheime liefdesrelatie met de chef-staf van de Voorzitter? Zit ik goed, Dale? Kuch één keer als dit je bekend voorkomt en twee keer als je dacht dat je de enige was die hij inzette voor zijn grootse plan.'

'Waar heb je het over? Hoe weet je van Langston?'

'Ik was Capitoolverslaggever voor de *Post* voordat ik onderzoeksjournalist voor de *Dispatch* werd. Hij gaf me stapels primeurs in ruil voor geheimhouding van zijn relatie met Langston. Een regeling die ons beiden goed beviel. Een echte win-winsituatie.'

Dale was witheet. 'Door mensen zoals jij walgt men van Washington.'

'Rustig aan, Dale. Door mij kreeg jouw maatje de baan van chef-staf. Denk je niet dat ik de bom van het nieuws over zijn decennium lange relatie met de getrouwde chef-staf van de Voorzitter midden in de impeachment had kunnen laten ontploffen als ik lukraak mensenlevens wilde ruïneren? Het kan me geen reet schelen wie het met wie doet in deze stad. Maar ik voel wel de professionele verplichting om te laten weten hoe een onschuldige en loyale overheidsfunctionaris zoals Melanie Kingston door het slijk gehaald wordt en niemand, zelfs de president niet, iets doet om erachter te komen of ze daadwerkelijk schuldig is aan de sabotage waarvan men haar verdenkt. Dat, Dale, is wél mijn werk. En belangrijker, het is nu jouw professionele plicht om te helpen de waarheid boven tafel te krijgen over het apparaat waarvoor jij werkt. Mocht je niet op de hoogte zijn van de geschiedenis van het podium voor persconferenties van het Witte Huis: wie daar liegt, gaat daar ten onder.'

Dale had het gevoel dat haar hoofd ging ontploffen. Hoe kon Michael deze dingen weten? Haar gedachten schoten naar haar eerste ontmoeting met Craig in het OEOB. Hij had buiten haar kantoor gestaan terwijl zij met Michael ruziede. Dat was toch zeker toeval geweest? Misschien was Michael degene die Craig er juist in wilde luizen? Of hem chanteerde?

'Dale, denk er nou eens over na. Vond je het niet apart hoe hij de president precies tot op het randje van impeachment bracht en vervolgens eigenhandig de ramp afwendde door een dealtje met de Voorzitter te sluiten? Heel toevallig een dealtje dat als resultaat had dat zijn minnaar zich aan kon sluiten bij de staf van het Witte Huis, over wie hij nu zelf de leiding heeft. Is er iemand beter geworden van dit gebeuren dan Craig?

'Je spoort niet.' Maar het was wel waar dat Craig eruit was gekomen als de machtigste persoon in Washington.

'Dale, nog iets. Wie heeft je aan Jim Moffet voorgesteld?'

Ze zweeg.

'Jim was op de bruiloft van Melanie en Brian. Hij is een van hun beste vrienden. Ze heeft jou aan hem toevertrouwd omdat ze bang was dat degene die lekte jou ook onderuit zou halen. Ze dacht dat je erin meegesleurd zou worden en wilde je beschermen. Heb je je ooit afgevraagd waarom iemand als Jim Moffet ermee instemde je bij te staan? En ik gok dat je geen rekening hebt ontvangen.'

'Waarom zou Melanie me willen beschermen?'

'Ik heb geen idee, Dale. Zo is ze gewoon.'

'Dit is allemaal gestoord. Jij bent gestoord.'

Dale hing op en stopte haar bevende handen in haar zakken. Wat Michael zei was onmogelijk. Craig was haar beste vriend. Hij zou haar en de president nooit op die manier gebruiken. Het was niet waar. Het kon niet waar zijn.

Charlotte

Charlotte kon een glimlach niet onderdrukken toen ze ophing na haar gesprek met Craig. Hij was pas een paar weken haar chef-staf, maar ze had nu al het gevoel dat ze in betere handen was dan toen Ralph aan het roer stond. De Voorzitter leek met hem op zijn gemak. Craig begreep de kunst van compromissen sluiten beter dan Melanie en Ralph bij elkaar, en hij zag Charlotte voor wie ze was, niet zoals hij wilde dat ze zou zijn.

Ze kon alleen maar hopen dat Craigs termijn beter zou eindigen dan dat van haar twee voorgaande chef-stafs. Ralph was bijna aangeklaagd voor meineed, wat Charlotte niet verbaasde. Maar Melanies verraad had haar overvallen. Craig had uit gezaghebbende bron vernomen dat ze een deal had gesloten voor immuniteit en de speciale commissie in ruil daarvoor informatie uit de eerste hand had gegeven over Charlottes bezorgdheid om Tara. Het was nooit bekendgemaakt omdat niemand het kon bevestigen, maar de meeste mensen namen aan dat alleen Melanie zulke gevoelige en gedetailleerde informatie kon hebben. Toen haar ongeloof begon te slijten, was Charlotte niet kwaad meer. Het was eigenlijk Melanies fout niet, maar de hare. Van langdurige nabijheid tot de gebrekkige mensen die president werden, zou iedereen gedesillusioneerd raken. Craig had voorgesteld dat ze om Melanies ontslag bij het ministerie van Defensie vroeg, maar Charlotte wilde het liever aankijken.

Het huis aan het strand was iets wat Peter haar al een tijdje had willen laten zien, en nu alles in een wat rustiger vaarwater was gekomen, had Charlotte ermee ingestemd meer tijd door te brengen aan de westkust. De kinderen waren rechtstreeks naar het huis van Brooke en Mark in Atherton gegaan, dus Peter en zij hadden het huis een nachtje voor zichzelf. De volgende dag zouden ze met z'n allen naar Stanford University gaan voor een rondleiding.

Charlotte liep nog een keer door de grote open ruimten van het huis. De honden sliepen in een kaneelkleurige hoop midden op het bed. Peter stond in de keuken naar de oceaan te staren. Hij had een afwezige blik in zijn ogen en Charlotte vroeg zich af of hij aan Dale dacht. Ze vroeg niet of hij en Dale samen in het huis waren geweest, maar vond wel dat het eruitzag als een huis waar Dale zich thuis zou voelen. Peters relatie met Dale had nooit iets met haar te maken gehad. Charlotte had altijd begrepen waarom hij naar Dale toe was getrokken. Peter had net zo hard iemand nodig die hem nodig had, als Charlotte onafhankelijk moest kunnen zijn. Toen ze zijn steun niet langer nodig had, had hij iemand anders gevonden. Het zou niet weer gebeuren. Ze had hem namelijk wél nodig. En nog belangrijker: ze wilde bij hem zijn, en hoewel ze niet de jaren terug kon krijgen waarin ze dacht dat ze te druk en onafhankelijk was voor haar huwelijk, kon ze haar leven wél zo organiseren dat Peter het middelpunt werd.

De tweeling probeerde niet te moeilijk te doen over de hereniging van hun ouders, maar ze kon zien dat ze moeite hadden te begrijpen waarom ze in de eerste plaats niet bij elkaar hadden kunnen blijven toen zij dat zo nodig hadden. Penny werd heen en weer geslingerd tussen dramatische momenten van open vijandigheid en berekende onverschilligheid. Charlotte wist niet of ze haar tijdens die buien beter kon vertroetelen of negeren. Het was niet zo raar; Penny was degene die het op zich had genomen Peter te beschermen in de jaren dat ze gescheiden waren geweest, en Charlotte wist dat ze op een bepaalde manier bang was dat ze werd vervangen. Hoewel ze het gevoel niet vaak toeliet, was Charlottes spijt over haar slechte ouderschap overweldigend. Op een bepaalde manier was Peter degene geweest die écht alles had. Hij runde nog steeds een van de succesvolste sportagentschappen en hij was de voornaamste ouder geweest in het leven van de tweeling. Ze dacht aan de envelop die Melanie had afgegeven voordat ze met Brian op vakantie ging. Charlotte had haar een jaar geleden Rogers brief gegeven op de dag dat ze haar vroeg minister van Defensie te worden. Bijna al die tijd had ze hem al terug gewild. Ze haalde de brief uit de bruine envelop. Ze las Rogers slordige handschrift altijd graag. Op de momenten dat zijn dood haar bijna te veel werd, had ze zo erg haar best gedaan om sterk te zijn. Veel van haar overtuigingen over goed en kwaad en recht versus onrecht, waren samen met Roger gestorven. Ze was altijd politiek gematigd geweest, maar sinds zijn dood was ze wantrouwig en afwijzend geweest jegens iedereen die haar een beslissing voorlegde als zwart of wit. Het Oval Office was geen plek voor zulke gedestilleerde discussies.

Charlotte dacht dat het volk de realiteit begon te waarderen en ze wilde een manier vinden om wat belang toe te voegen aan de debatten die Washington al jaren vertwijfelden. Het verrassende was, zelfs voor haar, dat ze de publieke steun had om het te doen. Het volk was niet veel afgeweken wat betrof de waardering van haar prestaties, of voor haar persoonlijk, tijdens het onderzoek van de speciale commissie en de impeachment. Ze weet dat aan het feit dat ze het niet mooier had willen maken dan het was. De meeste mensen moeten in hun leven constant met onaangename situaties omgaan. Daar konden de stemmers zich wel in vinden. Ze had geleerd openlijk te praten over haar fouten en de zaken die ze betreurde. Voorlopig was het volk bereid te accepteren dat ze Tara verkeerd had ingeschat. Het nieuws van haar hereniging met Peter was ook goed gevallen. Het ging haar niet om populariteit, maar ze zag wel in dat het feit dat het volk zich achter haar schaarde, haar meer invloed gaf bij het Congres en in de wereld. In de kleine drie jaar van haar tweede termijn die haar nog resteerden, wilde ze grootse zaken aanpakken.

Over de nieuwe vicepresident was ze enthousiaster dan ze zich kon permitteren te laten doorschemeren. Het was niet het soort samenwerking dat ze zich had voorgesteld, maar het zou baanbrekend zijn om een van de progressiefste Democraten van het land als haar vicepresident te hebben. Er was een presidentiële verschijning voor de commissie van Justitie van het Huis voor nodig geweest, een risico dat geen enkele Amerikaanse president ooit eerder had genomen, en een meerderheid van het Huis en de Senaat. De stemming was het makkelijkst geweest omdat de Democraten de overhand hadden in beide kamers. Maureen McCoughlin was ingezworen als de nieuwe vicepresident van de Verenigde Staten van Amerika op de dag na Charlottes bezoekje aan Capitol Hill.

Charlotte vouwde Rogers brief open en hield hem tegen haar borst. Dichter bij hem dan dat kon ze niet komen. Ze hield hem voor zich en las de vervaagde woorden die ze de eerste keer dat ze ze had gelezen al uit het hoofd had geleerd.

'Lieverd, sorry dat ik er op zo'n akelige manier tussenuit moet knijpen. God weet dat wij wel ergere dingen hebben gezien, maar ik beloof je dat als de schok eenmaal voorbij is, je het zult begrijpen. (Als ik me vergis, kunnen we in het hiernamaals een van onze beroemde ruzies maken, als God wil dat mijn plekje ergens binnen schreeuwafstand van het jouwe zal zijn.)

In mijn hele leven heb ik geen bevredigendere ervaring gekend dan te dienen als jouw adviseur. Ik realiseerde me niet in welke mate jouw vertrouwen in mij mijn complete doel was geworden. Sorry dat ik dat moet zeggen, want ik weet dat je geneigd zult zijn dit op jou te betrekken en je schuldig te voelen. Doe dat alsjeblieft niet, Char. Dit komt niet door jou, op een slechte manier die je ongetwijfeld zult veronderstellen. Ik ben zo vrijpostig je om een laatste gunst te vragen, lieve vriendin. Als je een plaatsje in je hart kunt vinden om me te vergeven, dan zou je een hart moeten hebben dat twee keer zo groot is als dat van een normaal mens. Laat dat bovenmaatse hart je alsjeblieft op nobele en genereuze manieren dienen. Maak meer plezier, Char. Dat verdien je. En nog één ding: pas op Mel. Ze is minder taai dan ze lijkt, en ze verafgoodt jou. Liefs voor altijd, R.'

Charlotte vouwde de brief weer op en deed hem terug in de envelop. Toen ze opkeek, stond Peter naar haar te kijken. Ze glimlachte naar hem. 'Het is hier prachtig.'

'Ik ben blij dat je het mooi vindt. Zullen we nog even met de honden het strand op gaan voor het eten? Denk je dat de jongens dat erg vinden?' vroeg Peter.

'Ik zal Cliff vast waarschuwen. Maar ik wil eerst dat je dit leest.'

Ze gaf hem de brief van Roger en liep de voordeur uit. Cliff haastte zich naar de deur om een paraplu boven haar hoofd te houden. 'Dat zal niet veel helpen,' plaagde ze.

'Ik merk het. Wat ís dit?'

'Stinson Beach-mist.'

Hij liet de paraplu zakken en knikte.

'Cliff, is het erg veel gedoe voor jullie als we de honden op het strand willen uitlaten?'

'Natuurlijk niet. Laat ons maar weten wanneer u er klaar voor bent het weer te trotseren.'

Ze bedankte hem en dook het huis in om een jas aan te trekken en de honden bij zich te roepen. Dingen trotseren was precies wat ze al het hele jaar deed. Ze trok een fleece vest van North Face aan en stopte drie riemen en een handjevol hondenkoekjes in haar zak.

Peter kwam de hal in lopen en sloeg zijn armen om haar heen. 'Bedankt dat je dat met me wilde delen.'

Ze ademde diep in. Hoezeer ze ook niets wilde weten van Peters leven met Dale, ze was gaan beseffen dat ze niet langer in Dale's schaduw wilde staan. 'Ik wil je iets vragen.'

'Zeg het maar.'

'Wil je me vertellen over jou en Dale?' Ze zag hem licht fronsen en even leek hij al zijn aandacht op de honden te vestigen.

'Wat moet ik vertellen dan?' vroeg hij.

'Je hield van haar en zij van jou. Je hebt me nooit verteld waarom het over is tussen jullie. En nu zijn wij weer samen. Dat vind ik geweldig, maar ik ben ook bang dat een van ons zich weer zal terugtrekken als die hele periode van ons leven – de drie jaar dat jullie samen waren – tussen ons in blijft hangen als verboden en onuitgesproken terrein.'

Hij liep naar de ramen en keek naar de Grote Oceaan.

'Denk er maar over na,' drong Charlotte aan.

Na een tijdje liep hij terug naar waar Charlotte bij de deur stond en pakte haar hand. 'Ben je er klaar voor?' vroeg hij.

'Om te wandelen?'

Hij glimlachte. 'Ik wéét dat je daar klaar voor bent; je zakken puilen uit van de hondenkoekjes en speeltjes.'

Ze glimlachte. 'Voor dat andere ben ik ook klaar,' beloofde ze.

Hij nam haar hand en ze liepen met de drie honden voor zich uit naar het strand. Charlotte keek naar het stafkantoor en vroeg zich af of ze Peter moest vertellen dat Dale met haar was meegereisd naar Californië. Ze was nu haar persvoorlichter, dus Dale zou overal met haar mee naartoe reizen. Charlotte huiverde bij de gedachte dat ze Dale zo dicht bij de mensen en dingen had geplaatst die haar na aan het hart lagen. Waarom heb ik dat gedaan? dacht ze.

'Is er iets?' vroeg Peter.

'Ja. Ik ben gewoon niet zo aan die nattigheid gewend,' loog ze.

'Ik heb tien keer liever deze mist dan een winter aan de oostkust.'

'Of een zomer in Washington. Wat zijn die toch verschrikkelijk.'

'Weet je nog dat we toen we hier woonden eens per week tegen elkaar zeiden: "Waarom zou je ergens anders willen wonen?"'

'Ja! Dan zagen we al die tornado's in het midwesten en sneeuwstormen in New England en grapten we dat Californië ons geheimpje zou blijven,' herinnerde ze zich.

'Denk je dat je hier weer zou kunnen wonen, Char? Kan Californië weer je thuis worden?'

'Ja, natuurlijk.'

'Want voor mij is dit thuis. En het is belangrijk voor me dat we hier weer samen kunnen wonen, als je termijn erop zit.'

'Heel graag, Peter,' zei ze. Ze laakte zichzelf dat ze minuten eerder nog had gedacht dat Dale een bedreiging zou vormen en glimlachte om de gedachte van een nieuw begin met Peter in Californië. Ze liet haar gedachten net afdwalen naar het leven dat ze samen zouden opbouwen, toen ze een groepje jongeren in wetsuits zag ruziën met de plaatselijke politie. De Geheime Dienst moest voor hun wandeling het strand helemaal hebben afgesloten. Met een harde dreun kwam ze terug in de realiteit van haar leven. Ze riep de honden bij de branding vandaan en pakte de riemen uit haar zak.

'Wat is er?' vroeg Peter.

'Ik wil niet het strand voor iedereen inpikken.'

'Charlotte, je mag best zo nu en dan een wandeling maken, en als dat betekent dat de lokale bevolking een middagje weg moet blijven, hebben ze maar pech.'

Ze keek weer naar de surfers en probeerde het schuldgevoel kwijt te raken. 'Je hebt gelijk.' Ze zwaaide naar de jongeren en lachte toen een paar van hen hun middelvinger opstaken. 'Ik denk dat we hier nog veel plezier zullen beleven,' zei ze. Ze draaide zich om en gooide de bal weg voor de honden.

Peter glimlachte en liep haar over het strand achterna.

Woord van dank

Ik begin met een bedankje aan de lezers van *Mrs President* die wilden weten wat er daarna gebeurde. Wat geweldig om zoveel van jullie dit jaar te ontmoeten. Jullie waren mijn motivatie en inspiratie.

Ik heb dit jaar meer geleund op mijn trouwe steunpilaren dan vorig jaar. Mijn agent, Sloan Harris, bedankt dat je dit project op je schouders hebt genomen en het af en toe gedragen hebt. Mijn uitgever, Emily Bestler, bedankt voor je briljante inzichten en voorzichtige suggesties. Zonder jou was dit verhaal nooit op papier gekomen. En mijn echtgenoot, Mark, bedankt dat je van me houdt en me steunt zelfs als mijn deadlines naderen.

Henley Old doet de meest gedetailleerde en precieze research ter wereld. Wendy Button en Ashley Devenish gaven feedback op alle kritieke momenten. Bedankt Henley, Wendy en Ashley, voor het lezen van meer kladversies dan ik jullie had mogen aandoen.

Michelle Humphrey, Kristyn Keene en John DeLaney van ICM, bedankt voor jullie vriendelijkheid en gulheid. Paul Olsewski, Lisa Sciambra en Mellony Torres van Atria Books, ik geniet van elke seconde dat ik met jullie mag samenwerken. Bedankt voor jullie enthousiasme. Jeanne Lee, Hilary Tisman en Katie Moran van Atria Books, jullie laten het allemaal zo makkelijk lijken, maar ik weet nu beter. En Kate Cetrulo bij Emily Bestler Books, zonder jou zouden manuscripten nooit boeken worden.

Judith Curr en Carolyn Reidy, bedankt dat ik nog een kans kreeg.

In het bijzonder bedank ik Joe en Natalie Comartin, Mark en Annie McKinnon, Matt en Liz Clark, Steve en Angela Schmidt, Ken Mehlman, Matt en Mercy Schlapp, Geoff en Ann Morrell, Dana

Bash en John King, Michael Glantz, Barbara Fedida, Terry en Marci Nelson, Katie Couric en Pat en Milt Wallace.

En Courtney, Ashley, Zack en mama, ik hou van jullie. Pap, deze moet je wel lezen hoor!